권별주삶

아가페 주삶

• 주야로 묵상하는 삶 •

마태복음(상)

JN416105

● **주삶의 정신 1**

'주삶'은 에티오피아 내시에게
말씀을 해석해 준 빌립 집사의 역할을 하기 원합니다.

말씀을 올바르게 깨닫기 위해서는 빌립과 같은 신령한 조력자가 필요합니다.
이제 주삶은 '객관적이고 정확한 절별 해설'을 통해
그리스도인의 매일 말씀묵상을 돕고자 합니다.

● **주삶의 정신 2**

'묵상'은 하루 중 가장 방해받지 않는
귀중한 시간에 하는 것입니다.
그리고 깨달은 말씀을 종일 생각하는 것입니다.

진정한 그리스도인이 되기 위해서는 묵상한 말씀을 늘 되새겨야 합니다.
그것이 주야로 묵상하는 삶이며, '주삶'의 정신입니다.

● **주삶의 정신 3**

'오늘 말씀묵상(큐티)을 하지 않으면 밥을 먹지 않겠다.'
참된 성도는 굳은 결심의 소유자여야 합니다.

매일 말씀묵상을 하지 않으면 영혼이 병들고 성장하지 않기 때문입니다.
일주일에 한두 끼만 먹는 사람이
건강한 삶을 살 수 없는 것과 마찬가지 이치입니다.

Contents

해설 집필자 소개

오대환 목사_ 마태복음 개정판, GBS 및 해설서

· 합동신학대학원 졸업 (목회학 M.Div.)
· 영국 Trinity College 졸업 (실천신학 M.A.)
· 미국 San Francisco Theological Seminary (실천신학 D.Min. 과정 이수)
· 온마음교회 담임목사

권별주삶

아가페

주삶

• 주 야 로 묵 상 하 는 삶 •

마태복음 상 개정판

AGAPE
(주)아가페출판사

아가페

주삶 단체 활용법

「권별주삶」의 특징

- 「**권별주삶**」은 가족, 교회 소그룹, 직장 신우회 등 각종 성경공부 모임에 활용하면 좋습니다.
- 「**권별주삶**」은 날짜에 구애받지 않는 5일 동안의 개인 묵상과 1일의 주간성경공부(GBS)로 구성되어 있습니다.

「권별주삶」의 단체 활용법

➤ 주중 5일을 개인적으로 묵상하고, 1주일에 1회씩 모여서 GBS 모임을 가지면 좋습니다.

- 주중 1일째부터 5일째까지, 개인 묵상 시간을 통해 말씀을 묵상하고, 6일째는 지난 5일간 주신 메시지를 거듭 기억하고 복습하는 시간을 가집니다.
- 7일째, 주간성경공부 모임에서 한 주 동안 말씀을 삶에 적용하고 변화한 경험과 깨달음을 서로 공유합니다.

➤ 단체 성경공부 모임의 말씀묵상을 하면서 아래의 구체적인 활용법을 따라하세요.

예) 토요일이나 일요일에 GBS 모임을 가지는 경우

1주차 월,화,수,목,금 01~05회	GBS 1	2주차 월,화,수,목,금 06~10회	GBS 2	3주차 월,화,수,목,금 11~15회	GBS 3	…	6주차 월,화,수,목,금 26~30회	GBS 6

예) 금요일에 GBS 모임을 가지는 경우

1주차 토,월,화,수,목 01~05회	GBS 1	2주차 토,월,화,수,목 06~10회	GBS 2	3주차 토,월,화,수,목 11~15회	GBS 3	…	6주차 토,월,화,수,목 26~30회	GBS 6

「**권별주삶**」은 이처럼 각종 성경공부 모임의 계획에 맞춰 차별화된 스케줄 구성을 가능하게 합니다.

아가페 주삶 개인 활용법

「권별주삶」의 특징

- 「**권별주삶**」은 날짜가 특정되지 않아 순차적으로 깊이 있는 말씀 묵상이 가능합니다.
- 「**권별주삶**」은 개인별 맞춤 스케줄에 따른 시간을 활용함으로써 하나님의 말씀을 거듭 상고하고 깊이 체험할 수 있게 도와줍니다.

「권별주삶」의 개인 활용법

➤ 아래 「**권별주삶**」의 개인 활용법을 따라 꾸준히 묵상하면서 하나님과 동행하세요.

- 먼저 묵상을 시작하는 날짜를 기록합니다.
  개인 스케줄에 맞춰 날짜와 관계없이 성경을 이어서 빠짐없이 묵상할 수 있습니다.

- 주중 1일째부터 5일째까지, 개인 묵상 시간을 통해 말씀을 묵상하고,
  6일째는 지난 5일간 주신 메시지를 거듭 기억하고 복습하는 시간을 가집니다.

- 7일째, 주간성경공부 모임에서 한 주 동안 말씀을 삶에 적용하고 변화한 경험과 깨달음을 서로 공유합니다.

- 교훈과 묵상한 것을 메모합니다. 묵상과 적용이 「**권별주삶**」의 깊이 있는 해설과 곁들여져 말씀을 더욱 쉽게 이해하는 나만의 묵상 노트가 됩니다.

- 「**권별 주삶 시리즈**」를 권별로 모아두세요. 성경의 문맥을 살려 그 자체로 말씀을 쉽게 이해하게 해주는 훌륭한 성경 해설서로 활용할 수 있습니다.

*** 「권별주삶」을**

나만의 묵상 노트이자 성경 해설서로 만든다는 목표를 가지고 꾸준히 하면,
하나님과의 친밀한 교제 안에서 변화된 자신을 체험할 수 있습니다.

아가페

주삶 활용법

1 날짜 기록

묵상한 날짜를
기록합니다.

2 찬양과 기도

먼저 찬양한 후, 성령님의
도우심을 구하는 기도를
드립니다.

3 본문요약

'본문요약'을 읽고
흐름을 파악합니다.

4 개역개정성경 읽기

성경 본문을 정독합니다.

01

월 일

예수님의 족보1

마태복음 1:1-6

새찬송 393장 | 통일 447장

• 먼저 묵상을 위한 기도를 드린 후, 성경 본문을 2번 이상 읽고 묵상하십시오.

본문요약 | 아브라함과 다윗의 자손이신 예수 그리스도의 족보를 언급한다. 이삭은 자연적 출생의 범주를 넘어 태어났으며, 야곱은 형을 제치고 약속의 후손이 된다. 한편 마태는 남성 중심의 유대인 족보에 여자, 그것도 다말, 라합, 룻, 밧세바와 같은 흠이 있는 여인들을 기록한다.

개역개정

1 아브라함과 다윗의 자손 예수 그리스도의 계보라
2 아브라함이 이삭을 낳고 이삭은 야곱을 낳고 야곱은 유다와 그의 형제들을 낳고
3 유다는 다말에게서 베레스와 세라를 낳고 베레스는 헤스론을 낳고 헤스론은 람을 낳고
4 람은 아미나답을 낳고 아미나답은 나손을 낳고 나손은 살몬을 낳고
5 살몬은 라합에게서 보아스를 낳고 보아스는 룻에게서 오벳을 낳고 오벳은 이새를 낳고
6 이새는 다윗 왕을 낳으니라 다윗은 우리야의 아내에게서 솔로몬을 낳고

1. 오늘 하나님께서 나에게 주신 깨달음은 무엇입니까?

2. 말씀을 어떻게 내 삶에 구체적으로 적용해야 합니까?

10

7 묵상과 적용

'묵상과 적용' 질문을 통해 깨달은 말씀과
적용한 내용을 적습니다.

'말씀묵상'은

말씀과 기도를 통해 날마다 하나님의 음성에 귀 기울이고 그 음성을 따라 살아가고자 하는 그리스도인을 위한 경건의 시간입니다. '말씀묵상'은 하루 중 가장 귀중한 시간에 아무도 방해하지 않는 곳에서 해야 합니다. 그리고 깨달은 말씀을 주야로 묵상하는 것입니다.

절별 해설

1 아브라함과 다윗의 자손 예수 그리스도 '아브라함'은 혈통적으로는 유대인들의 조상이자(요 8:39) 모든 믿는 자의 조상이 되는 인물이다(롬 4:16). 〈마태복음〉은 유대인들을 대상으로 예수 그리스도가 메시아이신 것의 정통성을 언급하기 위해 쓰였기에, 그 족보가 아브라함에게서 출발하는 것은 당연하다. 한편, 다윗은 이스라엘의 가장 대표적인 왕으로 예수 그리스도를 예표하는 인물이다. 이는 예수 그리스도가 진정한 유대인의 왕임을 드러내고 있다(참고. 사 9:6-7). 예수 그리스도의 나심은 철저하게 준비된 하나님의 섭리였다.

2 아브라함, 이삭, 야곱의 족장 시대를 거쳐 야곱의 열두 아들이 있던 시대에 이르러 이스라엘은 공동체적 성격을 갖게 되며, 12지파로 구성된 국가로 발전한다. 그 과정을 보면 이삭은 아브라함이 100세 때 자연적 출생 범주를 넘어 태어났고, 야곱과 유다는 장자가 아님에도 메시아 가문으로 선택받았다. 유대인들은 혈통과 족보를 중시했으나, 하나님의 구원은 인간적 자격을 넘어 이루어지는 은혜임이 이미 구약 역사에서도 나타나고 있다.

3 다말 이방 여인으로 원래는 유다의 며느리였다. 유다는 당시의 관습인 계대 결혼법을 따라 죽은 아들의 대를 잇기 위해 남아 있는 자식을 그 며느리에게 주
이를 어기자 다말은 시아버지를 속
낳는다(창 38장). 이처럼 마태는 예
여자들을 언급했고, 더군다나 부끄
다. 즉, 인간의 부족함에도 그들을
의 섭리를 드러내고 있다.

5 라합, 룻 두 이방 여인의 이름이
고 전투 때 이스라엘을 도운 기생으
을 했으나 두 정탐꾼을 도운 일로
다. '룻'도 시어머니를 따라 끝까지
와 결혼해 예수님의 족보에 들어오
족보에 여자를 기록하지 않는다. 그
인 언급을 통해 하나님이 누구도
따라 구원하심을 드러내고 있다.

6 우리야의 아내 네 번째 등장하는
밧세바다. 마태는 밧세바를 솔로몬의
내라고 소개하여 다윗의 치부를 드
해 다윗은 우리야를 죽게 했으나, 그
은 솔로몬에게 왕위가 이어진다.

쉬운성경

1 아브라함의 후손이며, 다윗의 후손인 예수 그리스도의 족보입니다.

2 아브라함은 이삭을 낳고, 이삭은 야곱을 낳았습니다. 야곱은 유다와 그의 형제들을 낳았습니다.

3 유다는 베레스와 세라를 낳았는데, 이들의 어머니는 다말입니다. 베레스는 헤스론을 낳고, 헤스론은 람을 낳았습니다.

4 람은 아미나답을 낳고, 아미나답은 나손을 낳았습니다. 나손은 살몬을 낳았습니다.

5 살몬은 보아스를 낳았는데, 보아스의 어머니는 라합입니다. 보아스는 오벳을 낳았는데 오벳의 어머니는 룻입니다. 오벳은 이새를 낳았습니다.

6 이새는 다윗 왕을 낳고, 다윗은 솔로몬을 낳았습니다. 솔로몬의 어머니는

5 쉬운성경 읽기

쉬운성경을 정독하며 본문을 대조합니다

6 절별 해설

'절별 해설'을 참고하며 읽습니다.

저자의 묵상

마태는 예수님의 족보를 기록하면서, 의도적으로 네 여인을 등장시켜 족보가 보여주는 하나님의 뜻을 드러낸다. 밧세바를 제외한 세 명은 이방 여인이었고 모두 비정상적인 삶을 살았다는 것이 특징이다.

이 여인들이 드러내는 하나님의 은혜는, 첫째 하나님은 누구도 차별하지 않으신다는 것이다. 심지어 죄인이라 할지라도 용서하시며 하나님의 도구로 사용하신다. 더군다나 이방인까지도 예수 그리스도를 통해 구원하실 것을 나타낸다. 둘째, 인간의 행동과 그로 인한 결과가 아무리 다양하고 종잡을 수 없을지라도 구원의 큰 흐름을 바꾸지는 못한다는 것이다. 죄는 예수님의 족보에까지 영향을 미쳤지만, 하나님의 구원은 거기에 영향을 받지 않았다. 이는 결함과 실패로 얼룩진 우리의 인생도 하나님이 쓰시면 얼마든지 역사를 바꾼다는 위로의 메시지가 된다.

무릎 기도 누구도 차별하지 않고 용서하며 사용하시는 하나님의 은혜를 깨닫습니다. 제 부족함보다도 더 크신 하나님의 은혜를 바라보고 용기를 내길 원합니다.

8 저자의 묵상

절별 해설 집필자가 묵상 후 전하는 메시지입니다.

9 무릎 기도

'무릎 기도'로 기도합니다.

10 한글과 영어 본문(NLT) 대조를 통해 본문의 바른 뜻을 파악할 수 있습니다.

NLT - Matthew 1

1 This is a record of the ancestors of Jesus the Messiah, a descendant of David* and of Abraham:
2 Abraham was the father of Isaac. Isaac was the father of Jacob. Jacob was the father of Judah and his brothers.
3 Judah was the father of Perez and Zerah (whose mother was Tamar). Perez was the father of Hezron. Hezron was the father of Ram.*
4 Ram was the father of Amminadab. Amminadab was the father of Nahshon. Nahshon was the father of Salmon.
5 Salmon was the father of Boaz (whose mother was Rahab). Boaz was the father of Obed (whose mother was Ruth). Obed was the father of Jesse.
6 Jesse was the father of King David. David was the father of Solomon (whose mother was Bathsheba, the widow of Uriah).

*1:1 Greek *Jesus the Messiah, son of David*.
*1:3 Greek *Aram*, a variant spelling of Ram; also in 1:4. See 1 Chr 2:9–10.

1 record 기록, 계보 ancestor 조상 descendant 후손 2 father 아버지 brother 형제 3 Judah 유다 whose 누구의 mother 어머니 6 Bathsheba 밧세바 widow 미망인

"복 있는 사람은
악인들의 꾀를 따르지 아니하며
죄인들의 길에 서지 아니하며
오만한 자들의 자리에 앉지 아니하고
오직 여호와의 율법을 즐거워하여
그의 율법을 주야로 묵상하는도다"

- 시편 1:1-2 -

1~60 days

마태복음을 묵상하기 전에

저자 및 기록시기

예수님의 열두 제자 중 한 사람이었던 마태가 본서의 저자다. 마태는 예수님을 따르기 이전에 세리였으나 예수님의 부르심이 있자 미련 없이 직업을 버리고 예수님을 따랐다(9:9-13). 마태는 레위라는 다른 이름으로도 불린다(막 2:14). 한편, 마태복음의 헬라어 원문 제목은 '마태에 의한'으로 되어 있으며, 그 기록시기는 AD 60-70년 사이의 어느 때로 생각된다. 그 이유는 마태복음의 기록이 로마의 디도 장군에 의한 예루살렘 함락(AD 70년)에 관한 사실을 다루지 않기 때문이다. 그래서 본서는 AD 70년 이전에 기록되었다고 보며, 일반적으로 사도들에 의한 복음서 기록이 이루어진 60년 이후에 기록된 것으로 본다.

수신자

다른 성경과 마찬가지로 수신자를 완전히 한정할 수는 없으나, 마태는 주로 유대인들을 염두에 두고 본서를 기록한 것으로 보인다. 그 근거는 마태복음이 예수 그리스도를 아브라함과 다윗의 자손으로 소개하는 족보로 시작한다는 점과, 예수 그리스도를 소개함에 있어서 많은 구약 말씀을 인용함으로써 그리스도를 구약 예언의 성취로 드러내고 있다는 점이다. 이것은 유대인 독자들에게 보다 익숙해 보이는 전달 방식이다.

기록목적과 역사적 배경

예수님이 AD 30년경에 십자가에서 돌아가시고 승천하신 이후에 초대 교회가 예루살렘을 중심으로 시작되어 본서와 같은 복음서가 기록된 당시에는(AD 60년경) 유대교와 기독교가 분명한 구분을 이루고 있을 때다. 유대인들 가운데 많은 회심자가 나타났으나, 그들은 아직도 자신들의 전통인 율법과 복음 사이에서 갈등하는 경우가 많았다. 이에 마태는 유대인 독자들로 하여금 기독교가 온전한 구약 예언의 성취 결과임을 확신하도록 하려는 목적으로 본서를 기록하였다. 또한 유대교와 기독교 사이에서 갈등하고 있는 유대인들에게도 확신을 주어, 예수 그리스도가 구약에 예언된 바로 그 메시아이심을 강조함으로써 거리낌 없이 기독교에 입문하도록 돕고자 했다.

주요내용

마태복음은 예수 그리스도께서 구약에 약속된 참 메시아이자 다윗의 후손인 왕이심을 드러낸다. 이를 위해 예수 그리스도의 족보로부터 시작하여 탄생, 가르침, 이적을 행하심, 수난, 죽으심, 부활 등의 내용을 자세하게 기록한다. 모든 초점은 예수님이 유대인의 참 왕이시며 약속된 메시아이심을 드러내는 것에 있다.

특징

마태복음은 다른 복음서들과 비교하면 몇 가지 특징을 가진다. 첫째, 구약에 대한 보다 많은 인용을 다룬다. 마가복음, 누가복음, 요한복음과 비교할 때 훨씬 많은 구약의 예언이 인용되었다. 이러한 특징은 마태복음이 유대인들을 향한 복음서임을 드러내 준다. 둘째, 다른 복음서들이 '하나님 나라'라는 용어를 사용한 데 반해 마태복음은 '천국'이라는 단어를 사용한다. 유대인들이 천국이라는 단어에 훨씬 익숙했기 때문이다. 셋째, 율법의 완성에 대한 강조다. 마태는 예수님이 율법을 폐하려 오신 것이 아니라 완성하러 오심을 강조하면서(5:17), 유대인들의 복음과 그리스도에 대한 잘못된 견해를 바로잡고자 노력하였다. 또한 산상수훈을 통하여 율법에 대한 예수님의 본질적인 해석을 소개함으로써 유대교와 기독교의 자연스러운 연결을 시도하였다.

단락 구분

1. 예수 그리스도의 오심(1:1–2:23)
2. 그리스도의 자기 계시 및 선포(3:1–7:29)
3. 그리스도의 능력과 제자의 파송(8:1–11:1)
4. 그리스도와 세상의 대립(11:2–20:34)
5. 그리스도의 예루살렘 입성, 수난, 죽음(21:1–27:66)
6. 그리스도의 부활과 지상 명령(28:1–20)

01

월 일

예수님의 족보1

마태복음 1:1-6

새찬송 393장 | 통일 447장

• 먼저 묵상을 위한 기도를 드린 후, 성경 본문을 2번 이상 읽고 묵상하십시오.

본문요약 | 아브라함과 다윗의 자손이신 예수 그리스도의 족보를 언급한다. 이삭은 자연적 출생의 범주를 넘어 태어났으며, 야곱은 형을 제치고 약속의 후손이 된다. 한편, 마태는 남성 중심의 유대인 족보에 여자, 그것도 다말, 라합, 룻, 밧세바와 같은 흠이 있는 여인들을 기록한다.

개역개정

1 아브라함과 다윗의 자손 예수 그리스도의 계보라
2 아브라함이 이삭을 낳고 이삭은 야곱을 낳고 야곱은 유다와 그의 형제들을 낳고
3 유다는 다말에게서 베레스와 세라를 낳고 베레스는 헤스론을 낳고 헤스론은 람을 낳고
4 람은 아미나답을 낳고 아미나답은 나손을 낳고 나손은 살몬을 낳고
5 살몬은 라합에게서 보아스를 낳고 보아스는 룻에게서 오벳을 낳고 오벳은 이새를 낳고
6 이새는 다윗 왕을 낳으니라 다윗은 우리야의 아내에게서 솔로몬을 낳고

1. 오늘 하나님께서 나에게 주신 깨달음은 무엇입니까?

2. 말씀을 어떻게 내 삶에 구체적으로 적용해야 합니까?

절별 해설

1 아브라함과 다윗의 자손 예수 그리스도 '아브라함'은 혈통적으로는 유대인들의 조상이자(요 8:39) 모든 믿는 자의 조상이 되는 인물이다(롬 4:16). 〈마태복음〉은 유대인들을 대상으로 예수 그리스도가 메시아이신 것의 정통성을 언급하기 위해 쓰였기에, 그 족보가 아브라함에게서 출발하는 것은 당연하다. 한편, 다윗은 이스라엘의 가장 대표적인 왕으로 예수 그리스도를 예표하는 인물이다. 이는 예수 그리스도가 진정한 유대인의 왕임을 드러내고 있다(참고. 사 9:6-7). 예수 그리스도의 나심은 철저하게 준비된 하나님의 섭리였다.

2 아브라함, 이삭, 야곱의 족장 시대를 거쳐 야곱의 열두 아들이 있던 시대에 이르러 이스라엘은 공동체적 성격을 갖게 되며, 12지파로 구성된 국가로 발전한다. 그 과정을 보면 이삭은 아브라함이 100세 때 자연적 출생 범주를 넘어 태어났고, 야곱과 유다는 장자가 아님에도 메시아 가문으로 선택받았다. 유대인들은 혈통과 족보를 중시했으나, 하나님의 구원은 인간적 자격을 넘어 이루어지는 은혜임이 이미 구약 역사에서도 나타나고 있다.

3 다말 이방 여인으로 원래는 유다의 며느리였다. 유다는 당시의 관습인 계대 결혼법을 따라 죽은 아들의 대를 잇기 위해 남아 있는 자식을 그 며느리에게 주어야 했다. 그러나 유다가 이를 어기자 다말은 시아버지를 속여 그 사이에서 두 아들을 낳는다(창 38장). 이처럼 마태는 예수님의 혈통을 기록하면서 여자들을 언급했고, 더군다나 부끄러운 역사를 감추지 않는다. 즉, 인간의 부족함에도 그들을 구원하고 일하시는 하나님의 섭리를 드러내고 있다.

5 라합, 룻 두 이방 여인의 이름이 더 등장한다. '라합'은 여리고 전투 때 이스라엘을 도운 기생으로(수 2장), 비록 천한 일을 했으나 두 정탐꾼을 도운 일로 그와 가족이 구원을 얻었다. '룻'도 시어머니를 따라 끝까지 하나님을 섬기다가 보아스와 결혼해 예수님의 족보에 들어오게 된다. 유대인들은 보통 족보에 여자를 기록하지 않는다. 그러나 마태는 이런 파격적인 언급을 통해 하나님이 누구도 차별하지 않으시고 믿음을 따라 구원하심을 드러내고 있다.

6 우리야의 아내 네 번째 등장하는 여인은 우리야의 아내인 밧세바다. 마태는 밧세바를 솔로몬의 어머니이나 우리아의 아내라고 소개하여 다윗의 치부를 드러낸다. 밧세바를 얻기 위해 다윗은 우리아를 죽게 했으나, 그럼에도 밧세바를 통해 낳은 솔로몬에게 왕위가 이어진다.

쉬운성경

1 아브라함의 후손이며, 다윗의 후손인 예수 그리스도의 족보입니다.

2 아브라함은 이삭을 낳고, 이삭은 야곱을 낳았습니다. 야곱은 유다와 그의 형제들을 낳았습니다.

3 유다는 베레스와 세라를 낳았는데, 이들의 어머니는 다말입니다. 베레스는 헤스론을 낳고, 헤스론은 람을 낳았습니다.

4 람은 아미나답을 낳고, 아미나답은 나손을 낳았습니다. 나손은 살몬을 낳았습니다.

5 살몬은 보아스를 낳았는데, 보아스의 어머니는 라합입니다. 보아스는 오벳을 낳았는데 오벳의 어머니는 룻입니다. 오벳은 이새를 낳았습니다.

6 이새는 다윗 왕을 낳고, 다윗은 솔로몬을 낳았습니다. 솔로몬의 어머니는 우리야의 아내, 밧세바였습니다.

저자의 묵상

마태는 예수님의 족보를 기록하면서, 의도적으로 네 여인을 등장시켜 족보가 보여주는 하나님의 뜻을 드러낸다. 밧세바를 제외한 세 명은 이방 여인이었고 모두 비정상적인 삶을 살았다는 것이 특징이다.

이 여인들이 드러내는 하나님의 은혜는, 첫째 하나님은 누구도 차별하지 않으신다는 것이다. 심지어 죄인이라 할지라도 용서하시며 하나님의 도구로 사용하신다. 더군다나 이방인까지도 예수 그리스도를 통해 구원하실 것을 나타낸다. 둘째, 인간의 행동과 그로 인한 결과가 아무리 다양하고 종잡을 수 없을지라도 구원의 큰 흐름을 바꾸지는 못한다는 것이다. 죄는 예수님의 족보에까지 영향을 미쳤지만, 하나님의 구원은 거기에 영향을 받지 않았다. 이는 결함과 실패로 얼룩진 우리의 인생도 하나님이 쓰시면 얼마든지 역사를 바꾼다는 위로의 메시지가 된다.

무릎 기도 누구도 차별하지 않고 용서하며 사용하시는 하나님의 은혜를 깨닫습니다. 제 부족함보다도 더 크신 하나님의 은혜를 바라보고 용기를 내길 원합니다.

NLT - Matthew 1

1 This is a record of the ancestors of Jesus the
Messiah, a descendant of David* and of
Abraham:
2 Abraham was the father of Isaac. Isaac was the
father of Jacob. Jacob was the father of Judah
and his brothers.
3 Judah was the father of Perez and Zerah (whose
mother was Tamar). Perez was the father of
Hezron. Hezron was the father of Ram.*
4 Ram was the father of Amminadab. Ammina-
dab was the father of Nahshon. Nahshon was
the father of Salmon.
5 Salmon was the father of Boaz (whose mother
was Rahab). Boaz was the father of Obed (whose
mother was Ruth). Obed was the father of Jesse.
6 Jesse was the father of King David. David was
the father of Solomon (whose mother was
Bathsheba, the widow of Uriah).

*1:1 Greek *Jesus the Messiah, son of David.*
*1:3 Greek *Aram*, a variant spelling of Ram; also in 1:4. See 1 Chr 2:9–10.

1 record 기록, 계보 ancestor 조상 descendant 후손 2 father 아버지 brother 형제 3 Judah 유다 whose 누구의 mother 어머니 6 Bathsheba 밧세바 widow 미망인

02

월 일

예수님의 족보2

마태복음 1:7-17

새찬송 314장 | 통일 511장

• 먼저 묵상을 위한 기도를 드린 후, 성경 본문을 2번 이상 읽고 묵상하십시오.

본문요약 | 바벨론 포로기 전까지의 왕정 시대 족보와 포로기 이후 그리스도까지의 족보를 소개한다. 유다는 선한 왕과 악한 왕이 섞여 있는 단일 왕조였다. 마태는 14대씩 3개의 기간으로 족보를 편성하였는데, 이는 부흥-쇠락-회복의 족보 기록이다.

개역개정

7 솔로몬은 르호보암을 낳고 르호보암은 아비야를 낳고 아비야는 아사를 낳고
8 아사는 여호사밧을 낳고 여호사밧은 요람을 낳고 요람은 웃시야를 낳고
9 웃시야는 요담을 낳고 요담은 아하스를 낳고 아하스는 히스기야를 낳고
10 히스기야는 므낫세를 낳고 므낫세는 아몬을 낳고 아몬은 요시야를 낳고
11 바벨론으로 사로잡혀 갈 때에 요시야는 여고냐와 그의 형제들을 낳으니라
12 바벨론으로 사로잡혀 간 후에 여고냐는 스알디엘을 낳고 스알디엘은 스룹바벨을 낳고
13 스룹바벨은 아비훗을 낳고 아비훗은 엘리아김을 낳고 엘리아김은 아소르를 낳고
14 아소르는 사독을 낳고 사독은 아킴을 낳고 아킴은 엘리웃을 낳고
15 엘리웃은 엘르아살을 낳고 엘르아살은 맛단을 낳고 맛단은 야곱을 낳고
16 야곱은 마리아의 남편 요셉을 낳았으니 마리아에게서 그리스도라 칭하는 예수가 나시니라
17 그런즉 모든 대 수가 아브라함부터 다윗까지 열네 대요 다윗부터 바벨론으로 사로잡혀 갈 때까지 열네 대요 바벨론으로 사로잡혀 간 후부터 그리스도까지 열네 대더라

1. 오늘 하나님께서 나에게 주신 깨달음은 무엇입니까?

2. 말씀을 어떻게 내 삶에 구체적으로 적용해야 합니까?

절별 해설

7 르호보암 솔로몬의 아들로, 왕정 시대에 이스라엘을 남유다와 북이스라엘로 나뉘게 만든 원인을 제공한 사람이다. 남쪽에 위치한 유다는 이후 다윗 왕가의 정통성을 이어간다. 북이스라엘이 9개 왕조로 이루어진 반면 유다는 단일 왕조로 이어지는데, 이는 하나님이 다윗에게 하신 약속을 지키신 결과다(삼하 7:15-16). 또 다른 특징은 북이스라엘에는 하나님 보시기에 한 명도 선한 왕이 없었다는 사실이다. 그러나 남유다에는 선한 왕들이 간혹 나옴으로써 다윗 왕가의 정통성을 지켜갈 수 있었다.

8 아사 솔로몬 왕 때에 주변 국가와 맺은 정략결혼의 결과로 각국의 수많은 우상이 유입되었고, 르호보암 때를 거치면서 유다에 우상숭배가 만연했다. '아사'는 이런 우상숭배를 몰아내고 유다에서 처음으로 개혁정치를 편 왕이다. 그는 자신의 모친까지도 태후의 위에서 폐하였다(왕상 15:11-14). 아사 왕의 종교개혁 정책은 아들인 여호사밧에게까지 이어진다. 이처럼 유다는 북이스라엘과 다르게 선한 왕들이 나타나 개혁정치를 펼침으로써 그 명맥이 유지되었는데, 이것 역시 다윗 왕조를 이어가시는 하나님의 섭리라고 할 수 있다.

9 아하스는 히스기야를 낳고 히스기야는 극악한 왕이었던 아하스의 아들이었다. 아하스 때는 자녀를 불살라 제물로 드리는 몰록 숭배와 극한의 우상숭배가 성행했다(대하 28:2-3). 반면에 히스기야는 유다 왕 중에 가장 하나님을 의지한 왕이라는 평가를 받았다(왕하 18:5).

12-13 유다는 우상숭배와 죄 때문에 바벨론의 포로 신세가 되었지만, 메시아의 족보는 끊이지 않고 계속되었다. 특히 스룹바벨은 바벨론 포로에서 돌아와 성전을 재건한 인물이다. 이처럼 하나님은 어둠의 시기에도 희망의 빛을 준비하셨다.

16 야곱은 마리아의 남편 요셉을 낳았으니 마리아에게서 그리스도라 칭하는 예수가 나시니라 〈마태복음〉의 족보는 예수님의 아버지 요셉에까지 이어진다. 엄밀하게 말하면 요셉은 예수님의 육적 아버지가 아니라 법적 아버지다. 마리아가 성령으로 잉태했기 때문이다. 이는 예수님이 다윗의 자손으로 약속된 메시아시지만, 육적 혈통을 벗어난 참 하나님이심을 드러낸다.

17 본절의 14대씩 3개의 시기는(아브라함-다윗, 다윗-요시야, 여고냐-그리스도) 각각 이스라엘 민족의 부흥-쇠락-회복을 의미한다. 메시아 되신 그리스도는 인간의 회복을 위해 이 땅에 오셨다.

쉬운성경

7 솔로몬은 르호보암을 낳고, 르호보암은 아비야를 낳았습니다. 아비야는 아사를 낳았습니다.

8 아사는 여호사밧을 낳고, 여호사밧은 요람을 낳았습니다. 요람은 웃시야를 낳았습니다.

9 웃시야는 요담을 낳고, 요담은 아하스를 낳았습니다. 아하스는 히스기야를 낳았습니다.

10 히스기야는 므낫세를 낳고, 므낫세는 아몬을 낳았습니다. 아몬은 요시야를 낳았습니다.

11 요시야는 여고냐와 그 형제들을 낳았는데, 이때는 백성들이 바빌론으로 끌려갈 무렵이었습니다.

12 백성들이 바빌론에 포로로 끌려간 후에 여고냐는 스알디엘을 낳고, 스알디엘은 스룹바벨을 낳았습니다.

13 스룹바벨은 아비훗을 낳고, 아비훗은 엘리아김을 낳았습니다. 엘리아김은 아소르를 낳았습니다.

14 아소르는 사독을 낳고, 사독은 아킴을 낳았습니다. 아킴은 엘리웃을 낳았습니다.

15 엘리웃은 엘르아살을 낳고, 엘르아살은 맛단을 낳았습니다. 맛단은 야곱을 낳았습니다.

16 야곱은 마리아의 남편이 되는 요셉을 낳았습니다. 그리스도라고 하는 예수님은 마리아에게서 태어났습니다.

17 그래서 아브라함부터 다윗까지 십사 대이고, 다윗부터 바빌론으로 끌려간 때까지 십사 대입니다. 그리고 바빌론으로 끌려간 때부터 그리스도가 태어난 때까지 십사 대입니다.

저자의 묵상

마태는 예수님의 족보를 3기로 구분하고 14라는 숫자에 맞추어 구성했다. 이것이 아브라함부터 예수님까지의 족보가 모두 42대라고 설명하는 것은 아니다. 필요에 따라 중요하지 않은 인물들은 생략한 결과다.

그런데 왜 마태는 14대라는 것에 중점을 두었을까? 여러 해석이 있지만 다윗(David)의 히브리어(자음에 해당하는 단어만 표기함) 자음(DVD)에 해당하는 숫자를 합치면 14가 되기 때문에 다윗의 왕적 계보를 강조하기 위해서라는 설명이 설득력이 있다. 즉, 마태는 예수님을 '기름부음을 받은 왕'(그리스도)으로 묘사하고 있는 것이다. 또 시기적으로도 이스라엘의 부흥과 쇠락을 이기고 회복하시는 왕으로 묘사하고 있다. 즉, 예수님은 우리를 죄에서 구원하시고 하나님의 형상으로 회복시키기 위해서 이 땅에 오신 진정한 왕이시다(참고. 골 3:10).

무릎 기도 | 인간의 왕으로 오신 예수님을 온전히 섬기기 원합니다. 주님의 통치를 온전히 받아 날마다 죄로부터 진정한 회복을 이루는 신앙생활이 되게 하소서.

NLT - Matthew 1

7 Solomon was the father of Rehoboam. Rehoboam was the father of Abijah. Abijah was the father of Asa.*

8 Asa was the father of Jehoshaphat. Jehoshaphat was the father of Jehoram.* Jehoram was the father* of Uzziah.

9 Uzziah was the father of Jotham. Jotham was the father of Ahaz. Ahaz was the father of Hezekiah.

10 Hezekiah was the father of Manasseh. Manasseh was the father of Amon.* Amon was the father of Josiah.

11 Josiah was the father of Jehoiachin* and his brothers (born at the time of the exile to Babylon).

12 After the Babylonian exile: Jehoiachin was the father of Shealtiel. Shealtiel was the father of Zerubbabel.

13 Zerubbabel was the father of Abiud. Abiud was the father of Eliakim. Eliakim was the father of Azor.

14 Azor was the father of Zadok. Zadok was the father of Akim. Akim was the father of Eliud.

15 Eliud was the father of Eleazar. Eleazar was the father of Matthan. Matthan was the father of Jacob.

16 Jacob was the father of Joseph, the husband of Mary. Mary gave birth to Jesus, who is called the Messiah.

17 All those listed above include fourteen generations from Abraham to David, fourteen from David to the Babylonian exile, and fourteen from the Babylonian exile to the Messiah.

*1:7 Greek *Asaph*, a variant spelling of Asa; also in 1:8. See 1 Chr 3:10.
*1:8a Greek *Joram*, a variant spelling of Jehoram; also in 1:8b. See 1 Kgs 22:50 and note at 1 Chr 3:11.
*1:8b Or *ancestor*; also in 1:11.
*1:10 Greek *Amos*, a variant spelling of Amon; also in 1:10b. See 1 Chr 3:14.
*1:11 Greek *Jeconiah*, a variant spelling of Jehoiachin; also in 1:12. See 2 Kgs 24:6 and note at 1 Chr 3:16.

11 born 태어난 at the time of ~ ~이 일어나던 때에 exile 유배 Babylon 바벨론 16 give birth to ~ ~를 낳다 be called ~ ~로 불리다 17 include 포함하다 generation 세대

03

월 일

예수님의 탄생

마태복음 1:18-25

새찬송 105장 | 통일 105장

• 먼저 묵상을 위한 기도를 드린 후, 성경 본문을 2번 이상 읽고 묵상하십시오.

본문요약 | 예수님이 태어나신 과정을 설명한다. 예수님은 요셉과 약혼한 마리아에게 성령으로 잉태되셨으나, 이를 모르는 요셉은 조용히 파혼하려 한다. 천사가 나타나 요셉에게 상황을 설명하며 태어날 아들의 이름을 알려 준다. 예수님은 임마누엘의 예언 성취로 오셨다.

개역개정

18 예수 그리스도의 나심은 이러하니라 그의
어머니 마리아가 요셉과 약혼하고 동거하
기 전에 성령으로 잉태된 것이 나타났더니
19 그의 남편 요셉은 의로운 사람이라 그를
드러내지 아니하고 가만히 끊고자 하여
20 이 일을 생각할 때에 주의 사자가 현몽하
여 이르되 다윗의 자손 요셉아 네 아내 마
리아 데려오기를 무서워하지 말라 그에게
잉태된 자는 성령으로 된 것이라
21 아들을 낳으리니 이름을 예수라 하라 이
는 그가 자기 백성을 그들의 죄에서 구원
할 자이심이라 하니라
22 이 모든 일이 된 것은 주께서 선지자로 하
신 말씀을 이루려 하심이니 이르시되
23 ㄱ보라 처녀가 잉태하여 아들을 낳을 것
이요 그의 이름은 임마누엘이라 하리라
하셨으니 이를 번역한즉 하나님이 우리와
함께 계시다 함이라
24 요셉이 잠에서 깨어 일어나 주의 사자의
분부대로 행하여 그의 아내를 데려왔으나
25 아들을 낳기까지 동침하지 아니하더니 낳
으매 이름을 예수라 하니라

ㄱ. 사 7:14

1. 오늘 하나님께서 나에게 주신 깨달음은 무엇입니까?

2. 말씀을 어떻게 내 삶에 구체적으로 적용해야 합니까?

절별 해설

18 약혼 유대인의 약혼은 오늘날의 약혼보다 법적 구속력이 훨씬 더 강했다. 약혼 기간은 보통 1년으로, 이 기간 동안 여자는 순결해야 했으며(신 22:13-21), 혹 부정을 행한 사실이 알려지면 돌에 맞아 죽었다(신 22:23-24).

19 그의 남편 요셉은 의로운 사람이라 마태는 요셉이 의로운 사람이라는 근거를 그가 마리아를 죽음으로 내몰지 않고 조용히 파혼하려 한 것에서 찾고 있다. 아마도 요셉은 마리아가 성령으로 잉태한 사실을 들었지만(눅 1:26-38), 이 사실을 믿을 수 없었을 것이다. 그래서 자신의 경건도 유지하면서 사랑하는 마리아를 죽음에서 지킬 생각으로 조용히 파혼하려 한 것 같다. 요셉은 납득이 가지 않았음에도 생명을 경시하지 않는 신중한 사람이었음을 알 수 있다.

20 주의 사자가 현몽하여 이르되 <누가복음>에 보면 천사 가브리엘이 마리아에게 나타나 수태고지를 한다. 본문에는 요셉에게 천사가 나타난다. 하나님은 예수 그리스도의 육신의 부모가 모든 사실을 받아들일 수 있도록 역사하셨다. 이처럼 하나님은 앞서 행하시며 믿음으로 살아갈 수 있게 성도를 도우신다.
그에게 잉태된 자는 성령으로 된 것이라 예수님은 육신을 입고 오시되 성령으로 잉태되어 인간을 뛰어넘는 하나님의 아들로 오셨다. 당시 로마제국 신화에 나타나는 신은 인간의 모습을 하고 있었으나, 참 인간은 아니었다. 그러나 예수님은 참 신이시며 참 인간이 되심으로 인간을 구원할 진정한 구원자의 자격을 갖추셨다.

21 예수 '예수'는 구약에 나타난 '여호수아' 혹은 '예수아'라는 이름의 헬라어 명칭으로, '여호와가 구원하심'이란 뜻이다. 당시 유대 사회에서는 흔한 이름이었다. 그만큼 유대인들이 하나님의 구원을 바라는 마음이 간절했음을 알 수 있다.

23 보라 처녀가 잉태하여 아들을 낳을 것이요 그의 이름은 임마누엘이라 하리라 '임'은 '함께'라는 뜻이고 '마누'는 '우리와', '엘'은 '하나님'을 뜻한다. 이는 원래 이사야 때에 주어진 예언이었으나, 궁극적으로는 예수 그리스도의 탄생을 예언한 것이다(사 7:14). 예수 그리스도의 탄생을 통해 하나님은 진정으로 우리와 함께하시는 분이 되셨다.

24 당시의 관행으로 보면 받아들이기 어려웠을 명령을 요셉은 순종으로 감당한다. 그러나 하나님은 그분의 자녀가 순종할 수 있게 먼저 충분한 설명과 도움을 주시는 분이다.

쉬운성경

18 예수 그리스도는 이렇게 태어나셨습니다. 예수님의 어머니인 마리아는 요셉과 약혼을 했는데, 두 사람이 결혼도 하기 전에 성령에 의해서 마리아가 임신하게 된 사실이 밝혀졌습니다.

19 마리아의 남편 요셉은 의로운 사람이었습니다. 그는 마리아를 창피하게 만들고 싶지 않아서 조용히 파혼하려고 하였습니다.

20 요셉이 이 일을 생각하고 있을 때, 꿈에 주의 천사가 나타났습니다. 천사는 요셉에게 이렇게 말했습니다. "다윗의 자손 요셉아, 마리아를 아내로 삼는 것을 두려워하지 마라. 마리아가 아기를 가진 것은 성령께서 하신 일이다.

21 마리아가 아들을 낳을 것인데, 이름을 예수라고 하여라. 그가 자기의 백성을 죄에서 구원해 낼 것이다."

22 이렇게 하여, 주께서 예언자를 통해서 예언하신 말씀이 이루어졌습니다.

23 "보라! 처녀가 임신하여 아들을 낳을 것이며, 사람들이 그의 이름을 임마누엘이라고 부를 것이다."*
임마누엘은 '우리와 함께 계시는 하나님'이라는 뜻입니다.

24 요셉은 잠에서 깬 후, 주의 천사가 명령한 대로 했습니다. 요셉은 마리아와 결혼하였습니다.

25 그러나 마리아가 아들을 낳을 때까지 요셉은 잠자리를 같이하지 않았습니다. 그리고 아들을 낳자 이름을 예수라고 불렀습니다.

*1:23 사 7:14에 기록되어 있다.

저자의 묵상

〈누가복음〉에는 예수님의 탄생과 관련해 마리아의 순종이 강조된 반면(눅 1:26-38), 〈마태복음〉에는 요셉의 순종이 기록된다. 그것은 〈마태복음〉이 유대인들을 대상으로 한 기록이기에, 남자인 요셉의 순종을 강조함으로써 성령으로 잉태된 예수님의 탄생이 진실함을 나타내는 것이다. 예수님의 탄생 과정에는 요셉과 마리아의 순종과 결단이 있었다. 그러나 엄밀하게 따져보면, 그들이 인간의 이성을 뛰어넘는 사실 앞에 순종할 수 있었던 것은 하나님이 천사를 보내 그들로 미리 준비하게 하셨기 때문이다.

오늘날도 하나님은 그분의 일을 하실 때 우리를 사용하시며, 우리의 이성으로 감당하기 어려운 부분에 관해 성령님을 통하여 미리 납득하게 하며 인도하신다. 그래서 우리는 하나님의 능력을 의지함으로 내 능력보다 더 뛰어난 믿음의 삶을 살 수 있는 것이다.

무릎 기도 | 저의 생각과 이성을 넘어 역사하시며 그것을 자세히 가르치고 납득하게 하시는 인격적이신 하나님을 찬양합니다. 언제나 미련한 자인 저를 온전히 인도하소서.

NLT - Matthew 1

18 This is how Jesus the Messiah was born. His mother, Mary, was engaged to be married to Joseph. But before the marriage took place, while she was still a virgin, she became pregnant through the power of the Holy Spirit.

19 Joseph, her fiancé, was a good man and did not want to disgrace her publicly, so he decided to break the engagement* quietly.

20 As he considered this, an angel of the Lord appeared to him in a dream. "Joseph, son of David," the angel said, "do not be afraid to take Mary as your wife. For the child within her was conceived by the Holy Spirit.

21 And she will have a son, and you are to name him Jesus,* for he will save his people from their sins."

22 All of this occurred to fulfill the Lord's message through his prophet:

23 "Look! The virgin will conceive a child! She will give birth to a son, and they will call him Immanuel,* which means 'God is with us.'"

24 When Joseph woke up, he did as the angel of the Lord commanded and took Mary as his wife.

25 But he did not have sexual relations with her until her son was born. And Joseph named him Jesus.

*1:19 Greek *to divorce her*.
*1:21 *Jesus* means "The LORD saves."
*1:23 Isa 7:14; 8:8, 10 (Greek version).

18 engage 약혼하다 while ~동안에 virgin 처녀 pregnant 임신한 Holy Spirit 성령 19 fiance 약혼자 disgrace 수치스럽게 하다 publicly 공개적으로 quietly 은밀히, 조용히 20 consider 고려, 생각하다 appear 나타나다 conceive 임신하다 22 occur to ~ ~이 일어나다 prophet 선지자 23 give birth to ~ ~를 낳다 24 command 명령하다

04 아기 예수님을 향한 동방 박사들의 경배

월 일

마태복음 2:1-12

새찬송 115장 | 통일 115장

• 먼저 묵상을 위한 기도를 드린 후, 성경 본문을 2번 이상 읽고 묵상하십시오.

본문요약 | 동방으로부터 박사들이 유대인의 왕으로 태어나신 아기를 보기 위해 찾아온다. 이에 예루살렘은 소동했으며, 헤롯은 박사들을 조용히 불러 아기에게 경배 후 그 장소를 알려달라고 한다. 그러나 박사들은 아기께 예물을 드리고 경배한 후, 헤롯을 피해서 고국으로 돌아간다.

개역개정

1 헤롯 왕 때에 예수께서 유대 베들레헴에서 나시매 동방으로부터 [1)]박사들이 예루살렘에 이르러 말하되
2 유대인의 왕으로 나신 이가 어디 계시냐 우리가 동방에서 그의 별을 보고 그에게 경배하러 왔노라 하니
3 헤롯 왕과 온 예루살렘이 듣고 소동한지라
4 왕이 모든 대제사장과 백성의 서기관들을 모아 그리스도가 어디서 나겠느냐 물으니
5 이르되 유대 베들레헴이오니 이는 선지자로 이렇게 기록된 바
6 [ㄱ]또 유대 땅 베들레헴아 너는 유대 [2)]고을 중에서 가장 작지 아니하도다 네게서 한 다스리는 자가 나와서 내 백성 이스라엘의 목자가 되리라 하였음이니이다
7 이에 헤롯이 가만히 박사들을 불러 별이 나타난 때를 자세히 묻고
8 베들레헴으로 보내며 이르되 가서 아기에 대하여 자세히 알아보고 찾거든 내게 고하여 나도 가서 그에게 경배하게 하라
9 박사들이 왕의 말을 듣고 갈새 동방에서 보던 그 별이 문득 앞서 인도하여 가다가 아기 있는 곳 위에 머물러 서 있는지라
10 그들이 별을 보고 매우 크게 기뻐하고 기뻐하더라
11 집에 들어가 아기와 그의 어머니 마리아가 함께 있는 것을 보고 엎드려 아기께 경배하고 보배합을 열어 황금과 유향과 몰약을 예물로 드리니라

1) 점성가들이 2) 헬, 두령 중에 ㄱ. 미 5:2

12 그들은 꿈에 헤롯에게로 돌아가지 말라 지시하심을 받아 다른 길로 고국에 돌아가니라

1. 오늘 하나님께서 나에게 주신 깨달음은 무엇입니까?

2. 말씀을 어떻게 내 삶에 구체적으로 적용해야 합니까?

절별 해설

1 헤롯 보통 헤롯 대제라고 불리며, BC 37-4년까지 로마에 의해 이스라엘을 다스리는 분봉왕으로 책봉되었다. 그러나 헤롯은 에서의 자손인 에돔 혼혈인 출신이어서 유대인들에게 반감을 샀다. 이를 무마하기 위해 그는 헤롯 성전을 건축하기도 했다.

박사들 바사 출신의 점성술사이거나 천문학자였을 것이다. 이들은 신분상으로도 상당한 지위였다. 한편, 〈누가복음〉에는 예수님이 탄생하셨을 때 목자들이 먼저 아기 예수께 경배했다고 나온다(눅 2:20). 두 복음서를 통해서 이방인과 천한 신분의 목자들이 먼저 예수님께 경배한 것을 알 수 있다. 이는 실로 예수님이 이 땅에 소외당한 자들을 위해 오심을 대변한다.

2 그의 별 어떤 별이었는지는 알 수 없으나, 박사들이 보기에 별이 탁월하고 움직임이 현저하여 예수님의 탄생을 알린 것은 분명하다. 흩어진 유대인들을 통해 이미 메시아의 탄생에 대해 듣고 알았던 동박 박사들은 그 별이 유대인 왕의 탄생을 알리는 것으로 해석했다. 한편, 구약에는 메시아를 별로 나타내곤 했다(민 24:17).

3 헤롯 왕이 놀란 이유는 자신의 왕권이 도전을 받을까 염려되었기 때문이다. 예루살렘 사람들도 메시아 탄생 소식을 접하고 놀라서 떠들썩했다.

4-5 유대 베들레헴이오니 대제사장과 서기관들도 예언을 통해 예수님의 탄생지를 짐작할 수 있었다. 그러나 누구도 박사들처럼 찾아 나섰다는 기록은 없다. 소동도 있고 장소도 알지만 예언에 대한 진정한 반응이 없는 죽은 신앙이었다.

6 베들레헴 예루살렘에서 남쪽 8킬로미터 지점의 작은 마을로 다윗의 고향이기도 하다(삼상 16:1). 예수님이 베들레헴에서 탄생하실 것은 미가에 의해 예언되었고(미 5:2), 본절에서 성취된다. 예수님이 예루살렘이 아닌 작은 고을 베들레헴에서 나신 것도 그분의 겸손한 생애를 상징한다.

7-8 헤롯이 조용히 박사들에게 청을 한 이유는 드러내지 않고 아기를 제거하기 위해서였다. 자신도 아기에게 경배하겠다는 그럴듯한 구실을 붙이지만, 성령께서 그의 계략을 막으신다(12절).

11 황금과 유향과 몰약 값비싼 세 가지 예물은 이후 애굽으로 피신하는 동안 예수님 가족의 생활비가 되었을 것이다. 하나님은 언제나 쓸 것을 준비해 주신다.

쉬운성경

1 예수님께서는 헤롯이 왕으로 있던 시대에 유대의 베들레헴이라는 마을에서 태어나셨습니다. 그때, 동쪽 나라에서 몇 명의 박사들이 예루살렘으로 왔습니다.

2 그들은 이렇게 물었습니다. "유대인의 왕으로 태어나신 아기가 어디 계십니까? 우리는 동쪽에서 그 아기의 별을 보고, 아기에게 경배하러 왔습니다."

3 헤롯 왕은 이 소리를 듣고 깜짝 놀랐습니다. 예루살렘 사람들도 모두 놀랐습니다.

4 헤롯은 모든 대제사장들과 율법학자들을 불러 모으고, 그리스도가 어디에서 태어나실 것인지 물었습니다.

5 그들은 대답하였습니다. "유대의 베들레헴이란 마을입니다. 예언자들이 이렇게 기록해 놓았습니다.

6 '그러나 유대 지방에 있는 너 베들레헴아,
너는 유대의 통치자들 가운데서 결코 작지 않다. 네게서 한 통치자가 나올 것이다. 그가 나의 백성 이스라엘을 돌볼 것이다.' *"

7 그 소리를 듣고 헤롯은 박사들을 조용히 불렀습니다. 그리고 별이 처음 나타난 때를 알아냈습니다.

8 그리고 박사들을 베들레헴으로 보내면서 말했습니다. "가서 아기를 잘 찾아보시오. 아기를 찾으면 나에게도 알려 주시오. 그러면 나도 가서 그 아기에게 경배하겠소."

9 박사들은 왕의 말을 듣고 출발했습니다. 그러자 동쪽 나라에서 보았던 바로 그 별이 박사들 앞에 나타나 그들을 안내해 주었습니다. 그러다가 아기가 있는 곳 위에서 멈추어 섰습니다.

10 박사들은 별을 보자, 매우 기뻤습니다.

11 그들은 아기가 있는 집에 들어가서 어머니 마리아와 함께 있는 아기를 보았습니다. 그들은 아기에게 무릎을 꿇어 경배를 드리고 보물함을 열어 아기에게 황금과 유향과 몰약을 예물로 드렸습니다.

12 그리고서 그들은 꿈에 "헤롯에게 돌아가지 마라" 하는 명령을 받고, 다른 길로 자기 나라에 돌아갔습니다.

*2:6 미 5:2에 기록되어 있다.

저자의 묵상

예수님의 탄생 소식에 헤롯 왕과 온 예루살렘이 소동했다. 헤롯은 대제사장들과 서기관들에게 예수님이 탄생하신 장소를 물었고 그들은 예언을 소개한다. 그러나 거기까지였다. 어느 누구도 박사들을 따라나섰다거나 관심을 가진 사람이 없었다. 물론 박사들의 이야기가 사실로 확인된 것은 아니었지만, 그래도 헤롯과 백성은 스스로 진위 여부를 확인하려 하지도 않았다. 이는 바로 예언에 대한 진정한 반응이 없는 선민들의 모습이다. 오히려 이방인 박사들과 당시 천한 신분이었던 목자들만이 아기 예수께 경배했다.

이처럼 말씀을 지식적으로 아는 것보다 그 말씀에 반응하여 삶에 진실한 변화가 있는 것이 중요하다. 깨닫고 행하지 않는 말씀은 차라리 모르는 것보다 못하다. 왜냐하면 주님이 우리에게 깨달은 것에 대한 책임을 물으실 것이기 때문이다.

무릎기도 하나님의 말씀을 그저 지식적으로만 취하지 않게 하소서. 깨닫고 가슴에 와닿은 말씀을 삶에서 담대히 실행하여 날마다 주님을 닮아가게 하소서.

NLT - Matthew 2

1 Jesus was born in Bethlehem in Judea, during the reign of King Herod. About that time some wise men* from eastern lands arrived in Jerusalem, asking,

2 "Where is the newborn king of the Jews? We saw his star as it rose,* and we have come to worship him."

3 King Herod was deeply disturbed when he heard this, as was everyone in Jerusalem.

4 He called a meeting of the leading priests and teachers of religious law and asked, "Where is the Messiah supposed to be born?"

5 "In Bethlehem in Judea," they said, "for this is what the prophet wrote:

6 'And you, O Bethlehem in the land of Judah, are not least among the ruling cities* of Judah, for a ruler will come from you who will be the shepherd for my people Israel.'*"

7 Then Herod called for a private meeting with the wise men, and he learned from them the time when the star first appeared.

8 Then he told them, "Go to Bethlehem and search carefully for the child. And when you find him, come back and tell me so that I can go and worship him, too!"

9 After this interview the wise men went their way. And the star they had seen in the east guided them to Bethlehem. It went ahead of them and stopped over the place where the child was.

10 When they saw the star, they were filled with joy!

11 They entered the house and saw the child with his mother, Mary, and they bowed down and worshiped him. Then they opened their treasure chests and gave him gifts of gold, frankincense, and myrrh.

12 When it was time to leave, they returned to their own country by another route, for God had warned them in a dream not to return to Herod.

*2:1 Or royal *astrologers;* Greek reads *magi;* also in 2:7, 16.
*2:2 Or *star in the east.*
*2:6a Greek *the rulers.*
*2:6b Mic 5:2; 2 Sam 5:2.

1 during ~동안 reign 통치 기간 wise 현명한 eastern 동쪽의 arrive in ~ ~에 도착하다 2 newborn 갓 태어난 Jew 유대인 worship 예배하다 3 deeply 깊이 disturbed 혼란스러운 4 priest 제사장 religious 종교의 be supposed to ~ ~예정되어 있다 5 prophet 선지자 6 ruling 통치 7 private 사적인 9 ahead of ~ ~보다 먼저 10 be filled with ~ ~으로 가득 차다 11 bow down 엎드리다, 절하다 treasure 보물 chest 상자 frankincense 유향 myrrh 몰약 12 return to ~ ~에 돌아가다 route 노정, 길

05 애굽으로 피신했다가 돌아오는 예수님 가족

월 일

마태복음 2:13-23

새찬송 543장 | 통일 342장

• 먼저 묵상을 위한 기도를 드린 후, 성경 본문을 2번 이상 읽고 묵상하십시오.

본문요약 | 박사들이 경배하고 떠나자 천사가 요셉의 꿈에 나타나 애굽으로 피신하라고 명한다. 한편 박사들에게 속은 것을 안 헤롯은 베들레헴과 그 인근 지역의 두 살 아래의 사내아이를 모두 죽인다. 헤롯이 죽자 천사가 다시 요셉의 꿈에 나타나 이스라엘 땅으로 돌아가라고 명했고 예수님의 가족은 나사렛 동네에 정착한다.

개역개정

13 그들이 떠난 후에 주의 사자가 요셉에게
현몽하여 이르되 헤롯이 아기를 찾아 죽
이려 하니 일어나 아기와 그의 어머니를
데리고 애굽으로 피하여 내가 네게 이르
기까지 거기 있으라 하시니
14 요셉이 일어나서 밤에 아기와 그의 어머니
를 데리고 애굽으로 떠나가
15 헤롯이 죽기까지 거기 있었으니 이는 주께
서 선지자를 통하여 말씀하신 바
[ㄱ]애굽으로부터 내 아들을 불렀다
함을 이루려 하심이라
16 이에 헤롯이 박사들에게 속은 줄 알고 심
히 노하여 사람을 보내어 베들레헴과 그
모든 지경 안에 있는 사내아이를 박사들
에게 자세히 알아본 그때를 기준하여 두
살부터 그 아래로 다 죽이니
17 이에 선지자 예레미야를 통하여 말씀하
신 바
18 [ㄴ]라마에서 슬퍼하며 크게 통곡하는 소
리가 들리니 라헬이 그 자식을 위하여
애곡하는 것이라 그가 자식이 없으므로
위로 받기를 거절하였도다
함이 이루어졌느니라
19 헤롯이 죽은 후에 주의 사자가 애굽에서
요셉에게 현몽하여 이르되
20 일어나 아기와 그의 어머니를 데리고 이스
라엘 땅으로 가라 아기의 목숨을 찾던 자
들이 죽었느니라 하시니
21 요셉이 일어나 아기와 그의 어머니를 데리
고 이스라엘 땅으로 들어가니라
22 그러나 아켈라오가 그의 아버지 헤롯을 이
어 유대의 임금 됨을 듣고 거기로 가기를
무서워하더니 꿈에 지시하심을 받아 갈릴
리 지방으로 떠나가
23 나사렛이란 동네에 가서 사니 이는 선지자
로 하신 말씀에 [ㄷ]나사렛 사람이라 칭하리
라 하심을 이루려 함이러라

ㄱ. 호 11:1 ㄴ. 렘 31:15 ㄷ. 사 11:1

1. 오늘 하나님께서 나에게 주신 깨달음은 무엇입니까?

2. 말씀을 어떻게 내 삶에 구체적으로 적용해야 합니까?

절별 해설

13 그들이 떠난 후에 〈누가복음〉에 의하면 예수님은 태어난 지 8일 만에 예루살렘에 올라가 할례를 받으셨고, 33일이 지난 다음에 산모 마리아가 부정함을 면하는 결례를 행했다(눅 2:21-24; 레 12:2-4). 이는 애굽으로 피신하기 전의 일이다. 그러므로 박사들의 방문은 위와 같은 일들이 지난 다음에 이루어졌음을 알 수 있다.

15 애굽으로부터 내 아들을 불렀다 호세아 11장 1절의 인용이다. 〈호세아서〉에는 이스라엘이 애굽에서 나온 사건을 언급한 것이나, 마태는 이스라엘의 출애굽 사건을 예수 그리스도의 유대 귀환으로 해석했다. 출애굽 사건과 예수님의 귀환이 갖는 공통점은 인간을 죄로부터 자유하게 하시는 하나님의 섭리라는 점이다.

16 베들레헴과 그 모든 지경 안에 있는 사내아이를, 두 살부터 그 아래로 다 죽이니 역사가에 의하면 헤롯 대왕은 권력에 대한 집착 때문에 아내와 자식들을 죽였던 사람이다. 헤롯은 '유대인의 왕'으로 언급되는 아기를 죽이기 위해 박사들의 방문 시점을 기준으로 베들레헴과 인근의 두 살 아래의 사내아이들을 살해한다. 아기를 확실히 제거하려는 속셈이었다. 그러나 애굽의 바로가 히브리 아기를 죽이려 했을 때 하나님이 모세를 보호하셨듯이 예수님도 지키셨다. 즉, 세상의 계략이 하나님의 섭리를 앞설 수 없다.

18 라마에서 슬퍼하며 크게 통곡하는 소리가 들리니 라헬이 그 자식을 위하여 애곡하는 것이라 그가 자식이 없으므로 위로받기를 거절하였도다 예레미야 31장 15절의 인용이다. 유다가 바벨론에 망하여 포로로 끌려갔으며 라마에서 어머니들이 자식들의 죽음을 슬퍼했다. 자식이 없어 고생하던 라헬은 라마에서 베들레헴으로 가던 중 아이를 낳다가 죽어 베들레헴 길에 장사된다(창 35:19). 이제 베들레헴 지역의 어머니들도 자식들이 살해당함으로 슬퍼한다. 이 세 가지 사건은 모두 자식이 없거나 자녀를 잃은 어머니의 슬픔이라는 공통점으로 사용되었다.

19 헤롯이 죽은 후에 헤롯 대왕은 BC 37-4년까지 로마에 의해 분봉왕으로 세워져 이스라엘을 통치했으며, 70세에 병사한다. 이로 보건데 예수님은 아마도 BC 5-4년 사이에 태어나셨으며, 예수님이 애굽에 머문 기간도 그리 길지 않았을 것으로 추측된다.

22 아켈라오 헤롯 대왕이 죽자 로마는 이스라엘을 셋으로 나누어 헤롯의 세 아들이 통치하게 했다. 아켈라오는 유대와 사

13 박사들이 떠난 뒤에 주의 천사가 요셉의 꿈에 나타나 말했습니다. "일어나라! 아기와 아기 엄마를 데리고 이집트로 도망가거라. 헤롯이 아기를 죽이려고 하니, 내가 지시할 때까지 이집트에 머물러 있어라."

14 그래서 요셉은 한밤중에 일어나 아기와 아기 엄마를 데리고 이집트로 떠났습니다.

15 요셉은 헤롯이 죽을 때까지 이집트에 있었습니다. 이것은 주께서 예언자를 통하여 하신 말씀을 이루신 것입니다.

"내가 나의 아들을 이집트에서 불러 내었다."*

16 헤롯은 박사들에게 속은 것을 알고 매우 화가 났습니다. 그래서 사람을 보내어 베들레헴과 그 주변에 있는 두 살 아래의 모든 사내아이들을 죽였습니다. 이것은 그가 박사들로부터 알아낸 때를 기준으로 한 것입니다.

17 그래서 하나님께서 예언자 예레미야를 통해 말씀하신 것이 이루어졌습니다.

18 "라마에서 소리가 들려왔다. 슬피 울며 통곡하는 소리다. 라헬이 자기 아이들을 위해 우는데, 자식이 없으므로 위로받으려 하지 않는다."*

19 헤롯이 죽자, 주의 천사가 이집트에 있는 요셉의 꿈 속에 나타났습니다.

20 "일어나라! 아기와 아기 엄마를 데리고 이스라엘 땅으로 돌아가거라. 아기의 목숨을 노리던 사람들이 죽었다."

*2:15 호 11:1에 기록되어 있다.
*2:18 렘 31:15에 기록되어 있다.

마리아 및 이두매 지역을 다스렸는데, 아버지 못지않은 잔인한 성격의 소유자였다. 그래서 요셉은 유대 땅 베들레헴으로 돌아가는 것을 두려워했다. 요셉은 꿈에 다시 천사의 지시를 받아 갈릴리 지방으로 가게 되는데, 당시 그곳은 헤롯 안디바가 다스리고 있었다. 그는 헤롯의 세 아들 가운데 가장 온화한 성품을 가졌다고 전해진다. 본절을 통해 요셉의 걱정에 대해 세심한 부분까지 인도하시는 하나님을 볼 수 있다.

23 나사렛 사람이라 칭하리라 성경에 예수님이 나사렛 사람이라 불릴 것이라는 직접적인 언급은 없으나, 두 가지 추측이 가능하다. 하나는 이사야서 11장 1절에 나오는 '메시아 예언'에서 메시아에 해당하는 '한 가지'(*히*. 네체르)란 단어가 '보잘것없는 시작'이란 뜻인데, 그 단어에서 나사렛이란 단어가 파생된 것으로 보는 견해다. 다른 하나는 여러 선지자들이 메시아가 비천하여 경멸과 조롱의 대상이 될 것을 예언했는데(시 22:6; 사 49:7; 53:2-3), 실제로 예수님이 나사렛에 거하심으로 그 예언이 이루어졌다(요 1:46)는 것이다.

21 그래서 요셉은 아기와 아기 엄마를 데리고 이스라엘 땅으로 갔습니다.

22 그러나 아켈라오가 아버지 헤롯의 뒤를 이어 유대의 왕이 되었다는 소식을 듣고, 요셉은 그곳으로 가는 것을 두려워했습니다. 꿈에서 지시를 받고 나서 요셉은 갈릴리 지방으로 갔습니다.

23 그는 나사렛이라는 마을로 가서, 거기서 살았습니다. 그래서 예언자를 통해서 "그는 나사렛 사람이라 불릴 것이다"라고 말씀하신 것이 이루어졌습니다.

저자의 묵상

본문은 예수님이 헤롯을 피해 애굽으로 향하시는 내용이다. 예수님이 누구신가? 바로 하나님의 아들이시다. 그런데 그분조차도 인생의 처음부터 쫓기고 피해야 하는 험난한 삶을 사신다. 그러나 그것이 예수님의 최종적 모습은 아니었다. 예수님은 끝까지 험난한 삶을 사시다가 십자가를 지셨지만, 그것을 통해 하나님의 위대한 구원을 이루셨다.

그러므로 하나님의 일은 외적으로만, 또는 단편적으로만 평가하지 말아야 한다. 초라하고 누군가에게 쫓기는 삶을 산다고 해서 그것이 최종적인 모습은 아니다. 결국은 하나님이 이기시며 우리를 구원하신다. 당신의 신앙은 이 땅에서 지금 다 보상받지 못할 수도 있다. 초라하고 쫓기는 모습일 수도 있다. 그러나 하나님이 반드시 당신을 구원하실 것이다. 지금 나에게 있는 초라함에 지지 말고 소망 중에 주님을 바라보자.

무릎 기도 태어나신 순간부터 죽음의 위협을 받으셨던 예수님을 봅니다. 험난한 생애였지만 결국 우리를 구원하신 예수님의 능력이 오늘 초라한 제 삶도 구원으로 인도하실 줄 믿습니다.

13 After the wise men were gone, an angel of the
Lord appeared to Joseph in a dream. "Get up!
Flee to Egypt with the child and his mother," the
angel said. "Stay there until I tell you to return,
because Herod is going to search for the child to
kill him."
14 That night Joseph left for Egypt with the child
and Mary, his mother,
15 and they stayed there until Herod's death. This
fulfilled what the Lord had spoken through the
prophet: "I called my Son out of Egypt."*
16 Herod was furious when he realized that the
wise men had outwitted him. He sent soldiers
to kill all the boys in and around Bethlehem
who were two years old and under, based on
the wise men's report of the star's first
appearance.
17 Herod's brutal action fulfilled what God had
spoken through the prophet Jeremiah:
18 "A cry was heard in Ramah— weeping and
great mourning. Rachel weeps for her children,
refusing to be comforted, for they are dead."*
19 When Herod died, an angel of the Lord
appeared in a dream to Joseph in Egypt.
20 "Get up!" the angel said. "Take the child and his
mother back to the land of Israel, because those
who were trying to kill the child are dead."
21 So Joseph got up and returned to the land of
Israel with Jesus and his mother.
22 But when he learned that the new ruler of
Judea was Herod's son Archelaus, he was afraid
to go there. Then, after being warned in a
dream, he left for the region of Galilee.
23 So the family went and lived in a town called
Nazareth. This fulfilled what the prophets had
said: "He will be called a Nazarene."

*2:15 Hos 11:1.
*2:18 Jer 31:15.

13 appear 나타나다 flee 도망치다 stay 머무르다 search for ~ ~을 찾다 14 leave for ~ ~을 향해 떠나다 15 fulfill 성취하다 prophet 선지자 16 furious 격노한 outwit 속이다 appearance 출현 17 brutal 난폭한 18 weep 울다 mourn 애도하다 refuse 거절하다 comfort 위로하다 22 learn ~알다, 배우다 ruler 통치자 warn 경고하다

• MEMO •

06

월 일

세례 요한

마태복음 3:1-10

새찬송 286장 | 통일 218장

• 먼저 묵상을 위한 기도를 드린 후, 성경 본문을 2번 이상 읽고 묵상하십시오.

본문요약 | 광야에서 회개를 선포하는 세례 요한은 주님의 길을 예비하는 사람이었다. 각 지역에서 사람들이 요한에게 세례를 받기 위해 나왔고 자신이 지은 죄를 고백했다. 세례 요한은 당시의 종교인들을 향하여 회개의 합당한 열매를 맺고 진정한 아브라함의 자손이 되라고 선포했다.

개역개정

1 그때에 [1]세례 요한이 이르러 유대 광야에
서 전파하여 말하되
2 회개하라 천국이 가까이 왔느니라 하였
으니
3 그는 선지자 이사야를 통하여 말씀하신 자
라 일렀으되
ㄱ광야에 외치는 자의 소리가 있어 이르
되 너희는 주의 길을 준비하라 그가 오
실 길을 곧게 하라
하였느니라
4 이 요한은 낙타털 옷을 입고 허리에 가죽
띠를 띠고 음식은 메뚜기와 석청이었더라
5 이때에 예루살렘과 온 유대와 요단 강 사
방에서 다 그에게 나아와
6 자기들의 죄를 자복하고 요단 강에서 그에
게 [1]세례를 받더니
7 요한이 많은 바리새인들과 사두개인들이
[1]세례 베푸는 데로 오는 것을 보고 이르
되 독사의 자식들아 누가 너희를 가르쳐
임박한 진노를 피하라 하더냐
8 그러므로 회개에 합당한 열매를 맺고
9 속으로 아브라함이 우리 조상이라고 생각
하지 말라 내가 너희에게 이르노니 하나
님이 능히 이 돌들로도 아브라함의 자손
이 되게 하시리라
10 이미 도끼가 나무뿌리에 놓였으니 좋은 열
매를 맺지 아니하는 나무마다 찍혀 불에
던져지리라

1) 헬, 또는 침례 ㄱ. 사 40:3

1. 오늘 하나님께서 나에게 주신 깨달음은 무엇입니까?

2. 말씀을 어떻게 내 삶에 구체적으로 적용해야 합니까?

절별 해설

1 세례 요한 세례 요한은 가깝게는 예수님과 친족 관계로, 예수님보다 6개월 먼저 태어났다(눅 1:36). 그리고 때가 되자 메시아의 사역을 준비하는 자신의 본분을 수행했다(요 1:27). 세례 요한은 예수님이 오시기 전 구약의 마지막 선지자로 말라기 선지자에 의해 예언되었고, 예수님에 의해 그 직분이 확인된 사람이다(11:14; 말 4:5-6).

2 회개하라 천국이 가까이 왔느니라 성경이 말하는 '천국'의 근본적 의미는 하나님의 통치를 의미한다. 메시아이신 예수 그리스도를 통해 이 땅에 진정한 하나님의 통치가 펼쳐질 것이기 때문에 '천국이 가까이 왔다'고 표현한다. 그리고 하나님의 통치를 바라는 인간이 취할 첫 번째 태도는 회개다. 회개는 '생각을 고치다'란 의미로, 자신의 인간적인 생각을 버리고 하나님의 뜻을 추구하려는 근본적인 삶의 변화를 의미한다.

3 광야에 외치는 자의 소리가 있어 이르되 너희는 주의 길을 준비하라 그가 오실 길을 곧게 하라 이사야서 40장 3절의 기록으로, 원래는 이스라엘을 포로에서 돌이키시는 하나님의 길을 예비하라는 뜻으로 쓰였다. 그러나 여기서는 메시아 되신 예수 그리스도의 길을 예비하는 세례 요한에게 적용되었다. 이처럼 성경은 시대를 뛰어넘어 여러 대상에게 적용될 수 있는 하나님의 말씀이다.

4-6 요한이 입었던 옷이나 먹었던 음식은 당시로서는 매우 검소한 것이었다. 요한의 경건하고도 검소한 삶과 외치는 말씀이 조화가 되어 유대 근방의 많은 사람이 요한에게 나아와 죄를 고백하고 세례를 받았다.

7 요한이 많은 바리새인들과 사두개인들이 세례 베푸는 데로 오는 것을 보고 이르되 독사의 자식들아 '바리새인'은 '분리하다'라는 뜻을 가졌다. 그들은 처음에는 세속적인 삶에서 자신들을 구분하려는 경건한 의도였으나, 나중에는 외형을 중시하는 외식주의로 발전한다. '사두개인'은 매우 현실적이고 정치적인 그룹으로 당시 부와 종교권력을 소유했던 자들이었다. 요한은 이스라엘을 대표하는 이 두 세력을 '독사의 자식'이라 부르며 이들의 회개를 촉구한다.

8-10 회개에 합당한 열매 회개는 열매를 맺는 데까지 나아가야 한다. 진정으로 생각이 바뀌면 삶이 바뀌게 되어 있다. 삶이 바뀌지 않는 생각은 참된 회개라고 볼 수 없다. 요한은 진정한 회개가 없으면 아브라함의 자손이라 할지라도 하나님의 준엄한 심판을 받게 됨을 설파한다.

쉬운성경

1 그 무렵, 세례자 요한이 나타나서, 유대의 광야에서 전도를 시작하였습니다.

2 요한은 이렇게 말했습니다. "회개하시오. 하늘나라가 가까이 왔습니다."

3 세례자 요한은 예언자 이사야가 말한 바로 그 사람입니다.

> "광야에서 외치는 한 사람의 소리가 있다. '주님의 길을 준비하고, 주님의 길을 곧게 펴라.'"*

4 요한은 낙타털로 만든 옷을 입고, 허리에 가죽띠를 둘렀습니다. 그는 메뚜기와 들에서 나는 꿀을 먹고 살았습니다.

5 예루살렘과 유대 지방과 요단 강 주변에 사는 사람들이 모두 요한에게 나아왔습니다.

6 그들은 자신이 지은 죄를 고백하고, 요단 강에서 요한에게 세례를 받았습니다.

7 수많은 바리새파 사람과 사두개파 사람들이 세례를 받으러 왔습니다. 요한은 그들을 보고 이렇게 말했습니다. "독사의 자식들아! 누가 너희들에게 다가올 하나님의 벌을 피하라고 일러 주었느냐?

8 너희는 회개의 열매를 맺어라.

9 속으로 '아브라함이 우리의 조상이다'라고 생각하지 마라. 하나님께서는 이 돌로도 아브라함의 자손이 되게 하실 수 있다.

10 도끼가 이미 나무뿌리에 놓여 있다. 좋은 열매를 맺지 못하는 나무들은 모두 찍혀 불에 던져질 것이다.

*3:3 사 40:3에 기록되어 있다.

저자의 묵상

세례 요한의 사역은 당시에 큰 반향을 일으켰다. 각처에서 일반 백성뿐 아니라 당시 하나님을 믿는 신앙을 대표했던 바리새인들과 사두개인들까지 많은 사람이 요한을 찾아왔다.

여기서 두 가지 교훈을 배울 수 있다. 첫째는 타협하지 않는 세례 요한의 메시지다. 그는 당시 종교인들을 향해 독설을 쏟아내며 그들의 형식적인 신앙을 질타했다. 이처럼 우리도 하나님의 뜻에 어긋나는 것에는 타협하지 않는 신앙을 가져야 한다. 사랑이란 미명 아래 모든 것을 용납하고 수용하는 것은 성경적이지 않다. 둘째는 요한의 소박하고 경건한 삶이다. 그는 광야에 머무르면서 최소한의 차림을 하고 소박한 음식을 먹었다. 이런 삶이 그의 메시지와 함께했을 때 큰 영향력을 가져왔다. 아무리 입으로 외쳐도 삶의 경건함이 없으면 이 사회는 아무런 영향도 받지 않는다.

무릎기도 교회와 사회를 움직일 수 있는 경건한 삶을 살게 하소서. 저부터 허영과 외식을 버리고 예수님을 믿는 참된 성도로서 행동하고 선한 성품을 주셔서 주님을 영화롭게 증거하게 하소서.

NLT - Matthew 3

1 In those days John the Baptist came to the Judean wilderness and began preaching. His message was,
2 "Repent of your sins and turn to God, for the Kingdom of Heaven is near.*"
3 The prophet Isaiah was speaking about John when he said, "He is a voice shouting in the wilderness, 'Prepare the way for the LORD's coming! Clear the road for him!'"*
4 John's clothes were woven from coarse camel hair, and he wore a leather belt around his waist. For food he ate locusts and wild honey.
5 People from Jerusalem and from all of Judea and all over the Jordan Valley went out to see and hear John.
6 And when they confessed their sins, he baptized them in the Jordan River.
7 But when he saw many Pharisees and Sadducees coming to watch him baptize,* he denounced them. "You brood of snakes!" he exclaimed. "Who warned you to flee God's coming wrath?
8 Prove by the way you live that you have repented of your sins and turned to God.
9 Don't just say to each other, 'We're safe, for we are descendants of Abraham.' That means nothing, for I tell you, God can create children of Abraham from these very stones.
10 Even now the ax of God's judgment is poised, ready to sever the roots of the trees. Yes, every tree that does not produce good fruit will be chopped down and thrown into the fire.

*3:2 Or *has come*, or *is coming soon*.
*3:3 Isa 40:3 (Greek version).
*3:7 Or *coming to be baptized*.

1 In those days 그때, 당시 wilderness 광야 preach 전파하다, 전도하다 2 repent 회개하다 sin 죄 4 woven 짠, 엮은 coarse 거친 camel 낙타 leather 가죽 locust 메뚜기 6 confess 고백하다 baptize 세례를 베풀다 7 denounce 비난하다 brood 무리 exclaim 외치다 warn 경고하다 flee 도망치다 8 prove 입증하다 9 descendant 후손 10 ax 도끼 judgment 심판, 판결 poised 준비가 된 be ready to ~ 막 ~하려 하는 sever ~을 절단하다 root 뿌리 chop down 찍다 throw into ~ ~로 던지다

07

월 일

세례를 받으시는 예수님

마태복음 3:11-17

새찬송 93장 | 통일 93장

• 먼저 묵상을 위한 기도를 드린 후, 성경 본문을 2번 이상 읽고 묵상하십시오.

본문요약 | 요한은 자신은 물로 세례를 주지만 뒤에 오시는 메시아는 성령과 불로 세례를 주시며 알곡과 쭉정이를 나누신다고 선포한다. 예수님은 요단 강에서 세례 요한에게 세례를 받으신다. 이때 하늘이 열리고 성령이 내려오시며 하늘로부터 음성이 들려온다.

개역개정

11 나는 너희로 회개하게 하기 위하여 물로
[1]세례를 베풀거니와 내 뒤에 오시는 이는
나보다 능력이 많으시니 나는 그의 신을
들기도 감당하지 못하겠노라 그는 성령
과 불로 너희에게 [1]세례를 베푸실 것이요
12 손에 키를 들고 자기의 타작마당을 정하게
하사 알곡은 모아 곳간에 들이고 쭉정이는
꺼지지 않는 불에 태우시리라
13 이때에 예수께서 갈릴리로부터 요단 강에
이르러 요한에게 [1]세례를 받으려 하시니
14 요한이 말려 이르되 내가 당신에게서 [1]세
례를 받아야 할 터인데 당신이 내게로 오
시나이까
15 예수께서 대답하여 이르시되 이제 허락하
라 우리가 이와 같이 하여 모든 의를 이루
는 것이 합당하니라 하시니 이에 요한이
허락하는지라
16 예수께서 [1]세례를 받으시고 곧 물에서 올
라오실새 하늘이 [2]열리고 하나님의 성령
이 비둘기같이 내려 자기 위에 임하심을
보시더니
17 하늘로부터 소리가 있어 말씀하시되 이는
내 사랑하는 아들이요 내 기뻐하는 자라
하시니라

1) 헬, 또는 침례 2) 어떤 사본에, 자기에게 열리고

1. 오늘 하나님께서 나에게 주신 깨달음은 무엇입니까?

2. 말씀을 어떻게 내 삶에 구체적으로 적용해야 합니까?

절별 해설

11 나는 그의 신을 들기도 감당하지 못하겠노라 당시 세례 요한의 사역은 백성 사이에서 상당한 영향력을 발휘하고 있었다. 사람들은 그가 혹시 오실 메시아가 아닐까 하고 생각할 정도였다(눅 3:15). 그러나 요한은 늘 자신의 처지와 신분을 잊지 않았다. 자신은 그저 왕의 길을 예비하는 사신에 불과함을 잘 알고 있었다(3절).

그는 성령과 불로 너희에게 세례를 베푸실 것이요 세례 요한의 사역은 주님의 길을 예비하는 것이었으므로 그가 물로 베푼 세례도 준비적 성격이 강했다. 즉, 그것은 그리스도가 오셔서 행할 성령세례를 준비하며 회개를 강조하는 것이었다. 특별히 성령세례와 함께 불이 강조된 것은, 이어지는 12절 말씀을 볼 때 성령의 사역이 죄를 소멸하는 것이기 때문이다.

12 본절은 예수님 사역의 기본 성격을 말해 준다. 예수님이 오심으로 선과 악, 의와 불의가 구분되며 가까운 가족 간에도 신자와 불신자의 구별이 있게 된다(10:34-36). 물론 이런 구분은 마지막 심판 때에 알곡과 쭉정이로 나뉘게 됨으로 완성된다. 바울도 성도는 그리스도의 향기로 세상에서 사망과 생명을 나누는 냄새라고 표현했다(고후 2:14-16).

13-14 예수님이 세례 요한에게 세례를 받으러 나아오시자 요한은 이를 극구 만류한다. '말려'(14절)라는 단어는 한 번만이 아닌 반복적인 만류를 의미한다. 요한은 예수님이 그리스도이신 것을 자신이 세례를 베푼 후 성령이 강림하신 것을 보고 깨달았다(요 1:33). 그러나 이미 그전에도 예수님의 범상치 않음을 깨닫고 오히려 자신이 세례를 받고자 했다.

15 우리가 이와 같이 하여 모든 의를 이루는 것이 합당하니라
예수님은 죄가 없는 분이셨지만 요한이 베푸는 죄 사함과 회개의 물세례를 자진해 받길 원하셨다. 그럼으로써 사람들과 같이 되시고, 친히 인류의 죄를 짊어지겠다는 의지를 표현하셨다(참고. 눅 12:50).

16-17 예수님의 세례 현장에 성령께서 비둘기처럼 내려오셨고 하나님의 음성이 들려왔다. 삼위일체 하나님이 모두 나타나신다. 이로써 하나님은 예수님이 앞으로 펼치실 사역이 독자적인 사역이 아니라 삼위 하나님의 뜻이 모아진 사역이 될 것임을 분명히 하신다. 예수님의 사역에 진정한 권위를 더하신 것이다.

쉬운성경

11 나는 물로 회개의 세례를 준다. 내 뒤에 오실 분은 나보다 능력이 더 많으신 분이다. 나는 그분의 신발을 들고 다닐 자격도 없다. 그분은 너희에게 성령과 불로 세례를 주실 것이다.

12 그분은 손에 키를 들고 타작마당을 깨끗이 하여 알곡은 곳간에 두시고, 쭉정이는 꺼지지 않는 불에 태우실 것이다."

13 그때, 예수님께서 갈릴리로부터 요단 강에 오셨습니다. 예수님께서는 요한에게 오셔서 세례를 받으려고 하셨습니다.

14 그러자 요한은 이를 말리면서 말했습니다. "제가 예수님께 세례를 받아야 되는데, 도리어 예수님께서 제게 오셨습니까?"

15 예수님께서 대답하셨습니다. "지금은 그렇게 하자. 우리가 이와 같이 하여 모든 의를 이루는 것이 옳다." 그제서야 요한이 예수님의 말씀을 따랐습니다.

16 예수님께서 세례를 받으시고 물 밖으로 나오시자, 하늘이 열렸습니다. 예수님은 하나님의 성령이 비둘기처럼 자신에게 내려오는 것을 보셨습니다.

17 그때, 하늘로부터 "이는 내 사랑하는 아들이며, 내가 기뻐하는 아들이다"라는 소리가 들려왔습니다.

저자의 묵상

예수님은 세례 요한에게 세례를 받으심으로 요한의 사역을 인정하시고 앞으로 인류의 죄를 위해 지실 십자가의 세례를 준비하신다(눅 12:50). 예수님이 죄가 있는 사람들에게나 필요한 회개의 물세례를 받으시는 모습은 지극히 낮아지셔서 인간과 같이 되시는 모습과 십자가에 죽기까지 복종하실 예수님의 모습을 보여준다(빌 2:7-8). 이처럼 예수님이 받으신 세례는 단순한 의식이 아니라, 그의 삶을 나타내고 확증하는 의식이었다.

이처럼 우리의 신앙도 단순한 의식에 그치지 않고 삶으로 나타나야 한다. 예배가 단순한 경배 의식에서 그치면 안 된다. 듣고 배운 말씀이 삶으로 연결되기까지 나아가야 한다. 삶으로 표현되지 않는 의식이나 신앙은 죽은 전통에 불과함을 잊지 말아야 한다.

무릎 기도 | 예수님이 인간과 같이 낮아지고 우리의 죄를 짊어져 구원해 주시니 감사합니다. 우리도 예수님처럼 낮아지고 이웃을 섬기는 종이 되게 하소서.

NLT - Matthew 3

11 "I baptize with* water those who repent of their sins and turn to God. But someone is coming soon who is greater than I am—so much greater that I'm not worthy even to be his slave and carry his sandals. He will baptize you with the Holy Spirit and with fire.*

12 He is ready to separate the chaff from the wheat with his winnowing fork. Then he will clean up the threshing area, gathering the wheat into his barn but burning the chaff with never-ending fire."

13 Then Jesus went from Galilee to the Jordan River to be baptized by John.

14 But John tried to talk him out of it. "I am the one who needs to be baptized by you," he said, "so why are you coming to me?"

15 But Jesus said, "It should be done, for we must carry out all that God requires.*" So John agreed to baptize him.

16 After his baptism, as Jesus came up out of the water, the heavens were opened* and he saw the Spirit of God descending like a dove and settling on him.

17 And a voice from heaven said, "This is my dearly loved Son, who brings me great joy."

*3:11a Or *in.*
*3:11b Or *in the Holy Spirit and in fire.*
*3:15 Or *for we must fulfill all righteousness.*
*3:16 Some manuscripts read *opened to him.*

11 baptize 세례를 베풀다 repent of ~ ~을 회개하다 so … that ~ …해서 ~하다 worthy 가치 있는 12 separate 분리하다 chaff 왕겨 wheat 밀 winnow 까부르다, 키질하다 fork 농업용 갈퀴 threshing 탈곡 gather 모으다 barn 헛간 burning 불타는 never-ending 영원한 15 carry out 성취하다, 수행하다 require 필요로 하다 agree to ~ ~에 동의하다 16 baptism 세례 descending 하강하는 dove 비둘기 17 dearly 극진히, 몹시

08

월 일

시험을 받으신 예수님

마태복음 4:1-11

새찬송 342장 | 통일 395장

• 먼저 묵상을 위한 기도를 드린 후, 성경 본문을 2번 이상 읽고 묵상하십시오.

본문요약 | 예수님은 마귀에게 시험을 받으신다. 첫 번째는 굶주린 예수님께 돌로 떡을 만들라는 것이고, 두 번째는 성전 꼭대기에서 뛰어내려 하나님의 아들임을 증명하라는 것이며, 마지막으로 세상 모든 것을 줄 터이니 마귀에게 경배하라는 것이었다. 그러나 주님은 말씀으로 시험을 이기셨다.

개역개정

1 그때에 예수께서 성령에게 이끌리어 마귀에게 시험을 받으러 광야로 가사

2 사십 일을 밤낮으로 금식하신 후에 주리신지라

3 시험하는 자가 예수께 나아와서 이르되 네가 만일 하나님의 아들이어든 명하여 이 돌들로 떡덩이가 되게 하라

4 예수께서 대답하여 이르시되 기록되었으되

ㄱ사람이 떡으로만 살 것이 아니요 하나님의 입으로부터 나오는 모든 말씀으로 살 것이라

하였느니라 하시니

5 이에 마귀가 예수를 거룩한 성으로 데려다가 성전 꼭대기에 세우고

6 이르되 네가 만일 하나님의 아들이어든 뛰어내리라 기록되었으되

ㄴ그가 너를 위하여 그의 사자들을 명하시리니 그들이 손으로 너를 받들어 발이 돌에 부딪치지 않게 하리로다

하였느니라

7 예수께서 이르시되 또 기록되었으되 ㄷ주 너의 하나님을 시험하지 말라 하였느니라 하시니

8 마귀가 또 그를 데리고 지극히 높은 산으로 가서 천하만국과 그 영광을 보여

9 이르되 만일 내게 엎드려 경배하면 이 모든 것을 네게 주리라

10 이에 예수께서 말씀하시되 사탄아 물러가라 기록되었으되 ㄹ주 너의 하나님께 경배하고 다만 그를 섬기라 하였느니라

11 이에 마귀는 예수를 떠나고 천사들이 나아와서 수종드니라

ㄱ. 신 8:3 ㄴ. 시 91:11,12 ㄷ. 신 6:16 ㄹ. 신 6:13

1. 본문에 나타난 예수님은 어떤 분이십니까?

2. 오늘 하나님께서 나에게 주신 깨달음은 무엇입니까?

3. 말씀을 어떻게 내 삶에 구체적으로 적용해야 합니까?

절별 해설

3 네가 만일 하나님의 아들이어든 명하여 이 돌들로 떡덩이가 되게 하라 첫 시험은 굶주리신 예수님의 육체적 약점을 이용해서 돌을 떡으로 만들라는 것이었다. 마귀는 참 인간이 되신 예수님의 육신적 약점을 파고들었다. 마귀는 누구보다도 인간의 약점을 잘 알고 있다. 한편 '네가 만일 하나님의 아들이어든'이라는 마귀의 말은 '당신이 하나님의 아들이므로(since)'라고도 번역할 수 있다. 즉, 마귀는 예수님의 신분을 일부분 인정하면서 시험했다. 이처럼 마귀는 교묘하게 시험함을 알 수 있다.

4 기록되었으니 사람이 떡으로만 살 것이 아니요 하나님의 입으로부터 나오는 모든 말씀으로 살 것이라 예수님은 신명기 8장 3절 말씀으로 마귀의 시험을 물리치셨다. 이스라엘 민족은 먹을 것이 하나도 없는 광야에서 40년 동안 오직 하나님만을 의지하여 의식주를 해결했다. 이처럼 예수님은 사람의 필요는 천지의 주인이신 하나님의 말씀을 따르며 순종할 때 진정으로 채워진다는 사실을 강조하신다.

6-7 마귀는 두 번째로 예수님을 성전 꼭대기에 세우고 뛰어내리라고 시험한다. 마귀는 첫 시험에서 예수님이 말씀으로 물리치시자 자신도 시편 91편 11-12절을 인용하여 다시 시험한다. 그러나 예수님은 하나님을 시험치 말라는 말씀으로(신 6:16) 마귀를 물리치신다. 한편 주목할 것은 마귀도 성경을 이용해서 교묘하게 시험한다는 사실이다. 그러나 예수님이 말씀하신 것처럼 성경말씀은 시험의 대상이 아니라 믿음의 대상이다. 하나님의 말씀을 시험하지 않고 믿고 따를 때 역사는 나타난다.

8-10 마귀의 마지막 시험은 세상의 모든 영광을 줄 테니 자신에게 경배하라는 것이었다. 그래서 영혼이라도 팔아 물질을 최고의 가치로 탐하는 사람은 모두 마귀의 노예가 되어 있는 것이다. 예수님은 역시 하나님의 말씀으로(신 6:13) 마귀를 쫓아버리신다. 마귀는 오직 말씀으로만 이길 수 있다.

쉬운성경

1 그 후, 예수님께서는 성령에게 이끌려 광야로 가셔서, 마귀에게 시험을 받으셨습니다.

2 예수님께서는 사십 일 내내 금식하셔서, 매우 배가 고팠습니다.

3 시험하는 자가 예수님께 와서 이렇게 말했습니다. "만일 당신이 하나님의 아들이라면, 이 돌에게 빵이 되라고 명령해 보시오."

4 예수님께서 대답하셨습니다. "성경에
'사람이 빵으로만 살 것이 아니라, 하나님의 입에서 나오는 모든 말씀으로 살 것이다'*
라고 기록되어 있다."

5 그러자 마귀는 예수님을 거룩한 성으로 데리고 가서 성전 꼭대기에 세웠습니다.

6 마귀가 말했습니다. "만일 당신이 하나님의 아들이라면 뛰어내리시오. 성경에
'하나님께서 당신을 위해 천사들에게 명령하실 것이다. 그들은 손으로 당신을 붙잡아 발이 돌에 부딪히지 않도록 할 것이다'*
라고 기록되어 있소."

7 예수님께서 마귀에게 대답하셨습니다. "성경에 '주 너의 하나님을 시험하지 마라'*고 기록되어 있다."

8 다시 마귀는 예수님을 높은 산으로 데리고 갔습니다. 마귀는 예수님께 세상의 모든 나라와 그 영화로운 모습을 보여주었습니다.

9 마귀는 이렇게 말했습니다. "만일 당신이 나에게 절하고 경배한다면, 이 모든 것을 주겠소."

10 예수님께서 마귀에게 말씀하셨습니다. "사탄아, 썩 물러가거라! 성경에 '오직 주 너희 하나님께만 경배하고, 그를 섬겨라!'*고 기록되어 있다."

11 그러자 마귀가 예수님에게서 떠나가고, 천사들이 예수님께 와서 시중을 들었습니다.

*4:4 신 8:3에 기록되어 있다.
*4:6 시 91:11-12에 기록되어 있다.
*4:7 신 6:16에 기록되어 있다.
*4:10 신 6:13에 기록되어 있다.

저자의 묵상

예수님이 받으신 시험은 육신의 필요를 채우는 것으로 시작되었다. 마귀는 누구보다도 우리의 약점을 잘 안다. 그러므로 누구나 약점이 없을 수는 없지만, 그리스도인으로서의 치명적인 약점은 믿음 안에서 고쳐야 한다. 예를 들어 이성 문제에 약한 자라면 마귀는 끊임없이 그 문제를 건드릴 것이다.

두 번째 시험은 하나님의 아들이라면 기적을 일으켜 보이라는, 즉 명예를 도전하는 시험이었다. 마귀는 말씀을 인용하면서 예수님의 명예욕을 자극했다. 그러나 하나님의 말씀은 시험하지 말고 믿어야 한다. 그럴 때 말씀의 능력이 나타난다. 마지막 시험은 물질과 영광에 관한 시험이었다. 이에 예수님은 말씀으로 마귀를 쫓아내신다. 예수님이 받으신 시험은 모두 인간이 가진 치명적 약점들에 관한 것이다. 그러나 예수님은 우리가 하나님처럼 말씀을 의지하면 이 모든 시험을 이길 수 있음을 친히 증명하셨다.

무릎 기도 | 예수님이 우리의 부족한 부분을 친히 먼저 시험받으시어 우리로 이길 수 있다는 확신을 주셔서 감사합니다. 어떤 시험이 와도 말씀을 붙들고 승리하게 하소서.

NLT - Matthew 4

1 Then Jesus was led by the Spirit into the wilderness to be tempted there by the devil.

2 For forty days and forty nights he fasted and became very hungry.

3 During that time the devil* came and said to him, "If you are the Son of God, tell these stones to become loaves of bread."

4 But Jesus told him, "No! The Scriptures say, 'People do not live by bread alone, but by every word that comes from the mouth of God.'*"

5 Then the devil took him to the holy city, Jerusalem, to the highest point of the Temple,

6 and said, "If you are the Son of God, jump off! For the Scriptures say, 'He will order his angels to protect you. And they will hold you up with their hands so you won't even hurt your foot on a stone.'*"

7 Jesus responded, "The Scriptures also say, 'You must not test the LORD your God.'*"

8 Next the devil took him to the peak of a very high mountain and showed him all the kingdoms of the world and their glory.

9 "I will give it all to you," he said, "if you will kneel down and worship me."

10 "Get out of here, Satan," Jesus told him. "For the Scriptures say, 'You must worship the LORD your God and serve only him.'*"

11 Then the devil went away, and angels came and took care of Jesus.

*4:3 Greek *the tempter.* *4:4 Deut 8:3. *4:6 Ps 91:11–12. *4:7 Deut 6:16. *4:10 Deut 6:13.

1 Spirit 성령 tempt 유혹하다, 시험하다 devil 마귀 3 loaves of bread 떡 덩어리 4 Scripture 성경 5 Temple 성전 7 respond 대답하다 8 peak 꼭대기 9 kneel down 무릎 꿇다, 굴복하다 10 get out of ~ ~에서 나가다, 벗어나다 serve 섬기다 11 take care of ~ ~를 돌보다, 보살피다

09 갈릴리에서 사역을 시작하신 예수님

월 일

마태복음 4:12-25

새찬송 84장 | 통일 96장

• 먼저 묵상을 위한 기도를 드린 후, 성경 본문을 2번 이상 읽고 묵상하십시오.

본문요약 | 요한이 잡혔음을 들으시고 갈릴리로 가신 예수님은 가버나움에 머무시며 천국이 가까웠음을 선포하신다. 갈릴리 해변에 다니시다가 베드로와 안드레, 야고보와 요한을 제자로 부르셨다. 예수님이 갈릴리 모든 지역에서 가르치시고 병자들을 고치시자 많은 곳에서 사람들이 나아와 예수님을 따랐다.

개역개정

12 예수께서 요한이 잡혔음을 들으시고 갈릴리로 물러가셨다가
13 나사렛을 떠나 스불론과 납달리 지경 해변에 있는 가버나움에 가서 사시니
14 이는 선지자 이사야를 통하여 하신 말씀을 이루려 하심이라 일렀으되
15 ㄱ스불론 땅과 납달리 땅과 요단 강 저편 해변 길과 이방의 갈릴리여
16 흑암에 앉은 백성이 큰 빛을 보았고 사망의 땅과 그늘에 앉은 자들에게 빛이 비치었도다
하였느니라
17 이때부터 예수께서 비로소 전파하여 이르시되 회개하라 천국이 가까이 왔느니라 하시더라
18 갈릴리 해변에 다니시다가 두 형제 곧 베드로라 하는 시몬과 그의 형제 안드레가 바다에 그물 던지는 것을 보시니 그들은 어부라
19 말씀하시되 나를 따라오라 내가 너희를 사람을 낚는 어부가 되게 하리라 하시니
20 그들이 곧 그물을 버려두고 예수를 따르니라
21 거기서 더 가시다가 다른 두 형제 곧 세베대의 아들 야고보와 그의 형제 요한이 그의 아버지 세베대와 함께 배에서 그물 깁는 것을 보시고 부르시니
22 그들이 곧 배와 아버지를 버려두고 예수를 따르니라
23 예수께서 온 갈릴리에 두루 다니사 그들의 회당에서 가르치시며 [1]천국 복음을 전파하시며 백성 중의 모든 병과 모든 약한 것을 고치시니
24 그의 소문이 온 수리아에 퍼진지라 사람들이 모든 앓는 자 곧 각종 병에 걸려서 고통당하는 자, 귀신 들린 자, 간질하는 자, 중풍병자들을 데려오니 그들을 고치시더라
25 갈릴리와 데가볼리와 예루살렘과 유대와 요단 강 건너편에서 수많은 무리가 따르니라

ㄱ. 사 9:1,2 1) 헬. 그 나라의 복음을

1. 본문에 나타난 예수님은 어떤 분이십니까?

2. 오늘 하나님께서 나에게 주신 깨달음은 무엇입니까?

3. 말씀을 어떻게 내 삶에 구체적으로 적용해야 합니까?

절별 해설

12 요한이 잡혔음을 들으시고 예수님의 길을 준비하기 위해 왔던 세례 요한은 헤롯 왕이 동생 빌립의 아내였던 헤로디아를 취한 것이 옳지 않음을 말하다가 투옥되었고, 이후 그 일로 죽임을 당한다(14:3-12). 한편, 요한이 갇혔단 소식을 접하신 주님은 유대를 떠나 갈릴리로 향하신다. 아마도 종교 지도자들이 상주하고 있던 유대 지역에서의 마찰을 피하고, 당시 소외된 계층에게 먼저 천국 복음을 전하시려는 이유 때문으로 생각된다.

13 가버나움 예수님은 갈릴리에 위치한 나사렛을 떠나 가버나움에 거하신다. 나사렛은 예수님의 고향이었지만 사람들이 주님을 배척했기 때문이다(눅 4:16-30). '가버나움'은 갈릴리 해변에 위치한 마을로, 예수님 당시에 상당히 발전한 성이었다. 이후 예수님의 갈릴리 사역의 본거지가 되는 곳이다.

15 이방의 갈릴리 갈릴리에 속한 스불론과 납달리 땅은 원래 이스라엘 열두 지파 중, 두 지파의 땅이다. 그러나 가나안 북쪽에 위치한 지리적 약점 때문에 앗수르가 침입하는 등, 이방 세력들이 거주하게 되었다(왕하 15:29; 17:24). 그 때문에 포로기 이후에도 유대인들에게 갈릴리는 이방인 취급을 받게 되었다.

18 갈릴리 해변 갈릴리 호수는 다른 이름으로 '게네사렛 호수', '디베랴 바다'라고도 불린다.

베드로라 하는 시몬 '시몬'은 히브리식 이름으로 '들음'이라는 뜻이며, 베드로는 헬라식 이름으로 '반석'이라는 뜻이다. 예수님이 베드로라는 이름을 붙여 주셨다(16:18).

20 베드로와 안드레는 즉시 예수님을 따랐다. 순종에는 지체함이 없어야 한다. 한편 누가복음에 보면(5:1-11) 이들이 예수님의 말씀을 따라 깊은 곳에 그물을 내려 많은 물고기를 거두는 체험을 한 후에 예수님을 따랐다고, 본문의 상황을 좀 더 자세히 설명하고 있다. 이를 통해 사람을 부르시기 전에 그가 결심할 수 있게 충분한 은혜와 증거를 베푸시는 주님의 모습을 볼 수 있다.

21 세베대의 아들 야고보와 그의 형제 요한 '야고보'는 구약에 나오는 야곱의 헬라식 이름이며, 열두 제자 중 가장 먼저 순교한 인물이다(행 12:2). '요한'은 〈요한복음〉의 기자이며, 제자들 중 가장 오래 살며 〈요한계시록〉을 썼다. 육신적으로 한 형제이며 부르심은 같아도 쓰임 받는 사명은 다를 수 있음을 알 수 있다.

쉬운성경

12 예수님께서 요한이 감옥에 갇혔다는 소식을 들으시고, 유대에서 갈릴리로 돌아가셨습니다.

13 예수님께서는 나사렛을 떠나, 스불론과 납달리 지역의 갈릴리 호숫가에 있는 가버나움으로 옮기시고, 거기서 사셨습니다.

14 이렇게 하여, 예언자 이사야의 말이 이루어졌습니다.

15 "스불론 땅과 납달리 땅, 호수로 가는 길목, 요단 강 건너편, 이방 사람들이 사는 갈릴리,

16 이곳 어둠에 사는 백성들이 큰 빛을 보았다. 죽음의 그늘과 같은 땅에 앉아 있는 사람들에게 빛이 비취었다."*

17 이때부터, 예수님께서 "회개하라. 하늘나라가 가까이 왔다"라고 외치며 전도를 시작하셨습니다.

18 예수님께서 갈릴리 호숫가를 거니시다가 두 형제, 베드로라고 하는 시몬과 그의 동생 안드레가 호수에 그물을 던지는 것을 보셨습니다. 그들은 어부였습니다.

19 예수님께서 그들에게 말씀하셨습니다. "나를 따라오너라. 내가 너희를 사람을 낚는 어부로 삼겠다."

20 그 즉시, 시몬과 안드레는 그물을 버려두고 예수님을 따랐습니다.

21 예수님께서는 계속 거니시다가, 또 다른 두 형제, 세베대의 아들 야고보와 그의 동생 요한이 배 안에서 아버지 세베대와 함께 그물을 수선하고 있는 것을 보았습니다. 예수님께서 그들을 부르셨습니다.

22 그들도 그 즉시, 배와 아버지를 버려둔 채, 예수님을 따랐습니다.

23-24 예수님의 사역은 '말씀 전파와 병 고침'의 사역이었다. 예수님은 하늘나라에 대한 기쁜 소식으로 사람들에게 소망을 주셨으며, 그들이 현실적으로 겪는 고통인 질병을 고치심으로 당장의 문제를 해결하셨다. 예수님의 사역을 통해서 신앙은 이론만이 아니라 동시에 사람들의 필요를 채우는 것임을 알 수 있다.

23 예수님께서 갈릴리 모든 곳을 다니시며 유대인들의 회당 안에서 가르치시고, 하늘나라에 대한 기쁜 소식을 전해 주셨습니다. 그리고 사람들의 갖가지 병을 고쳐 주셨습니다.

24 예수님에 대한 소문이 시리아 전역으로 퍼졌습니다. 사람들은 병든 사람을 모두 데리고 예수님께 나아왔습니다. 그들은 여러 가지 병으로 고통받고 있었는데, 통증에 시달리는 사람, 귀신 들린 사람, 간질병에 걸린 사람, 그리고 중풍에 걸린 사람들이었습니다. 예수님께서 그들을 고쳐 주셨습니다.

25 그리하여 갈릴리, 데가볼리, 예루살렘, 유대, 그리고 요단 강 건너편에서 온 많은 사람들이 예수님을 따랐습니다.

*4:15-16 사 9:1-2에 기록되어 있다.

저자의 묵상

예수님은 비천한 장소에서 출생하시고 자라셨을 뿐만 아니라 사역도 이방인의 땅이라 불리는, 당시 천대받던 고을인 갈릴리에서 시작하셨다. 예수님의 삶의 자리는 좋아 보이거나 영광스러운 곳이 아니었다. 오히려 예수님은 사역 기간 내내 비천한 자들을 위하셨고 어둠에 처한 자들과 함께하셨다. 사실 예수님 앞에서 비천하지 않은 사람은 없다. 인간은 누구나 죄의 비참함에 빠져 있다. 단지 그것을 모르고 자신이 괜찮은 사람인 양 착각하는 부류가 있을 뿐이다.

예수님은 우리의 가장 연약한 부분과 더럽고 추악한 죄를 담당하셨고 거기서부터 사역을 시작하셨다. 그러므로 이제 예수님께 우리의 허물을 가지고 나가는 것을 주저하지 말자. 그분 앞에서는 포장할 것도 없고 가릴 것도 없다. 있는 그대로 내 죄를 회개하고 나가면 주님은 우리를 용납하고 받아 주신다.

무릎기도 우리의 가장 약하고 더러운 부분을 위해 예수님이 오심을 깨닫게 해 주시니 감사합니다. 약한 것을 주님께 내어놓고 빛 되신 주님의 치료를 기대합니다.

12 When Jesus heard that John had been arrested,
he left Judea and returned to Galilee.
13 He went first to Nazareth, then left there and
moved to Capernaum, beside the Sea of
Galilee, in the region of Zebulun and Naphtali.
14 This fulfilled what God said through the prophet
Isaiah:
15 "In the land of Zebulun and of Naphtali, beside
the sea, beyond the Jordan River, in Galilee
where so many Gentiles live,
16 the people who sat in darkness have seen a
great light. And for those who lived in the land
where death casts its shadow, a light has
shined."*
17 From then on Jesus began to preach, "Repent
of your sins and turn to God, for the Kingdom of
Heaven is near.*"
18 One day as Jesus was walking along the shore
of the Sea of Galilee, he saw two brothers—
Simon, also called Peter, and Andrew—
throwing a net into the water, for they fished for
a living.
19 Jesus called out to them, "Come, follow me,
and I will show you how to fish for people!"
20 And they left their nets at once and followed
him.
21 A little farther up the shore he saw two other
brothers, James and John, sitting in a boat with
their father, Zebedee, repairing their nets. And
he called them to come, too.
22 They immediately followed him, leaving the
boat and their father behind.
23 Jesus traveled throughout the region of Galilee,
teaching in the synagogues and announcing
the Good News about the Kingdom. And he
healed every kind of disease and illness.
24 News about him spread as far as Syria, and
people soon began bringing to him all who
were sick. And whatever their sickness or
disease, or if they were demon possessed or
epileptic or paralyzed—he healed them all.
25 Large crowds followed him wherever he went—
people from Galilee, the Ten Towns,* Jerusalem,
from all over Judea, and from east of the Jordan
River.

*4:15–16 Isa 9:1–2 (Greek version).
*4:17 Or *has come,* or *is coming soon.*
*4:25 Greek *Decapolis.*

12 arrest 체포하다 14 fulfill 성취하다 prophet 선지자 16 darkness 암흑 cast (빛, 그림자 등을) 던지다 17 from then on 그때부터 preach 전도하다, 전파하다 repent 회개하다 18 shore 해안 throw a net into ~ ~에 그물을 던지다 20 at once 즉시 22 immediately 즉시 23 synagogue 회당 announce 알리다 heal 치료하다 every kind of ~ 모든 종류의 ~ disease 질병 illness 병 24 demon 귀신 be possessed (귀신에) 들리다[들려 있다] paralyzed 마비된

• MEMO •

10

월　일

복 있는 사람

마태복음 5:1-12

새찬송 427장 | 통일 516장

• 먼저 묵상을 위한 기도를 드린 후, 성경 본문을 2번 이상 읽고 묵상하십시오.

본문요약 | 본문은 예수님의 산상설교(산상수훈) 중 팔복에 대한 가르침이다. 심령이 가난한 사람은 천국을 받고, 애통하는 사람은 위로받으며. 온유한 사람은 땅을 상속받고, 의에 주리고 목마른 사람은 배부를 것을 약속하셨다. 긍휼히 여기는 자는 긍휼히 여김을 받으며, 마음이 청결한 자는 하나님을 보게 되며, 화평하는 자는 하나님의 아들이라 불리며, 의를 위하여 박해를 받으면 천국을 얻게 된다.

개역개정

1 예수께서 무리를 보시고 산에 올라가 앉으
시니 제자들이 나아온지라
2 입을 열어 가르쳐 이르시되
3 심령이 가난한 자는 복이 있나니 천국이
그들의 것임이요
4 애통하는 자는 복이 있나니 그들이 위로를
받을 것임이요
5 온유한 자는 복이 있나니 그들이 땅을 기
업으로 받을 것임이요
6 의에 주리고 목마른 자는 복이 있나니 그
들이 배부를 것임이요
7 긍휼히 여기는 자는 복이 있나니 그들이
긍휼히 여김을 받을 것임이요
8 마음이 청결한 자는 복이 있나니 그들이
하나님을 볼 것임이요
9 화평하게 하는 자는 복이 있나니 그들이
하나님의 아들이라 일컬음을 받을 것임
이요
10 의를 위하여 박해를 받은 자는 복이 있나
니 천국이 그들의 것임이라
11 나로 말미암아 너희를 욕하고 박해하고 거
짓으로 너희를 거슬러 모든 악한 말을 할
때에는 너희에게 복이 있나니
12 기뻐하고 즐거워하라 하늘에서 너희의 상
이 큼이라 너희 전에 있던 선지자들도 이
같이 박해하였느니라

1. 본문에 나타난 예수님은 어떤 분이십니까?

2. 오늘 하나님께서 나에게 주신 깨달음은 무엇입니까?

3. 말씀을 어떻게 내 삶에 구체적으로 적용해야 합니까?

절별 해설

3 심령이 가난한 자 예수님은 첫 번째로 '심령이 가난한 자'를 언급하신다. 그 당시나 오늘날이나 가난은 핍절한 것이며 누군가에게 의존해야 하는 상태를 가리킨다. 예수님은 '심령'이 가난해야 한다고 하심으로 우리의 마음이 하나님을 향하여 겸손하여 늘 하나님을 의존할 것을 말씀하신다.

4 애통하는 자는 복이 있나니 그들이 위로를 받을 것임이요 '애통하는 자'는 하나님을 향하여 자신의 죄를 슬퍼하는 사람이다. 성도는 죄를 예사롭게 넘기지 말고 깊은 애통함으로 회개해야 한다. 그럴 때 '위로'가 주어진다. 위로의 원문적 의미는 '곁으로 부르다'라는 뜻이다. 예수님은 죄를 진정으로 슬퍼하는 사람을 부르셔서 다정히 품어 주시고 용서와 위로를 주신다.

5 온유한 자는 복이 있나니 그들이 땅을 기업으로 받을 것임이요 '온유'는 부드러운 성품을 의미하며 악에 대하여 참고 견디는 성질을 말한다. 그런 사람에게 '땅'이 주어진다. 땅은 궁극적으로 주어질 영원한 천국을 의미하면서 현세적 의미도 갖고 있다. 즉, 거칠고 완고한 사람이 이 세상을 차지하는 것이 아니라 약해 보이지만 온유한 사람이 결국은 이 땅에서 견고한 영향력을 가질 것을 의미한다.

6 의에 주리고 목마른 자는 복이 있나니 그들이 배부를 것임이요 '의'는 법정적 의미로 사람이 따라야 하는 하나님의 의로움(옳음)을 의미한다. '주리고 목마르다'는 하나님의 의가 이 땅에 구현되기를 간절히 바라는 상태를 암시한다. 바로 그런 사람에게 하나님의 의가 채워져 배부르게 될 것이다. 하나님의 의로움을 따르며 그 의가 실현되기를 간절히 바라는 의인에게는 반드시 그 의가 실현된다는 약속이다.

7 긍휼 '긍휼'은 '자비롭게 여기다' 혹은 '불쌍히 여기다'라는 뜻이다. 예수님은 이 땅에서 어려움 당한 사람들, 병든 사람들을 늘 불쌍히 여기셨다(14:14; 눅 7:13). 다른 사람의 처지에 대해 불쌍히 여기는 사람은 하나님께로부터 같은 여김을 받는다. 반대로 남을 비판하고 정죄하는 사람은 동일한 비판을 받게 된다(7:2). 내가 남에게 행한 대로 나도 같은 대접을 받는다는 것이 성경이 가르치는 중요한 교훈이다(7:12).

8 마음이 청결한 자 '마음이 청결하다'는 것은 순수하다는 의미로, 불순물이 끼어있지 않는 상태를 가리킨다. 기도할 때도 믿음으로 구하지 않고, 의심하며 두 마음을 품는 사람은 하나님의 응답을 받을 수 없다(약 1:5-8).

9 화평하게 하는 자 사람과 사람 사이의 화평은 물론, 하나님

쉬운성경

1 예수님께서 사람들을 보시고 산으로 올라가 앉으셨습니다. 그러자 제자들이 예수님께 다가왔습니다.

2 예수님께서 입을 열어 사람들을 가르치셨습니다.

3 "마음이 가난한 사람은 복이 있다. 하늘나라가 그들의 것이다.

4 슬퍼하는 사람은 복이 있다. 그들이 위로를 받을 것이다.

5 마음이 온유한 사람은 복이 있다. 그들이 땅을 상속받을 것이다.

6 의를 위해 주리고 목마른 사람은 복이 있다. 그들이 배부를 것이다.

7 자비로운 사람은 복이 있다. 그들이 하나님의 자비를 입을 것이다.

8 마음을 깨끗이 한 사람은 복이 있다. 그들이 하나님을 볼 것이다.

9 평화를 위해 일하는 사람은 복이 있다. 그들이 하나님의 아들이라고 불릴 것이다.

10 의롭게 살려고 하다가, 박해를 받는 사람은 복이 있다. 하늘나라가 그들의 것이다.

11 사람들이 나 때문에 너희를 모욕하고 박해하고 온갖 나쁜 말을 할 때, 너희에게 복이 있다.

과 사람 사이의 화평도 해당된다. 예수님의 십자가 사역으로 하나님과 우리 사이는 화평하게 되었다(엡 2:14-16). 그러므로 화평을 위해 일하는 사람은 사람들 사이에서, 또 사람과 하나님 사이에서 복음을 통해 진정한 화평을 도모하는 사람이다. 그들은 예수 그리스도의 뒤를 따르는 하나님의 아들로 불릴 것이다.

10 의를 위하여 박해를 받은 자는 복이 있나니 성경은 의롭게 살려는 사람에게 박해가 있을 것을 경고한다. 언뜻 생각하면 의롭게 살면 세상이 인정해 줄 것 같지만, 죄로 오염된 세상은 진리보다는 이익을 추구하기 때문에 자신의 이익에 반하면 옳은 일이라도 박해하고 반대한다.
천국이 그들의 것임이라 기독교인은 이 세상에서 완전한 대접을 받을 수 없다. 기독교인의 진정한 가치와 보상은 하늘에서 받게 될 것이다. 이 땅에서 받는 잠시의 고난은 우리가 받게 될 영원한 영광과 비교도 되지 않을 것이다(롬 8:18).

11-12 나로 말미암아, 기뻐하고 즐거워하라 성도가 이 땅에 살며 예수님 때문에 고난을 당할 때 취해야 할 태도는 기뻐하는 것이다. 사도들은 예수님의 이름 때문에 받는 모욕을 기뻐했다(행 5:41). 그 이유는 하늘에서 받을 상이 크기 때문이다.

12 기뻐하고 즐거워하여라. 하늘에서 너희의 상이 크다. 너희보다 먼저 살았던 예언자들도 이처럼 박해를 받았다."

저자의 묵상

오늘 본문은 예수님이 가르치신 복에 관한 내용이다. 사람들은 복을 물질적·현세적인 것 등 외부로부터 주어지는 것이라고 생각했지만, 예수님은 근본적으로 우리의 마음과 내면의 상태에서 복이 출발된다고 가르치셨다.

내가 어떤 마음을 먹느냐가 내 인생과 복을 결정한다. 사람들은 겉모습을 보고 사람을 평가하지만 그리스도인은 사람의 기준에 만족하지 말고 마음 깊은 곳에서부터 하나님이 원하시는 태도를 취해야 한다. 그럴 때 진정한 행복과 복이 주어진다. 한편, 복된 마음 상태를 가진 사람에게는 약속과 보상이 주어진다. 성도가 하나님의 뜻을 따르며 이 땅에서와 천국에서 복을 기대하는 것은 잘못된 것도, 저급한 신앙도 아니다. 또한 복을 바라는 만큼 죄를 지었을 때의 저주도 두려워하는 신앙은 죄로부터 우리를 보호해 줄 것이다.

무릎 기도 | 복이 마음의 상태에서 출발되는 것을 깨닫습니다. 사람들의 평가와 시선에 상관없이 주님 앞에서 하나님이 원하시는 마음의 상태를 소유하게 도와주소서.

NLT - Matthew 5

1 One day as he saw the crowds gathering, Jesus went up on the mountainside and sat down. His disciples gathered around him,
2 and he began to teach them.
3 "God blesses those who are poor and realize their need for him,* for the Kingdom of Heaven is theirs.
4 God blesses those who mourn, for they will be comforted.
5 God blesses those who are humble, for they will inherit the whole earth.
6 God blesses those who hunger and thirst for justice,* for they will be satisfied.
7 God blesses those who are merciful, for they will be shown mercy.
8 God blesses those whose hearts are pure, for they will see God.
9 God blesses those who work for peace, for they will be called the children of God.
10 God blesses those who are persecuted for doing right, for the Kingdom of Heaven is theirs.
11 "God blesses you when people mock you and persecute you and lie about you* and say all sorts of evil things against you because you are my followers.
12 Be happy about it! Be very glad! For a great reward awaits you in heaven. And remember, the ancient prophets were persecuted in the same way.

*5:3 Greek *poor in spirit.*
*5:6 Or *for righteousness.*
*5:11 Some manuscripts do not include *and lie about you.*

1 mountainside 산허리 disciple 제자 gather around ~ ~에게 모이다 3 bless 축복하다 those who ~ ~하는 사람들 4 mourn 슬퍼하다 comfort 위로하다 5 humble 겸손한 inherit 상속하다, 물려받다 6 hunger 굶주리다 thirst 목마르다 7 merciful 자비로운 8 pure 깨끗한, 순수한 10 persecute 박해하다 11 mock 조롱하다 all sorts of ~ 온갖 종류의 ~ against ~에 대한 12 reward 보상 await 기다리고 있다 prophet 선지자 in the same way 마찬가지로

• MEMO •

11

월 일

세상의 소금과 빛

마태복음 5:13-16

새찬송 463장 | 통일 518장

• 먼저 묵상을 위한 기도를 드린 후, 성경 본문을 2번 이상 읽고 묵상하십시오.

본문요약 | 예수님은 제자들이 세상의 소금과 빛이라고 하신다. 소금이 짠맛을 내는 고유의 특성을 잃어버리면 밖에 버려져 사람들에게 밟힐 뿐이다. 또 빛은 산 위에 있는 도시나 집안 모든 사람들을 비춘다. 이처럼 예수님을 따르는 제자는 선한 행동을 사람들에게 비추어 하나님께 영광을 돌려야 한다.

개역개정

13 너희는 세상의 소금이니 소금이 만일 그 맛을 잃으면 무엇으로 짜게 하리요 후에는 아무 쓸데없어 다만 밖에 버려져 사람에게 밟힐 뿐이니라

14 너희는 세상의 빛이라 산 위에 있는 동네가 숨겨지지 못할 것이요

15 사람이 등불을 켜서 말 아래에 두지 아니하고 등경 위에 두나니 이러므로 집 안 모든 사람에게 비치느니라

16 이같이 너희 빛이 사람 앞에 비치게 하여 그들로 너희 착한 행실을 보고 하늘에 계신 너희 아버지께 영광을 돌리게 하라

1. 오늘 하나님께서 나에게 주신 깨달음은 무엇입니까?

2. 말씀을 어떻게 내 삶에 구체적으로 적용해야 합니까?

절별 해설

13 너희는 세상의 소금이니 예수님은 제자들(예수님의 설교를 듣기 위하여 예수님을 따른 많은 무리)을 가리켜 '세상의 소금'이라고 단언하신다. 즉, 그들이 소금의 성질을 일부 소유한 자들이 아니라, 소금 같은 존재라고 '존재론적'으로 말씀하심으로써 제자들의 전 존재가 소금이어야 함을 강조하신다.

무엇으로 짜게 하리요 소금은 짠맛을 내는 특징이 있다. 또한 그 짠맛은 음식의 부패를 방지하는 역할을 한다. 이는 문맥상 예수님을 따르는 제자들이 세상에서 확실한 짠맛을 내어 부패를 방지하는 역할을 해야 함을 강조한 표현이다.

사람에게 밟힐 뿐이니라 당시에 사용되던 소금은 사해 산으로 불순물이 많이 섞여 있었다고 한다. 그 때문에 맛을 내지 못하는 경우가 많아 버려지는 일이 많았다.

14 너희는 세상의 빛이라 산 위에 있는 동네가 숨겨지지 못할 것이요 빛이 지닌 특징은 어둠을 비추어 밝게 만들기에 그 어떤 대상도 빛 앞에서 자신을 숨길 수 없다는 것이다. 이처럼 빛의 특징은 밝음에 있다. 예수님의 제자들은 주님이 빛이셨듯이(요 8:12), 세상을 비추어 밝게 만들 책임을 부여받았다. 세상은 죄로 덮여 있는 어두운 상태였기 때문에 빛 되신 그리스도를 알아보지 못했다(요 1:5-11). 그러므로 주님의 제자는 이런 세상을 밝게 비추어 주님을 소개하고 드러내는 역할을 감당해야 한다.

15 등불을 켜서 말 아래에 두지 아니하고 등경 위에 두나니 이러므로 집 안 모든 사람에게 비치느니라 빛은 모든 사람을 비춘다. 빛은 지위고하, 남녀노소, 선인과 악인을 막론하고 차별이 없다. 그 때문에 그리스도의 제자들은 모든 사람을 향하여 빛 된 삶을 드러내야 한다.

16 그들로 너희 착한 행실을 보고 하늘에 계신 너희 아버지께 영광을 돌리게 하라 빛을 비추는 삶에 대한 구체적인 표현이다. 빛 된 삶은 정의롭고 밝고 기쁘고 선한 모든 행동을 포함한다. 어둠 가운데 있는 세상 사람들은 바로 이런 선한 행동을 보고 하나님께 영광을 돌리게 된다. 신앙은 이론이나 설명이 아니라 구체적인 삶의 모습으로 나타나야 한다.

쉬운성경

13 "너희는 세상의 소금이다. 만일 소금이 그 맛을 잃으면, 무엇으로 짠맛을 내겠느냐? 맛을 잃은 소금은 아무 쓸모가 없게 되어 밖에 버려져 사람들에게 밟힐 뿐이다.

14 너희는 세상의 빛이다. 산 위에 있는 도시는 숨겨질 수 없다.

15 등불을 됫박 안에 두지 않고 등잔대 위에 놓는다. 그래야 등불이 그 집에 있는 모든 사람에게 빛을 비추게 될 것이다.

16 이와 같이 너희 빛을 사람들에게 비춰라. 그래서 사람들이 너희의 선한 행동을 보고 하늘에 계신 너희 아버지께 영광을 돌리게 하여라."

저자의 묵상

예수님은 제자들을 향하여 '너희가 세상의 소금과 빛이다'라고 말씀하셨다. 다시 말해서 세상의 진정한 소망은 성도인 것이다. 우리는 부정과 부패가 만연한 이 세상을 살아가면서 흔히 '세상이 썩었다'라고 말하곤 한다. 그러나 세상이 썩은 책임은 소금이 되지 못한 우리에게도 있음을 기억해야 한다. 세상 탓만 하고 있는 것은 참된 그리스도인의 모습이 아니다. 바로 내가 소금이 되어 세상의 일부분이라도 부패하지 않도록 만들어야 한다. 세상이 어둡다고 한탄할 것이 아니라 내가 빛이 되어 세상을 비추어야 한다.

앞 절들에서 팔복을 말씀하신 예수님은 성도들이 복 받을 자신의 상태에만 머무르는 것이 아니라, 더 나아가 세상을 향한 책임을 감당하라고 하신다. 교회가 부패하거나 어두우면 세상엔 더 이상 소망이 없음을 기억하고 책임 있는 성도의 삶을 살아야 한다. 삶으로 보여주지 못하는 신앙은 가짜라고 볼 수밖에 없다.

무릎기도 | 저희를 세상의 소금과 빛으로 부르신 주님을 오늘 말씀을 통해 다시 한 번 기억합니다. 저의 전 존재를 통해 거룩함과 선함을 드러내는 성도가 되게 도와주소서.

NLT - Matthew 5

13 "You are the salt of the earth. But what good is salt if it has lost its flavor? Can you make it salty again? It will be thrown out and trampled underfoot as worthless.
14 "You are the light of the world—like a city on a hilltop that cannot be hidden.
15 No one lights a lamp and then puts it under a basket. Instead, a lamp is placed on a stand, where it gives light to everyone in the house.
16 In the same way, let your good deeds shine out for all to see, so that everyone will praise your heavenly Father.

13 salt 소금 lost 잃은 flavor 맛 throw out 내던지다 trample 짓밟다 underfoot 발밑에 worthless 쓸모없는
14 hilltop 언덕의 꼭대기 hidden 숨겨진 15 place on ~ ~에 두다 16 In the same way 마찬가지로
praise 찬양하다 Heavenly Father 하늘에 계신 아버지

12

월 일

율법의 완성

마태복음 5:17-20

새찬송 200장 | 통일 235장

• 먼저 묵상을 위한 기도를 드린 후, 성경 본문을 2번 이상 읽고 묵상하십시오.

본문요약 | 예수님은 율법을 깨뜨리러 오신 것이 아니라 완성하러 오셨기 때문에 율법의 작은 것 하나까지도 없어지지 않고 반드시 다 이루어질 것이다. 그 때문에 계명 가운데 작은 것이라도 무시하면 안 된다. 그리고 성도의 의는 서기관과 바리새인보다 더 높아야 한다.

개역개정

17 내가 율법이나 선지자를 폐하러 온 줄로
생각하지 말라 폐하러 온 것이 아니요 완
전하게 하려 함이라
18 진실로 너희에게 이르노니 천지가 없어지
기 전에는 율법의 일점일획도 결코 없어지
지 아니하고 다 이루리라
19 그러므로 누구든지 이 계명 중의 지극히
작은 것 하나라도 버리고 또 그같이 사람
을 가르치는 자는 천국에서 지극히 작다
일컬음을 받을 것이요 누구든지 이를 행
하며 가르치는 자는 천국에서 크다 일컬
음을 받으리라
20 내가 너희에게 이르노니 너희 의가 서기관
과 바리새인보다 더 낫지 못하면 결코 천
국에 들어가지 못하리라

1. 오늘 하나님께서 나에게 주신 깨달음은 무엇입니까?

2. 말씀을 어떻게 내 삶에 구체적으로 적용해야 합니까?

절별 해설

17 율법이나 선지자 이는 당시 구약성경 전체를 일컫는 말이다. '율법'은 성도의 삶에 대해 전반적인 규범을 언급하는 모세오경을 말하며, '선지자'는 그 뒤에 이어지는 이스라엘의 역사와 선지자들의 글, 즉 선지서를 가리키는 것이다. 한편, 예수님이 이것들을 폐하러 오셨다는 오해를 받은 까닭은 외형상 예수님의 행보가 안식일을 범하는 등(병 고침이나 선을 행하심), 당시에는 파격적으로 보였기 때문이다.

완전하게 하려 함이라 예수님은 사실 안식일을 범하신 것이 아니었다. 단지 당시 종교지도자들의 안식일에 대한 외적이고 형식적인 신앙의 문제점을 지적하시고 참된 의미의 안식일을 완성하셨던 것이다(눅 6:1-10). 당시에 신앙이 규범화되고 형식화되어 본래의 의미를 잃어버렸기 때문이다.

18 율법의 일점일획도 결코 없어지지 아니하고 예수님 당시 서기관들은 성경의 율법을 613가지 계명으로 구분하였다. 또 그 많은 계명을 다 잘 지키기 어려우니 그중 보다 중히 지켜야 할 계명과 덜 중요한 계명을 나누고 토론하였다(참고. 22:36). 율법을 폐하신다는 오해를 받았던 예수님은 종교지도자들이 아무리 작게 생각하는 계명이라도 지킬 것을 명하시며, 오히려 그들보다 더 강력하게 율법 준수를 언급하신다. 모든 성경은 하나님의 영감으로 된 말씀이므로(딤후 3:16) 성경의 어떤 내용도 임의대로 취사선택하는 것은 허용되지 않는다.

19 성경의 모든 말씀과 계명이 아무리 작은 것이라도 다 이루어질 말씀이기 때문에(18절) 사소해 보이는 말씀도 귀히 여기고 가르치는 사람은 천국에서 큰 사람이 된다. 앞선 해설에서 언급한 대로, 당시 서기관과 바리새인은 더 중요한 율법을 지키는 것에 치중하기 위해 덜 중요한 율법을 구분하여 일반인들에게 가르쳤었다.

20 너희 의가 서기관과 바리새인보다 더 낫지 못하면 결코 천국에 들어가지 못하리라 서기관은 '율법학자'라고도 불리는데, 당시 성경을 필사하며 자연스럽게 그것을 연구하여 가르쳤던 종교지도자들이다. 바리새인은 '구별된 사람'이라는 뜻으로, 자신을 세속의 영향력으로부터 구별하여 신앙적 순수성을 지키려 했던 경건한 사람들이다. 그러나 그들의 외적이고 형식적인 경건은 종종 예수님의 비판을 받았다(23장). 예수님은 제자들의 의가 그들보다 나아야 한다고 가르치심으로써 자칫 예수님이 가르치신 자유의 복음이 옛 율법을 무시하는 방종으로 흐르지 않게 경계하셨다.

쉬운성경

17 "내가 모세의 율법이나 예언자들의 말씀을 깨뜨리러 온 줄로 생각하지 마라. 나는 그들의 말씀을 깨뜨리러 온 것이 아니라 완성하러 왔다.

18 나는 너희에게 진정으로 말한다. 하늘과 땅이 없어지기 전에는 율법의 아무리 작은 부분이라도 사라지지 않고, 반드시 다 이루어질 것이다.

19 그러므로 누구든지 이 계명 가운데에 가장 작은 것 하나라도 어기거나 다른 사람에게 그렇게 하라고 가르치는 사람은 하늘나라에서 가장 작게 될 것이다. 그러나 누구든지 계명을 지키고 가르치면 하늘나라에서 크게 될 것이다.

20 내가 말한다. 너희 의가 율법학자들이나 바리새파 사람보다 훨씬 낫지 않으면, 하늘나라에 들어가지 못할 것이다."

저자의 묵상

예수님의 등장은 당시에 파격적인 일이었다. 유대인들은 안식일을 엄격하게 지키며 외적으로 일하지 않는 것에 큰 의미를 두었지만, 예수님은 안식일에 병자를 고치시는 등, 선을 행하심으로써 안식일의 진정한 의미를 완성하셨다. 그 때문에 예수님의 이러한 모습은 당시 종교지도자들에게 율법을 깨뜨린다는 비난을 받았다. 그러나 예수님의 진정한 의도는 율법의 폐기가 아니라 완성에 있었다. 그러므로 우리 그리스도인들도 형식적인 신앙에 빠지지 말고 말씀의 진정한 의도를 파악하는 데 노력해야 한다.

또한 예수님은 제자들에게 서기관과 바리새인보다 더 엄격한 잣대를 요구하셨음을 주의 깊게 봐야 한다. 말씀 안에서 형식을 초월하여 자유를 누린다는 명목으로 자기 임의대로 말씀을 지키는 것은 없는지 살펴보고 반성해야 한다.

무릎기도 사소해 보이는 말씀이나 저와 무관해 보이는 말씀에도 주의를 기울이게 하소서. 형식적인 신앙을 탈피하되, 더 엄격하게 신앙을 지키며 살아가게 하소서.

NLT - Matthew 5

17 "Don't misunderstand why I have come. I did not come to abolish the law of Moses or the writings of the prophets. No, I came to accomplish their purpose.
18 I tell you the truth, until heaven and earth disappear, not even the smallest detail of God's law will disappear until its purpose is achieved.
19 So if you ignore the least commandment and teach others to do the same, you will be called the least in the Kingdom of Heaven. But anyone who obeys God's laws and teaches them will be called great in the Kingdom of Heaven.
20 "But I warn you—unless your righteousness is better than the righteousness of the teachers of religious law and the Pharisees, you will never enter the Kingdom of Heaven!

17 misunderstand 잘못 해석하다 abolish 폐지하다 accomplish 완수하다 18 disappear 사라지다 achieve 이루다, 달성하다 19 ignore 무시하다 commandment 계명 obey 복종하다 20 righteousness 의, 정의

13

월 일

살인에 관한 교훈

마태복음 5:21-26

새찬송 365장 | 통일 484장

• 먼저 묵상을 위한 기도를 드린 후, 성경 본문을 2번 이상 읽고 묵상하십시오.

본문요약 | 예수님은 형제에게 화를 내고 욕하는 것도 살인하는 것과 같은 죄임을 지적하신다. 제단에 예물을 드리다가도 자신에게 원망을 품은 형제가 생각나면 먼저 화해한 후 예물을 드려야 한다. 그리고 자기를 고발하는 사람과도 기회 있을 때 화해해야 한다.

개역개정

21 ㄱ옛 사람에게 말한 바 살인하지 말라 누구든지 살인하면 심판을 받게 되리라 하였다는 것을 너희가 들었으나

22 나는 너희에게 이르노니 형제에게 노하는 자마다 심판을 받게 되고 형제를 대하여 [1]라가라 하는 자는 공회에 잡혀가게 되고 미련한 놈이라 하는 자는 지옥 불에 들어가게 되리라

23 그러므로 예물을 제단에 드리려다가 거기서 네 형제에게 원망 들을 만한 일이 있는 것이 생각나거든

24 예물을 제단 앞에 두고 먼저 가서 형제와 화목하고 그 후에 와서 예물을 드리라

25 너를 고발하는 자와 함께 길에 있을 때에 급히 사화하라 그 고발하는 자가 너를 재판관에게 내어주고 재판관이 옥리에게 내어주어 옥에 가둘까 염려하라

26 진실로 네게 이르노니 네가 한 푼이라도 남김이 없이 다 갚기 전에는 결코 거기서 나오지 못하리라

1) 라가는 히브리인의 욕설 ㄱ. 출 20:13; 신 5:17

1. 오늘 하나님께서 나에게 주신 깨달음은 무엇입니까?

2. 말씀을 어떻게 내 삶에 구체적으로 적용해야 합니까?

절별 해설

21 예수님은 앞에서 언급한 '율법의 완성'(17절)에 관하여 구체적인 예를 들어 설명하신다. 그 내용이 본절부터 48절까지 이어진다. 먼저 율법에 언급된 살인에 관한 처벌을 언급하신다. 율법에 의하면 살인한 자는 재판을 거쳐 동일한 처벌을 받는 것이 기본이다(출 21:12). 이처럼 율법은 나타난 현상만을 기준으로 다루지만, 예수님은 그 마음의 중심까지 보시는 새로운 기준을 제시하신다(22절).

22 예수님은 율법에 관해 새로운 해석을 하신다. 실제로 행한 살인만이 죄가 아니라, 형제에게 화를 내고 나쁜 말을 하고 욕하는 것도 큰 처벌을 받게 된다는 말씀이다. 즉, 이는 나타난 현상만이 아니라 마음속의 동기까지도 살피라는 말씀이다.
공회 유대인들의 최고 의사결정기관이자 법원의 성격을 띤 모임으로 71명으로 구성되었다. 최고 의장은 대제사장이었고 제사장, 장로, 바리새인, 서기관 등으로 구성되었다.

23 **예물을 제단에 드리려다가** 성전에서 죄를 속하기 위해 제물을 드릴 때를 말한다. 보통 하나님께 나아가 죄를 회개하고 예배를 드리는 행위가 그 어떤 행위보다 우선된다고 생각하기 쉬우나, 하나님은 사람과의 문제도 해결하지 못한 채 하나님을 경배하는 것을 원치 않으신다. 눈에 보이는 인간관계도 제대로 못하는 사람이 눈에 보이지 않는 하나님께 잘하겠다는 것은 모순이다(참조. 요일 4:20).

24 **먼저 가서 형제와 화목하고 그 후에 와서 예물을 드리라** 예수님은 먼저 원망을 산 형제와 화해한 후 예물을 드리라 하신다. 그 말씀의 취지는 마음속에 여전히 문제를 남겨두고 겉으로만 하나님을 섬기는 것은 옳지 않다는 것이다. 진정한 하늘나라의 시민은 마음속으로부터 하나님을 섬겨야 한다. 이것이 외형적 율법준수를 뛰어넘는 진정한 율법의 완성이다.

25 여기서 '고발하는 자'는 어떤 문제로 피해를 입고 상대를 고소하려는 사람이다(26절). 길에 있을 때에 화해하라는 것은 재판이 벌어지기 전, 즉 기회가 있을 때 문제를 해결하라는 것이다. 계속되는 문맥을 통하여 예수님은 사람과의 관계에서 먼저 화해를 청함으로써 분쟁과 불화를 제거할 것을 명하신다.

쉬운성경

21 "예전에는 '살인하지 마라. 누구든지 살인을 하는 사람은 재판을 받을 것이다'라는 계명을 받았다고 너희가 들었다.

22 그러나 나는 너희에게 말한다. 자기 형제에게 화를 내는 사람은 재판정에 설 것이며, 자기 형제에게 나쁜 말을 하는 사람도 산헤드린 법정에 설 것이다. 또한 자기 형제에게 바보라고 하는 사람은 지옥 불에 던져질 것이다.

23 그러므로 네가 제단에서 예물을 드릴 때, 네 형제가 너에게 나쁜 감정을 갖고 있는 것이 생각나거든,

24 제단에 예물을 놓아 두고, 가서 먼저 네 형제와 화해하여라. 그 후에 다시 와서 예물을 바쳐라.

25 너를 고소하는 사람이 함께 길에 있을 때에 빨리 화해하여라. 그렇지 않으면 그가 너를 재판관에게 넘기고, 재판관이 너를 간수에게 넘겨줘, 감옥에 갇히게 될 것이다.

26 내가 진정으로 너희에게 말한다. 너희가 마지막 한 푼까지 다 갚기 전에는 그 감옥에서 나오지 못할 것이다."

저자의 묵상

예수님은 무엇이 진정한 율법의 완성인지를 예를 들어 설명하신다. 직접 사람을 죽이는 행위만이 살인이 아니라 사람을 향한 마음속의 분노도 살인이 될 수 있다고 하신다. 또한 사람과의 문제를 가진 채 겉으로 하나님께 예물을 드리는 것은 옳지 않다고 말씀하신다. 고발하려는 사람에게 내 잘못을 시인하고 내가 먼저 화해를 청함으로써 문제를 해결하는 것이 우선이다.

결국 예수님의 가르침은 하나다. 모든 것은 내 마음의 자세와 태도에서 출발하며, 거기서부터 하나님을 섬기는 신앙이 시작되어야 한다는 말씀이다. 내 삶의 은밀한 곳이 죄와 문제로 가득 차 있는데, 하나님을 외적으로만 섬긴다고 해서 그것이 율법준수가 될 수 없다. 보이는 것만을 대상으로 삼지 말고 보이지 않는 부분까지 하나님께 복종시킬 때 그것이 진정한 믿음이다.

무릎기도 | 겉으로만이 아니라 내면으로부터 하나님과 사람을 온전히 사랑하기 원합니다. 말씀의 외형만이 아니라 내용까지 깊이 깨닫고 지키게 하소서.

NLT - Matthew 5

21 "You have heard that our ancestors were told,
'You must not murder. If you commit murder,
you are subject to judgment.'*
22 But I say, if you are even angry with someone,*
you are subject to judgment! If you call
someone an idiot,* you are in danger of being
brought before the court. And if you curse
someone,* you are in danger of the fires of
hell.*
23 "So if you are presenting a sacrifice* at the altar
in the Temple and you suddenly remember that
someone has something against you,
24 leave your sacrifice there at the altar. Go and be
reconciled to that person. Then come and offer
your sacrifice to God.
25 "When you are on the way to court with your
adversary, settle your differences quickly.
Otherwise, your accuser may hand you over to
the judge, who will hand you over to an officer,
and you will be thrown into prison.
26 And if that happens, you surely won't be free
again until you have paid the last penny.*

*5:21 Exod 20:13; Deut 5:17.
*5:22a Some manuscripts add *without cause.*
*5:22b Greek uses an Aramaic term of contempt: *If you say to your brother, 'Raca.'*
*5:22c Greek *if you say, 'You fool.'*
*5:22d Greek *Gehenna;* also in 5:29, 30.
*5:23 Greek *gift;* also in 5:24.
*5:26 Greek *the last kodrantes* [i.e., quadrans].

21 murder 살인하다 be subject to ~ ~을 받기 쉽다, ~을 면할 수 없다 22 be in danger of ~ ~의 위험이 있다
23 sacrifice 예물, 제물 altar 제단 24 reconcile 화해시키다 25 on the way 도중에 adversary 적, 상대
hand … over to ~ …를 ~에게 넘겨주다

14

월 일

간음과 이혼에 관한 교훈

마태복음 5:27-32

새찬송 218장 | 통일 369장

• 먼저 묵상을 위한 기도를 드린 후, 성경 본문을 2번 이상 읽고 묵상하십시오.

본문요약 | 예수님은 간음을 예로 드시며 마음속으로 음란한 생각을 하는 사람은 이미 간음한 것이라고 말씀하신다. 또한 오른쪽 눈이나 손이 죄를 지으면 차라리 제거해 버리는 것이 죄로 인하여 지옥에 가는 것보다 낫다고 하신다. 그리고 음행의 부정을 범한 일 외에는 이혼하지 말 것을 가르치신다.

개역개정

27 ㄱ또 간음하지 말라 하였다는 것을 너희가
들었으나
28 나는 너희에게 이르노니 음욕을 품고 여
자를 보는 자마다 마음에 이미 간음하였
느니라
29 만일 네 오른 눈이 너로 실족하게 하거든
빼어 내버리라 네 백체 중 하나가 없어지
고 온몸이 지옥에 던져지지 않는 것이 유
익하며
30 또한 만일 네 오른손이 너로 실족하게 하
거든 찍어 내버리라 네 백체 중 하나가 없
어지고 온몸이 지옥에 던져지지 않는 것
이 유익하니라
31 또 일렀으되 ㄴ누구든지 아내를 버리려거
든 이혼 증서를 줄 것이라 하였으나
32 나는 너희에게 이르노니 누구든지 음행한
이유 없이 아내를 버리면 이는 그로 간음
하게 함이요 또 누구든지 버림받은 여자에
게 장가드는 자도 간음함이니라

ㄱ. 출 20:14; 신 5:18 ㄴ. 신 24:1,3

1. 오늘 하나님께서 나에게 주신 깨달음은 무엇입니까?

2. 말씀을 어떻게 내 삶에 구체적으로 적용해야 합니까?

절별 해설

27 간음 결혼한 사람이 배우자 이외의 사람과 성적 관계를 맺는 것을 말한다. 이는 십계명의 제7계명으로 엄격히 금하는 내용이며, 구약에서는 죽임을 당하는 처벌을 받았다(레 20:10).

28 음욕을 품고 여자를 보는 자마다 마음에 이미 간음하였느니라 예수님은 육신적 간음을 넘어 정신적 간음까지를 그 범주에 포함하신다. 그렇다면 누가 간음죄를 피해갈 수 있겠는가? 바로 그것이 예수님이 말씀하시려는 바다. 인간은 자신의 능력으로는 율법의 진정한 정신과 요구를 지킬 수 없는 죄악 된 존재다. 사실 율법을 통해 인간의 죄성과 죄의 본질이 드러나며(갈 3:19), 결국 스스로의 무능함을 깨닫고 더욱 겸손해져 예수 그리스도께로 나아가게 된다(갈 3:23-24). 이것이 진정한 율법의 완성이다(17절).

29-30 '오른 눈'이나 '오른손'은 오른쪽의 우월성을 강조하는 유대 문화권에서 중요한 것을 상징한다. 그러나 아무리 중요한 것이라도 그것이 죄를 짓게 만드는 원인이 된다면 가차 없이 제거하여 죄를 짓지 않게 해야 한다는 것이다. 그러나 본문은 죄의 원인을 제거할 필요성을 언급하기 위해 다소 과격한 표현을 한 것으로, 문자 그대로 받아들일 것은 아니다.

31 누구든지 아내를 버리려거든 이혼 증서를 줄 것이라 이는 신명기 24장 1절의 인용이다. 원래는 당시 여성들의 미약한 인권 때문에 쉽게 행해지는 이혼을 막고 여성 인권을 보호하기 위해 모세가 이혼 증서를 언급한 것이다. 그러나 유대인들 중 일부는 신명기의 '수치되는 일'을 자신들의 입맛에 맞게 적용하여 실수와 같이 가벼운 일에도 여자와 이혼할 수 있는 근거로 사용하였다. 즉, 율법의 진정한 정신을 어기고 자신의 뜻대로 성경을 해석하는 그들의 행태를 지적하신 말씀이다. 진정한 마음의 의도까지를 살피는 것이 하나님의 법이다.

32 성경은 두 가지 경우에만 이혼을 허용한다. 첫째는 본문의 말씀처럼 배우자가 성적 부정행위를 저지른 경우다. 물론 이때도 반드시 이혼하라는 것은 아니며 이혼의 가능성만 열어둔다. 둘째는 믿지 않는 배우자가 신앙적 이유로 이혼을 요구하는 경우다(고전 7:15). 이처럼 성경은 이혼을 매우 엄격히 제한한다. 이는 하나님이 만드신 신성한 결혼제도를 보호하려는 의도다.

쉬운성경

27 "'간음하지 마라'는 계명을 너희가 들었다.

28 그러나 나는 너희에게 말한다. 누구든지 음란한 생각으로 여자를 바라보는 사람은 이미 마음속으로 그 여인과 간음한 것이다.

29 만일 네 오른쪽 눈이 죄를 짓게 하거든, 그 눈을 빼어 던져 버려라. 네 몸 전체가 지옥에 던져지는 것보다 신체 중 하나를 잃는 것이 낫다.

30 만일 네 오른손이 죄를 짓게 하거든, 그 손을 잘라 내어 던져라. 네 몸 전체가 지옥에 던져지는 것보다 신체 중 하나를 잃는 것이 낫다."

31 "'누구든지 아내와 이혼하는 사람은 이혼 증서를 주어야 한다'라는 계명을 너희가 들었다.

32 그러나 내가 너희에게 말한다. 음행한 경우 외에 자기 아내와 이혼하는 사람은 아내로 하여금 간음하게 하는 것이다. 이혼한 여자와 결혼하는 사람도 간음하는 것이다."

저자의 묵상

예수님은 간음과 이혼 문제를 통해 진정한 율법의 완성이 무엇인지를 계속해서 말씀하신다(17절 참조). 율법은 외적인 행동만이 아니라 내적인 동기까지를 살피는 것을 목적으로 한다. 그 때문에 내 마음의 의도까지를 하나님께 복종시켜야 한다. 따라서 성도는 자기를 드러내려는 동기로 선한 일을 행해서는 안 된다. 언제나 마음속 깊은 동기까지도 하나님의 영광을 위한 것에 초점을 맞추어야 한다.

한편, 간음에 관한 예수님의 말씀을 보면 우리 인간이 그것을 온전히 지킬 수 없음을 알 수 있다. 이를 통해 우리가 깨닫는 것은 율법의 진정한 정신은 자신의 무능함을 인정하고 오직 예수 그리스도를 의지해야 한다는 것이다. 우리 힘으로는 그 어떤 선조차 이룰 수 없다. 오직 예수 그리스도를 의지할 때 우리는 진정한 하나님의 율법을 이룰 수 있다.

무릎 기도 | 제 힘으로는 어떤 선조차 이룰 수 없는 존재임을 깨닫게 하시니 감사합니다. 오직 주님의 십자가 공로와 성령님을 의지하여 하나님의 의를 이루어 가며 사는 성도가 되게 하소서.

NLT - Matthew 5

27 "You have heard the commandment that says, 'You must not commit adultery.'*
28 But I say, anyone who even looks at a woman with lust has already committed adultery with her in his heart.
29 So if your eye—even your good eye*—causes you to lust, gouge it out and throw it away. It is better for you to lose one part of your body than for your whole body to be thrown into hell.
30 And if your hand—even your stronger hand*—causes you to sin, cut it off and throw it away. It is better for you to lose one part of your body than for your whole body to be thrown into hell.
31 "You have heard the law that says, 'A man can divorce his wife by merely giving her a written notice of divorce.'*
32 But I say that a man who divorces his wife, unless she has been unfaithful, causes her to commit adultery. And anyone who marries a divorced woman also commits adultery.

*5:27 Exod 20:14; Deut 5:18.
*5:29 Greek *your right eye.*
*5:30 Greek *your right hand.*
*5:31 Deut 24:1.

27 commandment 계명 adultery 간음 28 lust 정욕 29 cause … to ~ …로 하여금 ~하게 하다 gouge (눈을) 도려내다 throw ~ away ~을 버리다 30 sin 죄 cut ~ off ~을 잘라내다 31 divorce 이혼(하다) merely 단지 32 unfaithful 부정한

15
월 일

맹세에 관한 교훈

마태복음 5:33-37

새찬송 366장 | 통일 485장

• 먼저 묵상을 위한 기도를 드린 후, 성경 본문을 2번 이상 읽고 묵상하십시오.

본문요약 | 맹세에 관한 교훈이다. 율법에는 거짓 맹세를 금하고 하나님께 한 맹세를 꼭 지키라고 나와 있다. 예수님도 하늘과 땅, 예루살렘을 걸고 절대로 맹세하지 말라고 말씀하신다. 또 사람이 자신을 두고도 맹세치 말아야 하는 것은 인간이 무능한 존재이기 때문이다.

개역개정

33 ㄱ또 옛 사람에게 말한 바 헛 맹세를 하지 말고 네 맹세한 것을 주께 지키라 하였다는 것을 너희가 들었으나

34 나는 너희에게 이르노니 도무지 맹세하지 말지니 하늘로도 하지 말라 이는 하나님의 보좌임이요

35 땅으로도 하지 말라 이는 하나님의 발등상임이요 예루살렘으로도 하지 말라 이는 큰 임금의 성임이요

36 네 머리로도 하지 말라 이는 네가 한 터럭도 희고 검게 할 수 없음이라

37 오직 너희 말은 옳다 옳다, 아니라 아니라 하라 이에서 지나는 것은 [1]악으로부터 나느니라

1) 또는 악한 자로 ㄱ. 레 19:12; 민 30:2; 신 23:21

1. 오늘 하나님께서 나에게 주신 깨달음은 무엇입니까?

2. 말씀을 어떻게 내 삶에 구체적으로 적용해야 합니까?

절별 해설

33 구약의 율법은 거짓 맹세를 금한다(레 19:12). 하나님의 백성이 거짓말을 하며 재판에서 위증을 하는 것을 금하는 내용의 율법이다. 또한 하나님을 향하여 서원하고 결심하고 맹세한 것은 반드시 지켜야 한다(민 30:2). 요약하면 사람을 향해서든 하나님을 향해서든 거짓된 삶을 살지 말라는 취지의 말씀이다.

34-35 도무지 맹세하지 말지니 하늘로도 하지 말라, 땅으로도 하지 말라, 예루살렘으로도 하지 말라 당시 유대인들은 자신이 한 말의 진실성을 표현하기 위하여 하늘, 땅, 예루살렘과 같이 신성한 것들을 걸고 맹세했다. 즉, 하나님의 이름을 무분별하게 들먹이는 행태를 피하기 위해 대체물을 사용한 것이다. 그러나 이런 종류의 맹세는 갈수록 자신의 책임을 회피하는 방향으로 흘러갔다. 심지어 바리새인들은 덜 중요한 것을 걸고 한 맹세는 지키지 않아도 된다고 가르쳤다(23:16-22). 그 때문에 예수님은 당시의 이러한 관행을 꾸짖으시며, 맹세 자체를 부정하신 것이 아니라 잘못된 맹세를 하지 말라고 말씀하신 것이다. 하늘과 땅, 예루살렘과 같은 피조물들도 모두 하나님의 것이므로 결국 모든 것은 하나님 앞에서 거짓되지 않아야 함을 말씀하신다.

36 네 머리로도 하지 말라 '머리'는 보통 생명의 근원을 상징하는 것으로, 맹세를 어기면 목숨을 내놓겠다는 뜻이다. 그러나 예수님은 인간이 자신의 머리는커녕 머리카락의 색깔조차 바꿀 수 없다고 하신다. 작은 것도 마음대로 할 수 없는 존재가 생명을 걸고 운운하는 것은 옳지 않다는 말씀이다. 인간의 맹세가 얼마나 허무한 것인가를 말씀해 주고 계신다.

37 오직 너희 말은 옳다 옳다, 아니라 아니라 하라 진실한 사람은 추가적인 맹세가 필요치 않다는 교훈이다. 인간은 자신의 맹세를 지킬 수 없는 약한 존재다. 그런 인간이 자신의 약함을 깨닫지 못하고 더 큰 권위를 운운하며 맹세하는 것은 자신의 본분을 벗어난 행동이다. 오직 현재의 삶을 정직하게 살아가면 사실 맹세는 필요치 않다. 예수님은 현실에서의 정직한 삶을 넘어 무언가를 추가하려는 것은 악한 의도나 생각에서 비롯된 태도라고 지적하셨다. 이는 사도들의 가르침에도 나타난다(약 5:12).

쉬운성경

33 "또한 예전에는 '거짓 맹세를 하지 마라. 주께 한 맹세는 꼭 지켜야 한다' 라는 계명을 받았다고 너희가 들었다.

34 그러나 내가 너희에게 말한다. 결코 맹세하지 마라. 하늘을 두고 맹세하지 마라. 하늘은 하나님의 보좌이기 때문이다.

35 땅을 두고 맹세하지 마라. 땅은 하나님의 발을 두시는 곳이기 때문이다. 예루살렘을 두고 맹세하지 마라. 예루살렘은 위대한 왕의 성이기 때문이다.

36 네 머리를 두고 맹세하지 마라. 너희는 머리카락 하나도 희게 하거나, 검게 할 수 없기 때문이다.

37 너희는 '그렇다'라고 할 때만 '예' 하고, 아닐 때는 '아니오'라고 말해라. '예'나 '아니오' 이상의 말은 악한 생각에서 나오는 것이다."

저자의 묵상

예수님은 맹세를 금하는 가르침을 주신다. 물론 모든 맹세 자체를 부정하신 것은 아니지만, 이는 당시 맹세를 남발하며 특정한 것을 두고 한 맹세는 지키지 않는 등의 행태에 제동을 거신 것이다. 즉, 예수님은 입으로 표현된 맹세 이전에 마음의 진실함이 더 중요함을 가르치심으로써 맹세에 관한 율법의 진정한 정신을 설명하셨다. 이처럼 중요한 것은 맹세가 아니라 진실한 삶이다. 그러므로 성도는 말의 화려함을 추구하지 말고 삶의 진실함을 추구해야 할 것이다.

또한 예수님은 현재의 삶에서 '예'와 '아니요'를 분명히 하는 진실한 삶을 추구하라고 하신다. 맹세와 같이 그 이상의 권위를 이용하려는 태도는 정직하지 않은 악한 생각에서 나온 것이기 때문이다. 말이 많아지면 정직함이 결여될 경우가 많다. 말은 적게, 삶은 단순하게 살아가야 한다.

무릎 기도 성도로서 정직한 삶을 추구하기 원합니다. 연약한 인간의 한계를 깨닫고 함부로 미래 일을 맹세할 것이 아니라, 오늘 정직하게 '예', '아니요'를 말하게 하소서.

NLT - Matthew 5

33 "You have also heard that our ancestors were told, 'You must not break your vows; you must carry out the vows you make to the LORD.'*

34 But I say, do not make any vows! Do not say, 'By heaven!' because heaven is God's throne.

35 And do not say, 'By the earth!' because the earth is his footstool. And do not say, 'By Jerusalem!' for Jerusalem is the city of the great King.

36 Do not even say, 'By my head!' for you can't turn one hair white or black.

37 Just say a simple, 'Yes, I will,' or 'No, I won't.' Anything beyond this is from the evil one.

*5:33 Num 30:2.

33 ancestor 조상 break one's vow 맹세를 어기다 carry out ~ ~을 이행하다 34 make a vow 맹세하다 throne 보좌
35 footstool 발등상 36 turn 변화하다, ~으로 바뀌다 37 beyond ~를 지나서 evil 악, 해악

16
월 일

원수를 사랑하라

마태복음 5:38-48

새찬송 424장 | 통일 216장

• 먼저 묵상을 위한 기도를 드린 후, 성경 본문을 2번 이상 읽고 묵상하십시오.

본문요약 | 구약의 '눈은 눈으로, 이는 이로 갚으라'는 규정에 예수님은 더 진전된 자세를 말씀하신다. 또 이웃을 사랑하고 원수를 미워했던 유대인들과 달리 예수님은 원수를 사랑하고 자신을 박해하는 사람을 위해 기도하라고 명하신다. 하나님처럼 모든 사람을 사랑하라고 명하신다. 이것이 성도가 추구할 하나님 아버지의 온전하심이다.

개역개정

38 ㄱ또 눈은 눈으로, 이는 이로 갚으라 하였다는 것을 너희가 들었으나
39 나는 너희에게 이르노니 1)악한 자를 대적하지 말라 누구든지 네 오른편 뺨을 치거든 왼편도 돌려대며
40 또 너를 고발하여 속옷을 가지고자 하는 자에게 겉옷까지도 가지게 하며
41 또 누구든지 너로 억지로 오 리를 가게 하거든 그 사람과 십 리를 동행하고
42 네게 구하는 자에게 주며 네게 꾸고자 하는 자에게 거절하지 말라
43 ㄴ또 네 이웃을 사랑하고 네 원수를 미워하라 하였다는 것을 너희가 들었으나
44 나는 너희에게 이르노니 너희 원수를 사랑하며 너희를 박해하는 자를 위하여 기도하라
45 이같이 한즉 하늘에 계신 너희 아버지의 아들이 되리니 이는 하나님이 그 해를 악인과 선인에게 비추시며 비를 의로운 자와 불의한 자에게 내려주심이라
46 너희가 너희를 사랑하는 자를 사랑하면 무슨 상이 있으리요 세리도 이같이 아니하느냐
47 또 너희가 너희 형제에게만 문안하면 남보다 더하는 것이 무엇이냐 이방인들도 이같이 아니하느냐
48 그러므로 하늘에 계신 너희 아버지의 온전하심과 같이 너희도 온전하라

1) 또는 악을 ㄱ. 출 21:24; 레 24:20; 신 19:21 ㄴ. 레 19:18

1. 오늘 하나님께서 나에게 주신 깨달음은 무엇입니까?

2. 말씀을 어떻게 내 삶에 구체적으로 적용해야 합니까?

절별 해설

38 눈은 눈으로, 이는 이로 구약 율법이 규정하는 타인에 대한 보복법이다(레 24:19-20; 신 19:21). 이 법의 핵심은 가해자가 피해자에게 입힌 손해나 피해만큼 돌려받는다는 것이다. 원래 이는 같은 처벌을 받게 함으로써 쉽게 남을 해하지 못하게 하여 악을 방지하려는 취지로 주어진 법이다. 또한 가해자라 할지라도 더 큰 복수를 당하지 않게 함으로써 정당한 처벌이 이루어지게 한 법이다. 그러나 사람들은 이 법을 이용해 복수를 정당화하는 방편으로 사용했다.

39 누구든지 네 오른편 뺨을 치거든 왼편도 돌려대며 본문을 문자 그대로 해석하기보다는 나쁜 사람의 행위에 대해 그대로 보복하지 말라는 말씀으로 받아야 한다. 원래 유대 사회에서 남의 뺨을 때리는 행위는 지독한 모욕의 뜻이었다. 더군다나 보통 오른손잡이가 뺨을 때리면 상대의 왼뺨을 때리게 되는데, 오른뺨을 맞았다는 말은 갑자기 뒤에서 때리거나 손등으로 가격했을 경우가 된다. 따라서 더욱 모욕적인 행동이었다. 예수님은 구약 율법을 악용하여 복수하려는 악한 마음을 갖지 말고, 악인도 용서하고 관용을 베풀어 선으로 악을 이길 것을 가르치신 것이다(롬 12:21).

40 '겉옷'은 유대인들이 추운 밤에 이불처럼 사용하던 것이다. 그 때문에 율법은 가난한 자의 겉옷을 전당잡더라도 해지기 전에 돌려주도록 규정한다(출 22:26-27). 이렇게 중요한 겉옷까지 속옷을 가지려고 하는 자에게 내어 주라는 말씀은 율법에 규정된 것보다 더 크고 넓게 행동함으로써 하나님의 자녀가 가진 넉넉함을 보여주라는 말씀이다.

41 또 누구든지 너로 억지로 오 리를 가게 하거든 그 사람과 십 리를 동행하고 당시에는 로마가 유대를 다스리고 있었고, 군인들은 필요하면 민간인을 강제로 노역에 동원하는 경우가 흔히 있었다고 한다. 이때 징발당한 민간인은 당연히 그 일이 즐겁지 않아도 억지로 하게 될 것이다. 그러나 예수님은 이 경우에도 두 배로 일하라고 하신다. 억지로 하는 일이라도 넓은 마음을 가지고 임하라는 것이다.

43 네 이웃을 사랑하고 네 원수를 미워하라 하였다는 것을 너희가 들었으나 당시 유대인들은 구약의 말씀을 근거로 이웃을 사랑하고(레 19:18) 원수를 미워하라는 명령(시 139:22)이 정당하다고 생각했다. 특별히 그들은 '이웃'의 범주를 이스라엘 민족에 한정함으로써 사랑의 범주가 민족주의에 머물렀다. 또한 '원수'를 유대민족이 아닌 이방민족 전반(신약 당시에는 로마인이 가장 큰 원수)으로 규정함으로써 원수를 미워했다. 그러나 이것은 성경이 가르치는 사상이 아니다. 성경이 말하는 원수는 하나님의 뜻을 거역

쉬운성경

38 "너희는 '눈에는 눈으로, 이에는 이로'라는 말을 들었다.

39 그러나 내가 너희에게 말한다. 나쁜 사람과 맞서지 마라. 만일 누가 네 오른쪽 뺨을 때리거든 다른 뺨도 돌려 대라.

40 만일 누가 너희를 재판에 걸어 네 속옷을 가지려고 하거든 겉옷까지 내어 주어라.

41 만일 누가 너를 강제로 약 1.5 킬로미터를 가게 하거든 그와 함께 약 3킬로미터를 가 주어라.

42 네게 달라고 하는 사람에게 주어라. 네게 꾸러 온 사람을 거절하지 마라."

43 "너희는 '네 이웃을 사랑하고 원수를 미워하라'고 말하는 것을 들었다.

44 그러나 나는 너희에게 말한다. 너희의 원수를 사랑하여라. 너희를 박해하는 사람들을 위해 기도하여라.

45 그러면 너희가 하늘에 계신 아버지의 아들이 될 것이다. 너희 아버지는 악한 사람이나 선한 사람 모두에게 햇빛을 비추시고, 의인과 죄인에게 비를 내려주신다.

46 만일 너희를 사랑하는 사람만 사랑한다면, 무슨 상을 받을 수 있겠느냐? 심지어 세리도 그만큼은 하지 않느냐?

47 만일 너희 형제들에게만 인사한다면, 다른 사람들보다 너희가 더 나을 것이 무엇이냐? 심지어 이방 사람들도 그만큼은 하지 않느냐?

48 그러므로 하늘에 계신 너희 아버지가 완전하신 것처럼 너희도 완전하도록 하여라."

하는 악인들을 통칭한다. 그리고 미워할 대상은 사람이 아니라 죄다.

46-48 세리도 이같이 아니하느냐 세리는 이방인과 함께 유대인들이 혐오하는 대상이었다. 세리는 로마 치하에서 정해진 세금보다 더 많은 세금을 거둬 자신의 배를 채웠기에 이들에 대한 시선은 곱지 않았다. 그런 세리나 유대인도 보통의 사랑은 한다는 말씀이다. 그러므로 하나님의 자녀에게는 더한 사랑이 요구되며, 바로 그것이 하나님 아버지의 온전하신 수준을 따르는 것이 된다.

저자의 묵상

예수님은 율법에 나온 복수에 관한 법을 예로 드시어 성도가 어떻게 세상을 살아야 할지를 가르치신다. 예수님의 말씀을 요약하면, 세상에서 성도가 손해를 당하더라도 희생을 감수해야 한다는 것이다. 심지어 예수님은 악한 사람들이 해하려 하거나 억지로 하기 싫은 일을 하게 되는 등 부정적인 상황에서도 더 넉넉한 마음을 가지라고 말씀하신다. 좋은 마음으로 자발적인 손해를 감수하는 경우가 있을 수 있으나 억지로 혹은 부당하게 당하는 손해에 대해서도 아량을 보이라고 하신다. 그럼으로써 그리스도인이 세상 사람들과 다름을 증명하라는 말씀이다.

우리는 천국 시민으로서 하나님의 법을 따르는 사람들이다. 그런 우리가 세상 사람들의 악한 마음과 부당한 행위에 대해 그들과 똑같은 방식으로 대처한다면 어떻게 하나님을 증거할 수 있겠는가!

무릎 기도 주님을 위해 세상에서 손해를 입고 희생을 당해도 기뻐할 수 있는 마음을 주소서. 그럼으로써 자비롭고 은혜로우신 하나님을 증거하는 삶을 살게 하소서.

NLT - Matthew 5

38 "You have heard the law that says the punishment must match the injury: 'An eye for an eye, and a tooth for a tooth.'*

39 But I say, do not resist an evil person! If someone slaps you on the right cheek, offer the other cheek also.

40 If you are sued in court and your shirt is taken from you, give your coat, too.

41 If a soldier demands that you carry his gear for a mile,* carry it two miles.

42 Give to those who ask, and don't turn away from those who want to borrow.

43 "You have heard the law that says, 'Love your neighbor'* and hate your enemy.

44 But I say, love your enemies!* Pray for those who persecute you!

45 In that way, you will be acting as true children of your Father in heaven. For he gives his sunlight to both the evil and the good, and he sends rain on the just and the unjust alike.

46 If you love only those who love you, what reward is there for that? Even corrupt tax collectors do that much.

47 If you are kind only to your friends,* how are you different from anyone else? Even pagans do that.

48 But you are to be perfect, even as your Father in heaven is perfect.

*5:38 Greek *the law that says: 'An eye for an eye and a tooth for a tooth.'* Exod 21:24; Lev 24:20; Deut 19:21.
*5:41 Greek *milion* [4,854 feet or 1,478 meters].
*5:43 Lev 19:18.
*5:44 Some manuscripts add *Bless those who curse you. Do good to those who hate you.* Compare Luke 6:27–28.
*5:47 Greek *your brothers.*

38 punishment 형벌 injury 상처 입히다 39 resist 저항하다, 적대하다 slap 때리다 40 sue 고소하다, 재판하다 42 turn away from ~ ~를 외면하다 43 neighbor 이웃 사람 enemy 원수 44 pray for ~ ~를 위해 기도하다 persecute 박해하다, 핍박하다 46 reward 보상 corrupt 부패한, 타락한 tax collector 세리 47 pagan 이교도, 이방인

17

월 일

은밀히 구제하라

마태복음 6:1-4

새찬송 27장 | 통일 27장

• 먼저 묵상을 위한 기도를 드린 후, 성경 본문을 2번 이상 읽고 묵상하십시오.

본문요약 | 남들에게 보이려고 의를 행하는 것은 하나님께 상을 받지 못하는 일이다. 자선을 베풀 때는 사람을 의식하여 나팔을 불지 말고 오른손이 하는 일을 왼손이 모르게 은밀히 구제해야 한다. 그럴 때 은밀히 보시는 하나님이 모든 것을 갚아 주실 것이다.

개역개정

1 사람에게 보이려고 그들 앞에서 너희 의를 행하지 않도록 주의하라 그리하지 아니하면 하늘에 계신 너희 아버지께 상을 받지 못하느니라
2 그러므로 구제할 때에 외식하는 자가 사람에게서 영광을 받으려고 회당과 거리에서 하는 것같이 너희 앞에 나팔을 불지 말라 진실로 너희에게 이르노니 그들은 자기 상을 이미 받았느니라
3 너는 구제할 때에 오른손이 하는 것을 왼손이 모르게 하여
4 네 구제함을 은밀하게 하라 은밀한 중에 보시는 너의 아버지께서 갚으시리라

1. 오늘 하나님께서 나에게 주신 깨달음은 무엇입니까?

2. 말씀을 어떻게 내 삶에 구체적으로 적용해야 합니까?

절별 해설

1 사람에게 보이려고 의롭고 선한 일을 행하는 동기가 사람들에게 나타내 보이려는 것이면 안 된다. 당시 종교인들은 자신이 의로운 사람인 증거로 남을 돕고, 사람들 앞에 이를 선전하였다. 예수님은 이 같은 행동이 사람을 대상으로 자신의 명성과 이름을 내려는 의도라고 지적하신다. 이것은 모든 것의 주인이신 하나님을 부정하는 행위다.
하늘에 계신 너희 아버지께 상을 받지 못하느니라 하나님께 영광을 돌리지 않고 사람들 앞에서 자신의 영광을 취하려 하는 사람은 절대로 하나님께 상을 받지 못한다는 말씀이다. 하나님은 인간이 아니시므로 사람의 마음과 생각의 동기까지도 정확히 살펴 아신다. 그러므로 눈에 보이는 이 땅의 사람이 아니라 하늘에 계신 아버지를 의식하며 일해야 한다.

2 구제 사람들이 행할 수 있는 의로운 일의 가장 대표적인 것이다. 구약에서는 고아, 과부, 나그네와 같은 사회적 약자들을 배려할 것을 율법으로 명했다(신 24:19-22). 예수님도 지극히 작은 사람에게 한 것이 주님께 한 것이라 하셨다(마 25:40).
외식하는 자가 사람에게서 영광을 받으려고 회당과 거리에서 하는 것같이 너희 앞에 나팔을 불지 말라 '외식하는 자'의 원어적 의미는 '연극배우'다. 마치 배우가 자신의 진짜 심정과는 상관없이 연기를 하듯이 겉과 속이 다른 행위를 지적한 단어다. 또 진정으로 가난한 자들을 위하는 마음으로 하나님의 명령에 순종하려는 것이 아니라, 겉으로는 그런 척하면서 속으로는 자신의 명성을 과시하려는 당시 종교인들의 이중적인 태도를 일컫는 단어다. 한편 '나팔을 분다'는 표현은 사람들 앞에서 자신의 선행을 과시하고 자랑하려는 그들의 태도를 상징적으로 표현한 말씀으로 이해할 수 있다. 그러나 또 다른 해석에 따르면, 당시에 실제로 구제를 행할 때 이를 알리기 위해 나팔을 불었다고 한다.

3 오른손이 하는 것을 왼손이 모르게 하여 자선을 행할 때 남에게 알리지 말고, 심지어는 자신도 모를 정도로 행하라는 말씀이다. 그러나 오른손이 하는 일을 같은 몸에 붙어 있는 왼손이 모를 수는 없다. 그러므로 본문의 진정한 의미는 자선을 행하는 것을 의로운 행위로 여기지 말라는 뜻이다.

4 은밀한 중에 보시는 너의 아버지께서 갚으시리라 우리가 자선을 은밀히 행해야 하듯이 하나님도 우리의 선행을 조용히 지켜보신다. 그러므로 선행을 했는데 당장 큰 영광이 주어지지 않아도 실망할 필요가 없다. 은밀히 우리의 모든 행위와 마음을 아시는 하나님이 갚아 주신다. 그 어떤 행위나 태도도 하나님 앞에서 숨겨지지 않는다.

쉬운성경

1 "남들에게 보이려고 다른 사람들 앞에서 의를 행하지 않도록 주의하여라. 그렇지 않으면 하늘에 계신 아버지께 아무런 상도 받지 못할 것이다.

2 자선을 베풀 때, 위선자들처럼 네 앞에 나팔을 불지 마라. 그들은 사람들로부터 영광을 얻으려고 회당이나 길에서 나팔을 분다. 내가 너희에게 진정으로 말한다. 그들은 이미 자기 상을 다 받았다.

3 자선을 베풀 때에는 네 오른손이 하는 일을 왼손이 모르게 하여라.

4 아무도 너의 구제함을 모르게 하여라. 그러면 숨어서 보시는 네 아버지께서 네게 갚아 주실 것이다."

저자의 묵상

예수님은 믿는 자들에게 선행을 통하여 자신을 드러내지 말라고 권면하신다. 성도의 윤리적 동기와 목적은 언제나 하나님의 영광이 되어야 한다. 왜냐하면 하나님이 모든 것의 주인이 되시기 때문이다.

사실 우리가 자선을 베풀 수 있는 것도 하나님이 우리에게 그럴만한 여유를 주셨기 때문에 가능하다. 그러므로 하나님의 것을 가지고 하나님의 영광을 드러내는 당연한 일을, 마치 내가 하는 것처럼 생색을 내는 것은 물질을 허락하신 주인을 배제하고 내가 영광을 가로채는 태도다. 자선을 베푸는 것은 심지어 오른손이 하는 일을 왼손이 모를 정도로 당연한 의무로 생각해야 한다. 당연한 일로 여기면 쓸데없이 자신을 남들보다 높이는 교만의 죄를 짓지 않게 되며, 다른 사람에게도 자랑할 일이 없어지기 때문이다.

무릎 기도 | 하나님이 주신 것으로 자선을 행할 때 오직 모든 것의 주인이신 하나님만 드러나고 영광 받으소서. 어려운 사람들을 늘 기쁨으로 섬기며 살게 하소서.

NLT - Matthew 6

1 "Watch out! Don't do your good deeds publicly,
to be admired by others, for you will lose the
reward from your Father in heaven.
2 When you give to someone in need, don't do as
the hypocrites do—blowing trumpets in the
synagogues and streets to call attention to their
acts of charity! I tell you the truth, they have
received all the reward they will ever get.
3 But when you give to someone in need, don't
let your left hand know what your right hand is
doing.
4 Give your gifts in private, and your Father, who
sees everything, will reward you.

1 watch out 주의하다, 경계하다 publicly 공개적으로 admire 칭찬하다 2 in need 궁핍한, 가난한 hypocrite 위선자 blow 불다 synagogue 회당 call attention to ~ ~로 주의를 환기시키다 charity 자선 4 in private 은밀하게, 남몰래

18

월 일

은밀히 기도하라

마태복음 6:5-8

새찬송 361장 | 통일 480장

• 먼저 묵상을 위한 기도를 드린 후, 성경 본문을 2번 이상 읽고 묵상하십시오.

본문요약 | 기도에 대한 예수님의 가르침이다. 기도할 때 위선자들처럼 회당이나 큰길 어귀에서 하지 말고 골방에 들어가 오직 하나님께만 기도할 것을 말씀하신다. 또 기도할 때는 의미 없는 말을 되풀이하지 않아야 하는데, 이는 하나님이 우리의 필요를 이미 아시기 때문이다.

개역개정

5 또 너희는 기도할 때에 외식하는 자와 같이 하지 말라 그들은 사람에게 보이려고 회당과 큰 거리 어귀에 서서 기도하기를 좋아하느니라 내가 진실로 너희에게 이르노니 그들은 자기 상을 이미 받았느니라

6 너는 기도할 때에 네 골방에 들어가 문을 닫고 은밀한 중에 계신 네 아버지께 기도하라 은밀한 중에 보시는 네 아버지께서 갚으시리라

7 또 기도할 때에 이방인과 같이 중언부언하지 말라 그들은 말을 많이 하여야 들으실 줄 생각하느니라

8 그러므로 그들을 본받지 말라 구하기 전에 너희에게 있어야 할 것을 하나님 너희 아버지께서 아시느니라

1. 본문에 나타난 예수님은 어떤 분이십니까?

2. 오늘 하나님께서 나에게 주신 깨달음은 무엇입니까?

3. 말씀을 어떻게 내 삶에 구체적으로 적용해야 합니까?

절별 해설

5 회당과 큰 거리 어귀에 서서 기도하기를 좋아하느니라 당시 유대인들은 오전 9시, 정오, 오후 3시에 맞춰 하루 세 번씩 기도했다(참고. 단 6:10; 행 3:1). 특히 바리새인들이나 서기관들과 같은 소위 종교지도자들은 자신들의 종교적 열심을 드러내고자 공공장소에서, 그것도 '서서' 기도드리는 형식을 좋아하였다(눅 18:11). 예수님은 이런 사람들을 향하여 자기 상을 이미 받았다고 선언하신다. 그들은 사람들을 의식하며 기도했고 사람들의 찬사를 받았으므로 이미 상을 받았다는 말씀이다.

6 골방 당시 집안에서 창고 등으로 사용되던 방을 말한다. 사람들의 왕래가 적은 곳이므로 집안사람들에 의해서도 방해를 받지 않고 기도할 수 있는 최적의 장소였다.

은밀한 중에 계신 네 아버지께 기도하라 은밀한 기도에 관한 명령이다. 기도는 하나님과 자신만이 대면하여 드려지는 것이다. 특히 개인기도는 더 그렇다. 구제가 이웃을 향한 것이라면 기도는 하나님을 향한 것이다. 기도와 같은 하나님과의 직접적인 신앙행위에서조차도 사람들 앞에 드러나고 경건한 사람이라 칭찬 들으려 하는 유혹을 조심하라는 것이다.

7 기도할 때에 이방인과 같이 중언부언하지 말라 예수님은 당시 이방인들이 자신들의 종교를 섬기며 보이는 행태를 들어 기도를 가르치신다. 이방 우상을 섬기는 자들은 반복해서 열심히 하면 하늘이 감동하여 자신들의 뜻을 이루어 준다고 생각했다. 그런 반복적인 행위가 주술적인 힘을 갖게 되어 신을 감동시킨다는 헛된 믿음을 갖고 있었던 것이다(참고. 왕상 18:25-29).

8 그들을 본받지 말라 이방인들이 자신의 열심을 근거로, 또는 기도를 자기 욕심과 목표를 이루는 수단으로 사용하려는 태도를 닮지 말라는 말씀이다. 기도는 신앙의 표현이다. 신앙이란 믿음의 대상이신 하나님의 뜻을 따르겠다는 마음이기 때문이다.

구하기 전에 너희에게 있어야 할 것을 하나님 너희 아버지께서 아시느니라 하나님은 전지전능한 분이시므로 성도가 기도하기 전에 그의 모든 필요를 다 아실 수밖에 없다. 그럼에도 하나님이 기도하라고 하시는 이유는 기도가 단순히 필요를 채우는 쟁취의 수단이 아니기 때문이다. 그것은 기도를 통해 하나님의 뜻을 알게 되며 그분의 선하심을 깨닫게 되기 때문이다.

쉬운성경

5 "기도할 때에 위선자들처럼 하지 마라. 그들은 사람들에게 보이려고 회당이나 길 모퉁이에 서서 기도하기를 좋아한다. 내가 너희에게 진정으로 말한다. 그들은 이미 자기 상을 다 받았다.

6 기도할 때에 골방에 들어가 문을 닫고, 숨어 계시는 네 아버지께 기도하여라. 숨어서 보시는 네 아버지께서 네게 갚아 주실 것이다.

7 기도할 때에 이방 사람들처럼 아무 의미 없는 말을 되풀이하지 마라. 그들은 많이 말해야 하나님께서 들어주실 것으로 생각한다.

8 그들을 닮지 마라. 너희 아버지께서는 구하기도 전에 너희에게 무엇이 필요한지 이미 아신다.

저자의 묵상

예수님은 구제와 마찬가지로 기도할 때도 골방에 숨어 은밀히 기도하라고 제자들에게 말씀하신다. 모든 신앙 행위는 하나님 앞에서 이루어져야 한다. 거기에 다른 잡다한 인간적인 의도와 생각이 첨가되면 올바름을 잃어버리게 된다. 기도 시간만이라도 하나님과 단둘이 조용히 대면하는 시간이 되게 하라. 이를 통해 사람들 사이에서는 발견할 수 없었던 자신의 죄와 문제를 직시하게 될 것이다.

또한 기도는 자신의 필요를 얻어내는 도깨비방망이가 아님을 알아야 한다. 기도를 통해 내 목적이 이루어지는 것이 아니라, 하나님의 선하심을 깨닫고 나 자신의 죄를 깨닫는 등의 신앙적인 교통이 이루어진다. 그 때문에 나의 모든 필요를 아시는 하나님 앞에 나아가 필요와 상관없이도 늘 기도하며 대화를 나누는 것이다. 부모와 대화하는 이유가 꼭 무언가를 얻어내려는 목적이 아닌 것처럼 말이다.

무릎 기도 | 필요한 것을 얻어내는 것만이 기도의 기능이 아님을 깨닫게 하시니 감사합니다. 기도를 통해 하나님과 더욱 가까워지며 친밀하게 교제하기 원합니다.

NLT - Matthew 6

5 "When you pray, don't be like the hypocrites who love to pray publicly on street corners and in the synagogues where everyone can see them. I tell you the truth, that is all the reward they will ever get.

6 But when you pray, go away by yourself, shut the door behind you, and pray to your Father in private. Then your Father, who sees everything, will reward you.

7 "When you pray, don't babble on and on as people of other religions do. They think their prayers are answered merely by repeating their words again and again.

8 Don't be like them, for your Father knows exactly what you need even before you ask him!

5 pray 기도하다 hypocrite 위선자 synagogue 회당 6 by oneself 홀로, 혼자 in private 비밀히 7 babble 중얼[웅얼]거리다 on and on 끊임없이 merely 단지 ~에 불과한 repeat 되풀이하다 8 exactly 정확하게

19

월 일

이렇게 기도하라

마태복음 6:9-15

새찬송 635장

• 먼저 묵상을 위한 기도를 드린 후, 성경 본문을 2번 이상 읽고 묵상하십시오.

본문요약 | 예수님이 친히 가르쳐 주신 '주기도문'이다. 예수님은 하늘에 계신 하나님의 거룩하신 이름에 영광을 돌리며 그분의 뜻이 이루어지기를 기도하신다. 그 후에 우리에게 필요한 양식을 구하고 우리를 용서해 주실 것과 시험에 들지 않을 것을 구하라 하신다.

개역개정

9 그러므로 너희는 이렇게 기도하라 하늘에
계신 우리 아버지여 이름이 거룩히 여김
을 받으시오며
10 나라가 임하시오며 뜻이 하늘에서 이루어
진 것같이 땅에서도 이루어지이다
11 오늘 우리에게 [1]일용할 양식을 주시옵고
12 우리가 우리에게 [2]죄지은 자를 사하여 준
것같이 우리 죄를 사하여 주시옵고
13 우리를 시험에 들게 하지 마시옵고 다만
[3]악에서 구하시옵소서 [4](나라와 권세와
영광이 아버지께 영원히 있사옵나이다 아
멘)
14 너희가 사람의 잘못을 용서하면 너희 하
늘 아버지께서도 너희 잘못을 용서하시려
니와
15 너희가 사람의 잘못을 용서하지 아니하면
너희 아버지께서도 너희 잘못을 용서하지
아니하시리라

1) 또는 내일 양식을
2) 헬, 빚진 자를 탕감하여 준 것같이 우리의 빚도 탕감하여 주시옵고
3) 또는 악한 자에게서도
4) 고대 사본에, 이 괄호 내 구절이 없음

1. 오늘 하나님께서 나에게 주신 깨달음은 무엇입니까?

2. 말씀을 어떻게 내 삶에 구체적으로 적용해야 합니까?

절별 해설

9 하늘에 계신 우리 아버지여 당시 유대인들은 하나님을 아버지라고 친밀하게 부르지 않았으며 범접할 수 없는 초월적 대상으로만 여겼다. 그러나 예수님은 하나님을 '하늘에 계신 우리 아버지'라고 부르라고 하심으로써 하나님에 대해 초월성과 친밀성을 동시에 갖도록 요청하신다. 이러한 균형은 신앙을 건강하게 만든다.

이름이 거룩히 여김을 받으시오며 '이름'은 존재의 인격 전부를 의미한다. 하나님이 마땅히 거룩히 여김을 받으시길 원하는 간구를 드려야 하는 이유는 하나님은 인간과 구별되는 분으로 마땅히 존경과 경배를 받으셔야 하기 때문이다. 이런 소원은 성도의 삶을 통해서 늘 나타나야 한다.

10 나라가 임하시오며 '나라'는 지역적이고 영토적인 개념을 갖지만, 보다 근본적으로는 '통치권'을 의미한다. 그러므로 '나라가 임하시오며'라는 표현은 하나님의 통치가 이루어진다는 뜻이다. 하나님 나라는 하나님의 뜻과 통치가 완전히 이루어지는 천국을 의미하지만, 현재적으로는 그분의 통치를 받아들이는 성도들을 통해 이 땅에서도 나타난다. 이런 의미에서 하나님 나라의 구현은 우리의 성도 된 삶과 책임으로 연결된다.

11 우리에게 주기도문에는 계속해서 1인칭 복수인 '우리'가 사용되고 있다. 기도에는 사회성이 있다. 하나님을 향하여 드려지는 기도지만 또 수평적인 인간관계를 포함하는 것이 기도다. 즉, 우리의 일용할 양식을 구함으로써 성도의 시선이 사회 전체로 향하고 모든 이의 복리를 추구하는 것이 되어야 함을 가르친다.

일용할 양식 포괄적으로 인간의 삶을 지탱하기 위해 날마다 필요한 모든 것을 의미한다. 이러한 것을 날마다 구한다는 의미는 하나님을 향한 우리의 의존과 교제가 매일 이루어져야 함을 가리킨다.

13 시험 시험에는 두 가지가 있다. 하나는 하나님께로부터 오는 시험(test)으로, 이는 성도를 온전케 하는 데 목적이 있다(약 1:2-3). 다른 하나는 사탄이 하는 시험(temptation)으로, 유혹이라고도 불리며 성도를 죄에 빠지게 하려는 목적으로 주어진다(4:1-11). 본문에 언급된 시험은 후자를 가리킨다.

쉬운성경

9 그러므로 이렇게 기도하여라.
'하늘에 계신 우리 아버지, 아버지의 이름이 거룩하게 여김을 받으소서.

10 아버지의 나라가 이루어지게 하소서. 아버지의 뜻이 하늘에서처럼 이 세상에서도 이루어지게 하소서.

11 오늘 우리에게 필요한 양식을 주소서.

12 우리에게 잘못한 사람을 우리가 용서해 준 것처럼 우리의 죄를 용서하여 주소서.

13 우리들을 시험에 빠지지 않게 하시고, 악으로부터 구원해 주소서.' (아버지는 나라와 권세와 영광을 가지고 계십니다. 아멘)*

14 만일 너희가 다른 사람의 잘못을 용서하면, 하늘에 계신 너희 아버지께서도 너희의 죄를 용서해 주실 것이다.

15 그러나 만일 다른 사람을 용서하지 않는다면, 너희 아버지께서도 너희들의 잘못을 용서하지 않으실 것이다."

*6:13 어떤 고대 사본에는 이 구절이 없다.

14–15 12절 말씀에 대한 부연 설명이다. 다른 사람의 죄를 용서하는 것이 우리의 죄를 용서받기 위한 조건이라고 해석하기보다는 우리가 하나님께 받은 은혜가 커서 다른 사람의 죄를 용서해야 하고, 그렇지 않은 경우 우리 죄도 그대로임을 표현하고 있다(참조. 18:23–35). 언제나 출발은 인간의 죄를 용서하신 하나님의 사랑이다.

저자의 묵상

주기도문의 전반부는 하나님께 찬양과 통치를 구하는 내용이고, 후반부는 우리의 실제적인 필요를 구하는 내용이다. 이런 구조적인 형식에서도 우리는 기도를 배울 수 있다. 우리의 모든 기도는 하나님의 하나님 되심을 근거로 이루어진다. 우리 삶의 필요와 누군가를 용서하는 것과 시험에 들지 않는 문제 등과 같은 구체적인 간구는 사실 전반부에 등장하는 하나님의 통치를 근거로 이루어지기 때문이다.

그러므로 당신이 하나님을 진정 전능하신 분으로 믿고 의존하며 기도했다면 기도 응답에 연연할 필요가 없어진다. 당장의 내 필요가 채워지지 않거나 지연되더라도 그것은 하나님의 통치 안에서 이루어지고 있는 일이기 때문이다. 하나님의 통치를 믿는 사람은 기도 응답이 뜻대로 되지 않더라도 그분에 대한 신뢰를 버리지 않는다.

무릎 기도 하나님을 믿는 진정한 신앙으로 기도하는 삶을 살게 하소서. 저의 모든 필요와 가장 좋은 것을 아시는 하나님을 신뢰합니다.

NLT - Matthew 6

9 Pray like this: Our Father in heaven, may your name be kept holy.
10 May your Kingdom come soon. May your will be done on earth, as it is in heaven.
11 Give us today the food we need,*
12 and forgive us our sins, as we have forgiven those who sin against us.
13 And don't let us yield to temptation,* but rescue us from the evil one.*
14 "If you forgive those who sin against you, your heavenly Father will forgive you.
15 But if you refuse to forgive others, your Father will not forgive your sins.

*6:11 Or *Give us today our food for the day;* or *Give us today our food for tomorrow.*
*6:13a Or *And keep us from being tested.*
*6:13b Or *from evil.* Some manuscripts add *For yours is the kingdom and the power and the glory forever. Amen.*

9 pray 기도하다 holy 거룩한, 신성한 10 kingdom 나라 12 forgive 용서하다 sin against ~ ~에게 죄를 짓다
13 yield 굴복하다 temptation 유혹 rescue … from ~ …를 ~에서 구(조)하다 14 Heavenly Father 하늘에 계신 아버지
15 refuse to ~ ~를 거절하다

20 금식과 재물에 관한 교훈

월 일

마태복음 6:16-24

새찬송 311장 | 통일 185장

• 먼저 묵상을 위한 기도를 드린 후, 성경 본문을 2번 이상 읽고 묵상하십시오.

본문요약 | 예수님은 금식할 때 외식하는 자들처럼 슬픈 기색을 보이지 말고 머리에 기름을 바르고 얼굴을 씻으라고 가르치신다. 또한 재물은 땅이 아닌 하늘에 쌓아야 하며, 재물에 눈이 어두워지는 일이 없어야 한다. 사람이 하나님과 재물을 겸해서 섬길 수는 없기 때문이다.

개역개정

16 금식할 때에 너희는 외식하는 자들과 같이 슬픈 기색을 보이지 말라 그들은 금식하는 것을 사람에게 보이려고 얼굴을 흉하게 하느니라 내가 진실로 너희에게 이르노니 그들은 자기 상을 이미 받았느니라

17 너는 금식할 때에 머리에 기름을 바르고 얼굴을 씻으라

18 이는 금식하는 자로 사람에게 보이지 않고 오직 은밀한 중에 계신 네 아버지께 보이게 하려 함이라 은밀한 중에 보시는 네 아버지께서 갚으시리라

19 너희를 위하여 보물을 땅에 쌓아 두지 말라 거기는 좀과 동록이 해하며 도둑이 구멍을 뚫고 도둑질하느니라

20 오직 너희를 위하여 보물을 하늘에 쌓아 두라 거기는 좀이나 동록이 해하지 못하며 도둑이 구멍을 뚫지도 못하고 도둑질도 못하느니라

21 네 보물 있는 그곳에는 네 마음도 있느니라

22 눈은 몸의 등불이니 그러므로 네 눈이 [1]성하면 온몸이 밝을 것이요

23 눈이 나쁘면 온몸이 어두울 것이니 그러므로 네게 있는 빛이 어두우면 그 어둠이 얼마나 더하겠느냐

24 한 사람이 두 주인을 섬기지 못할 것이니 혹 이를 미워하고 저를 사랑하거나 혹 이를 중히 여기고 저를 경히 여김이라 너희가 하나님과 재물을 겸하여 섬기지 못하느니라

1) 헬, 순전하면

1. 오늘 하나님께서 나에게 주신 깨달음은 무엇입니까?

2. 말씀을 어떻게 내 삶에 구체적으로 적용해야 합니까?

절별 해설

16 금식할 때에 너희는 외식하는 자들과 같이 슬픈 기색을 보이지 말라 예수님께 외식하는 자란 말을 들었던 바리새인들은 일주일에 두 번(월요일과 목요일) 정기적으로 금식했다. 원래 금식은 곡기를 끊고 자신을 의지하는 마음을 버린 채 오직 하나님께만 기도해야 했다. 그러나 당시 바리새인들은 금식을 통해 자신의 종교적 열정을 과시하려 함으로써 금식의 원래 취지를 훼손하고 있었다.

17 머리에 기름을 바르고 얼굴을 씻으라 이는 금식 중에도 평상시와 똑같이 자신의 모습을 꾸미고 단장함으로써 금식하는 것을 남이 알아채지 못하게 하라는 말씀이다. 그것은 금식을 포함한 신앙행위가 일차적으로 하나님을 향한 것이기 때문이다. 따라서 사람을 의식하게 될 때 금식은 본래의 취지를 상실하게 된다.

19 너희를 위하여 보물을 땅에 쌓아 두지 말라 이는 사유재산을 금한 말씀이 아니다. 성경은 정당한 재산의 보유를 장려한다(잠 13:11). 다만 '너희를 위하여'라는 표현처럼, 자신을 위해서만 이 땅에 재산을 축적하고 사용하는 이기적인 금전 사용을 금하신 것이다. 좀이나 동록, 도둑의 등장처럼 이 땅의 상황은 가변적이어서 재물은 언제든지 없어질 수 있으므로(눅 12:20) 그것에 인생 최고의 목적을 두고 살아서는 안 된다는 말씀이다.

20 너희를 위하여 보물을 하늘에 쌓아 두라 재물을 자신의 이기적인 목적만을 위해 축적하지 말고 하나님을 위해 잘 사용함으로써 하늘에서 받을 상급이 쌓이게 하라는 말씀이다(딤전 6:18-19). 하늘에 쌓이는 재물은 절대로 상황에 따라 없어지거나 변하지 않는다.

21 네 보물 있는 그곳에는 네 마음도 있느니라 재물과 마음은 깊은 관련이 있다. 사람의 마음을 알 수는 없지만 재물을 사용하는 것을 보면 그 사람의 진심을 알 수 있기 때문이다. 마음이 하늘에 가 있는 사람은 이 땅에서의 재물 사용도 하나님을 위해서 한다.

24 인간 세상에서 재물은 하나님과 견줄 수 있을 정도로 막강한 힘을 가진 대상이 됨을 경계하시는 말씀이다.

쉬운성경

16 "금식할 때에 위선자들처럼 초췌한 모습을 보이지 마라. 그들은 자신들이 금식하는 것을 사람들에게 보이려고 초췌한 모습을 드러내려 한다. 내가 너희에게 진정으로 말한다. 그들은 이미 자기의 상을 다 받았다.

17 너는 금식할 때에 머리에 기름을 바르고 얼굴을 씻어라.

18 그렇게 하여 다른 사람들에게 금식하는 것을 나타내지 말고 오직 숨어 계시는 아버지께만 보여라. 숨어서 보시는 네 아버지께서 네게 갚아 주실 것이다."

19 "너희를 위하여 세상에 재물을 쌓아 두지 마라. 땅에서는 좀이 먹거나 녹슬어 못쓰게 되고 도둑이 와서 훔쳐 갈 것이다.

20 그러므로 너희의 재물을 하늘에 쌓아 두어라. 하늘에서는 좀이 먹거나 녹슬지 않으며 도둑이 들어와 훔쳐 가지도 못할 것이다.

21 네 재물이 있는 곳에 네 마음도 있다."

22 "눈은 몸의 등불이다. 만일 네 눈이 밝으면, 네 온몸이 밝을 것이다.

23 그러나 네 눈이 나쁘면, 온몸이 어두울 것이다. 그러므로 네 안에 있는 빛이 어두우면, 그 어두움이 얼마나 심하겠느냐?"

24 "아무도 두 주인을 섬기지 못한다. 한쪽을 미워하고 다른 쪽을 사랑하든지, 한쪽을 귀중히 여기고 다른 쪽을 업신여길 것이다. 너희는 하나님과 재물을 같이 섬길 수 없다."

저자의 묵상

금식은 가장 거룩한 종교적 수단 가운데 하나다. 자신의 인간적인 모든 것을 부인하고 오직 하나님께만 매달리는 시간이기 때문이다. 그러나 가장 헌신적인 시간조차도 인간적인 의를 드러내려는 시험에 빠질 수 있다. 헌신이 깊어질 때 시험도 깊어진다. 그러므로 명분 있는 일을 할 때 더 조심하고 겸손히 하나님 앞에 엎드려야 한다.

재물 사용에 관하여 예수님은 잘 쌓아 두는 것보다 잘 사용할 것을 명하셨다. 이 땅에서 하나님을 위해 재물을 사용하면 그것이 천국의 상급으로 쌓이게 된다. 성도가 재물을 모으는 이유는 하나님을 위해 잘 사용하기 위한 것이 되어야 마땅하다. 그렇게 함으로써 재물의 노예가 되는 것을 피할 수 있다. 돈의 위력이 하나님을 대체할 정도로 막강한 물신주의를 경계하고 재물에 눈이 어두워지지 않게 자신을 관리하자.

무릎기도 재물이 있는 곳에 마음도 있다는 말씀이 제게도 예외가 아님을 깨닫습니다. 이제 재물을 선하게 사용함으로써 하나님의 성도임을 이 땅에 선포하며 살아가길 원합니다.

NLT - Matthew 6

16 "And when you fast, don't make it obvious, as the hypocrites do, for they try to look miserable and disheveled so people will admire them for their fasting. I tell you the truth, that is the only reward they will ever get.
17 But when you fast, comb your hair and wash your face.
18 Then no one will notice that you are fasting, except your Father, who knows what you do in private. And your Father, who sees everything, will reward you.
19 "Don't store up treasures here on earth, where moths eat them and rust destroys them, and where thieves break in and steal.
20 Store your treasures in heaven, where moths and rust cannot destroy, and thieves do not break in and steal.
21 Wherever your treasure is, there the desires of your heart will also be.
22 "Your eye is a lamp that provides light for your body. When your eye is good, your whole body is filled with light.
23 But when your eye is bad, your whole body is filled with darkness. And if the light you think you have is actually darkness, how deep that darkness is!
24 "No one can serve two masters. For you will hate one and love the other; you will be devoted to one and despise the other. You cannot serve both God and money.

16 obvious 명백한 hypocrite 위선자 miserable 불쌍한, 비참한 disheveled 단정치 못한 admire 존경하다, 칭찬하다 fasting 금식 17 comb 빗질하다 19 store up 저장하다 rust (금속의) 녹 thief 도둑 break in 습격하다 23 actually 참으로, 실제로 24 devote 몹시 사랑하다 despise 경멸하다, 무시하다

21

월 일

염려하지 마라

마태복음 6:25-34

새찬송 382장 | 통일 432장

• 먼저 묵상을 위한 기도를 드린 후, 성경 본문을 2번 이상 읽고 묵상하십시오.

본문요약 | 예수님은 의식주에 대해 염려하지 말라고 하신다. 공중의 새도 들의 백합화도 먹이고 입히시는 하나님이 그것보다 더 중한 사람을 도우실 것이 당연하기 때문이다. 세상 일에 대한 염려는 이방인들이나 하는 것이며 성도는 먼저 하나님 나라와 그 의를 위해 살아야 한다.

개역개정

25 그러므로 내가 너희에게 이르노니 목숨을
위하여 무엇을 먹을까 무엇을 마실까 몸을
위하여 무엇을 입을까 염려하지 말라 목숨
이 음식보다 중하지 아니하며 몸이 의복보
다 중하지 아니하냐
26 공중의 새를 보라 심지도 않고 거두지도
않고 창고에 모아들이지도 아니하되 너희
하늘 아버지께서 기르시나니 너희는 이것
들보다 귀하지 아니하냐
27 너희 중에 누가 염려함으로 그 [1]키를 한
자라도 더할 수 있겠느냐
28 또 너희가 어찌 의복을 위하여 염려하느
냐 들의 백합화가 어떻게 자라는가 생각
하여 보라 수고도 아니하고 길쌈도 아니
하느니라
29 그러나 내가 너희에게 말하노니 솔로몬의
모든 영광으로도 입은 것이 이 꽃 하나만
같지 못하였느니라
30 오늘 있다가 내일 아궁이에 던져지는 들풀
도 하나님이 이렇게 입히시거든 하물며 너
희일까보냐 믿음이 작은 자들아
31 그러므로 염려하여 이르기를 무엇을 먹을
까 무엇을 마실까 무엇을 입을까 하지 말
라
32 이는 다 이방인들이 구하는 것이라 너희
하늘 아버지께서 이 모든 것이 너희에게
있어야 할 줄을 아시느니라
33 그런즉 너희는 먼저 그의 나라와 그의 의
를 구하라 그리하면 이 모든 것을 너희에
게 더하시리라

1) 또는 목숨을

34 그러므로 내일 일을 위하여 염려하지 말라
내일 일은 내일이 염려할 것이요 한 날의
괴로움은 그날로 족하니라

1. 오늘 하나님께서 나에게 주신 깨달음은 무엇입니까?

2. 말씀을 어떻게 내 삶에 구체적으로 적용해야 합니까?

절별 해설

25 인간이 하는 걱정은 대부분 의식주와 같이 삶에 필요한 기본적인 것에 관한 것이다. 결국 재물에 대한 걱정이다(24절). 그러나 그런 것들을 염려하지 말아야 하는 이유는 염려가 우리의 영혼을 상하게 하기 때문이다. 염려는 불필요할 뿐만 아니라 해로운 것이다.

26 너희는 이것들보다 귀하지 아니하냐 먹을 것에 대해 염려하지 말아야 할 이유는 하나님이 먹이시기 때문이다. 새를 먹이시는 하나님이 새보다 귀한 인간을 당연히 먹이실 것이다. 그럼에도 염려하는 것은 하나님께 대한 불신앙이라는 의미가 담겨 있다.

27 너희 중에 누가 염려함으로 그 키를 한 자라도 더할 수 있겠느냐 염려의 무의미함과 인간의 무능력함에 대한 설명이다. 인간이 걱정함으로 자기의 생명을 조금도 연장할 수 없듯이 실제로 자신이 걱정하는 문제를 해결할 아무 능력이 없는 존재다. 만약 해결할 수 있는 문제라면 걱정 자체를 하지 않을 것이다. 걱정한다는 것 자체가 자신이 해결할 수 없다는 뜻인데, 그럼에도 걱정하는 것은 무의미하다는 설명이다.

29 솔로몬의 모든 영광으로도 입은 것이 이 꽃 하나만 같지 못하였느니라 솔로몬은 다윗의 아들로 이스라엘 역대 왕 중에 가장 큰 부와 영광을 누렸던 사람이다. 그는 부족함이 없었으나, 그가 누린 영광을 나타내는 옷도 하나님이 입히시는 들에 피는 백합화만 못했다. 즉, 인간이 만든 가장 귀한 것도 하나님이 만드신 가장 하찮은 것에 비교할 수 없다. 인간의 능력이 아무리 뛰어나도 자연의 능력 앞에 보잘것없는 것과 같은 이치다.

32 하늘 아버지께서 이 모든 것이 너희에게 있어야 할 줄을 아시느니라 하나님을 모르는 이방인들은 당연히 하나님에 대한 믿음이 없기에 세상 일에 걱정할 수밖에 없다. 그러나 하나님 백성은 자신의 모든 필요를 하나님이 아신다는 확신을 가져야 한다. '아신다'라는 것은 필요한 것을 채워 주신다는 뜻을 포함한다.

33 그런즉 너희는 먼저 그의 나라와 그의 의를 구하라 성도가 먼저 구해야 하는 것은 하나님의 나라와 하나님의 의다. 그것은 하나님의 통치와 의로움이 내 삶과 이 땅에 나타나기를 구하는 것이다. 그러면 먹고 사는 문제는 덤으로 주어진다. 그러나 예수님이 먼저 구하라고 하셨기 때문에 덤으로 주어지는 의식주 문제도 하나님께 구해야 한다. '주기도문'에서도 일용할 양식을 구하라 하셨기 때문이다.

쉬운성경

25 "그러므로 내가 너희에게 말한다. 너희 목숨을 위하여 무엇을 먹을까, 또는 무엇을 마실까 걱정하지 마라. 몸을 위하여 무엇을 입을까 걱정하지 마라. 목숨이 음식보다 훨씬 소중하지 않느냐? 몸이 옷보다 훨씬 소중하지 않느냐?

26 하늘에 있는 새를 보아라. 새는 심지도 않고, 거두지도 않고, 창고에 쌓아두지도 않는다. 그러나 하늘에 계신 너희 아버지께서 새들을 먹이신다. 너희는 새보다 훨씬 더 귀하지 않느냐?

27 너희 중에 누가 걱정해서 자기의 수명을 조금이라도 연장할 수 있느냐?

28 너희는 왜 옷에 대해 걱정하느냐? 들에 피는 백합꽃이 어떻게 자라는가 생각해 보아라. 백합은 수고도 하지 않고, 옷감을 짜지도 않는다.

29 그러나 내가 너희에게 말한다. 온갖 영화를 누린 솔로몬도 이 꽃 하나에 견줄 만큼 아름다운 옷을 입어 보지 못하였다.

30 하나님께서 오늘 있다가 내일이면 불 속에 던져질 들풀도 이렇게 입히시는데, 너희를 더 소중하게 입히시지 않겠느냐? 믿음이 적은 사람들아!

31 그러므로 '무엇을 먹을까?', '무엇을 마실까?', 혹은 '무엇을 입을까?' 하면서 걱정하지 마라.

32 이런 걱정은 이방 사람들이나 하는 것이다. 하늘에 계신 너희 아버지께서는 너희에게 이 모든 것이 필요한 줄을 아신다.

33 먼저 아버지의 나라와 아버지의 의를 구하여라. 그러면 이 모든 것들이 너희에게 덤으로 주어질 것이다.

34 그러므로 내일 일을 걱정하지 마라. 내일 일은 내일 걱정할 것이고, 오늘의 고통은 오늘로 충분하다."

저자의 묵상

성경은 여러 곳에서 우리에게 염려를 버리라고 가르친다(빌 4:6; 벧전 5:7). 그것은 염려가 무가치하기 때문이다. 사람은 살아가면서 의식주 등에 대한 염려를 늘 하는데, 그것을 끊기가 어렵다. 그러나 사실 염려를 한다는 것 자체가 우리 능력 밖의 일이라는 반증이다. 만약 내 힘과 능력으로 미래를 담보할 수 있다면 우리는 염려하지 않을 것이다. 아무리 만반의 준비를 해도 자기 힘으로 해결할 수 없거나 미래에 어떤 변수가 있을지 모르기 때문에 염려하는 것이다.

이처럼 성경은 그것이 우리 능력 밖의 일이기 때문에 염려하지 말라고 가르친다. 하지만 우리는 그 같은 이유로 염려한다. 그러나 성도인 우리는 성경의 가르침을 따라야 한다. 염려한다고 해서 일이 해결되는 것은 아니다. 오직 하나님께 모든 것을 맡기고 현재에 최선을 다하는 것이 인간의 본분임을 기억하자.

무릎 기도 | 염려를 버리기 원합니다. 자녀, 건강, 물질 등 그 어떤 것도 우리 힘으로 담보할 수 없음을 깨닫고 고백하오니 하나님만 의지하며 살아가게 하소서.

NLT - Matthew 6

25 "That is why I tell you not to worry about everyday life—whether you have enough food and drink, or enough clothes to wear. Isn't life more than food, and your body more than clothing?
26 Look at the birds. They don't plant or harvest or store food in barns, for your heavenly Father feeds them. And aren't you far more valuable to him than they are?
27 Can all your worries add a single moment to your life?
28 "And why worry about your clothing? Look at the lilies of the field and how they grow. They don't work or make their clothing,
29 yet Solomon in all his glory was not dressed as beautifully as they are.
30 And if God cares so wonderfully for wildflowers that are here today and thrown into the fire tomorrow, he will certainly care for you. Why do you have so little faith?
31 "So don't worry about these things, saying, 'What will we eat? What will we drink? What will we wear?'
32 These things dominate the thoughts of unbelievers, but your heavenly Father already knows all your needs.
33 Seek the Kingdom of God* above all else, and live righteously, and he will give you everything you need.
34 "So don't worry about tomorrow, for tomorrow will bring its own worries. Today's trouble is enough for today.

*6:33 Some manuscripts do not include *of God.*

25 worry about ~ ~에 대해 걱정하다 26 harvest 수확하다 barn 창고 valuable 귀중한 27 add … to ~ ~에 …를 더하다 28 lily 백합 30 wildflower 들풀, 들꽃 throw into ~ ~로 던지다 certainly 틀림없이 32 dominate 지배하다 33 seek 찾다, 구하다 above all 무엇보다도, 특히 righteously 바르게 34 trouble 괴로움

22

월 일

비판하지 마라

마태복음 7:1-6

새찬송 289장 | 통일 208장

• 먼저 묵상을 위한 기도를 드린 후, 성경 본문을 2번 이상 읽고 묵상하십시오.

본문요약 | 다른 사람을 비판하지 말아야 하는 이유는 내가 하는 비판의 기준으로 나 자신도 비판받게 될 것이기 때문이다. 형제의 눈 속에 있는 티보다 내 눈 속에 있는 들보를 먼저 빼야 한다. 그리고 거룩한 것을 개에게 주지 말고 잘 분별해서 행해야 한다.

개역개정

1 비판을 받지 아니하려거든 비판하지 말라
2 너희가 비판하는 그 비판으로 너희가 비
판을 받을 것이요 너희가 헤아리는 그 헤
아림으로 너희가 헤아림을 받을 것이니라
3 어찌하여 형제의 눈 속에 있는 티는 보고
네 눈 속에 있는 들보는 깨닫지 못하느냐
4 보라 네 눈 속에 들보가 있는데 어찌하여
형제에게 말하기를 나로 네 눈 속에 있는
티를 빼게 하라 하겠느냐
5 외식하는 자여 먼저 네 눈 속에서 들보를
빼어라 그 후에야 밝히 보고 형제의 눈 속
에서 티를 빼리라
6 거룩한 것을 개에게 주지 말며 너희 진주
를 돼지 앞에 던지지 말라 그들이 그것을
발로 밟고 돌이켜 너희를 찢어 상하게 할
까 염려하라

1. 오늘 하나님께서 나에게 주신 깨달음은 무엇입니까?

2. 말씀을 어떻게 내 삶에 구체적으로 적용해야 합니까?

절별 해설

1 비판을 받지 아니하려거든 비판하지 말라 예수님의 이 말씀은 모든 건전한 판단을 다 금하신 것이 아니다. 본문의 '비판'은 '정죄, 심판'의 법정적 의미로, 다른 사람을 확정적으로 정죄하지 말라는 뜻이다. 남을 비판하지 말아야 하는 이유는 내가 비판을 받지 않기 위해서다. 성경이 바르게 살라고 명하는 이유 중 하나는 성도를 복되게 하기 위해서다.

2 너희가 비판하는 그 비판으로 너희가 비판을 받을 것이요 여기서 판단하는 주체는 하나님과 인간 양쪽으로 해석이 가능하다. 우리가 비판한 기준으로 하나님도 우리를 판단하시고 마지막 심판 때도 그렇게 하신다는 의미인 동시에, 내가 판단하는 기준으로 남도 나를 판단하게 될 것이라는 뜻이다. 심는 대로 거둔다는 법칙은 성경이 강조하는 사상이다(갈 6:8).

3 티, 들보 '티'는 비교적 작은 잘못을, '들보'는 좀 더 심각한 잘못이나 범죄를 의미한다. 본절은 사람의 일반적인 심성을 지적한다. 작은 것이라도 남의 잘못은 잘 보면서 자신에게 큰 잘못이 있는 것은 보지 못한다.

4 사람은 자신에게 더 큰 부족함이 있음을 깨닫지 못할 뿐만 아니라(3절), 더 나아가 남의 잘못을 고치려 한다. 자신의 부족함을 깨닫지 못하는 사람들이 일반적으로 남의 잘못을 심하게 지적하는 경향이 있다. 자신을 포함하여 사람이기에 가질 수밖에 없는 인간적인 연약함을 이해하는 사람은 다른 사람의 실수와 부족함에도 관대한 마음을 갖는 지혜자가 된다.

5 외식하는 자여 '외식하는 자'는 원래 '연극배우'라는 뜻으로, 예수님이 당시 종교지도자들이었던 바리새인들과 서기관들을 일컬을 때 자주 사용하신 표현이다(23장). 그러므로 본문의 비판도 당시 백성에게 주신 말씀이라기보다는 경건을 내세우며 남을 비판하기 좋아하는 종교인들을 향한 말씀이다.
먼저 네 눈 속에서 들보를 빼어라 나를 봐야 남도 보인다는 말씀이다. 성경의 모든 말씀은 먼저 자신에게 적용해야 한다. 그 후에야 다른 사람을 진정으로 도울 수 있다.

6 본절은 가치 있는 것을 알아보지 못하는 사람들을 분별하고 그들과 섞이지 말라는 말씀이다. '개'나 '돼지'는 하나님의 진리를 깨닫지 못하고 반대하는 사람들을 뜻하며, 그런 사람들과는 끝까지 어울릴 필요가 없다는 것이다. 나를 먼저 되돌아보며 남을 비판하지 않는다고 해서 무분별한 죄악까지도 수용하라는 뜻은 아니다. 건전한 판단과 분별은 필요하다.

쉬운성경

1 "비판을 받지 않으려면, 비판하지 마라.

2 너희가 비판한 그대로 비판을 받을 것이며, 너희가 판단한 기준에 따라 너희도 판단받을 것이다.

3 어찌하여 네 형제의 눈 속에 있는 작은 티는 보면서, 네 눈 속에 있는 나무토막은 보지 못하느냐?

4 네 눈 속에 나무토막이 있으면서, 어떻게 네 형제에게 '네 눈 속에 있는 작은 티를 빼주겠다'라고 말할 수 있느냐?

5 위선자들아! 먼저 네 눈 속에 있는 나무토막을 빼내어라. 그 후에야 잘 보여서 네 형제의 눈 속에 있는 티를 빼낼 수 있을 것이다.

6 거룩한 것을 개에게 주지 마라. 진주를 돼지 앞에 던지지 마라. 개나 돼지는 그것을 짓밟고, 뒤돌아서서 너희를 물어 버릴 것이다."

저자의 묵상

사람은 자신의 잘못은 작게 보고 남의 잘못을 크게 보는 경향이 있다. 내가 하면 '로맨스'요 남이 하면 '불륜'이라는 말까지 있을 정도다. 자신에게는 관대하고 남에게는 혹독한 것이 죄 된 인간의 본성이다. 예수님은 이를 간파하시고 천국 백성은 자신의 부족함을 먼저 살피고, 그런 후에 남을 도와야 한다고 말씀하신다.

이처럼 성경의 모든 말씀은 우선적으로 나에게 적용되어야 한다. 남의 잘못을 지적하고 가르치기보다는 나 자신을 들여다보는 거울로 삼아야 한다. 그럴 때 진정으로 올바른 신앙생활이 가능하다. 물론 그렇다고 해서 남의 잘못을 그냥 넘어가라는 의미는 아니다. 나를 살피고 남도 잘 분별해서 옳지 않은 행동을 하는 사람에게는 그에 맞는 처신이 필요하다. 어떤 경우에도 우리가 가진 신앙이 무가치한 것으로 전락하는 일은 막아야 한다.

무릎기도 | 다른 사람을 확정적으로 비난하고 정죄하는 자리에 있지 않게 하소서. 먼저 나를 살피고 남의 잘못에 대해 이해하는 마음을 갖길 원합니다.

NLT - Matthew 7

1 "Do not judge others, and you will not be judged.

2 For you will be treated as you treat others.* The standard you use in judging is the standard by which you will be judged.*

3 "And why worry about a speck in your friend's eye* when you have a log in your own?

4 How can you think of saying to your friend,* 'Let me help you get rid of that speck in your eye,' when you can't see past the log in your own eye?

5 Hypocrite! First get rid of the log in your own eye; then you will see well enough to deal with the speck in your friend's eye.

6 "Don't waste what is holy on people who are unholy.* Don't throw your pearls to pigs! They will trample the pearls, then turn and attack you.

*7:2a Or *For God will judge you as you judge others.*
*7:2b Or *The measure you give will be the measure you get back.*
*7:3 Greek *your brother's eye;* also in 7:5.
*7:4 Greek *your brother.*
*7:6 Greek *Don't give the sacred to dogs.*

1 judge 판단하다 2 treat 대우하다, 처우하다 standard 기준 3 speck 흠, 오점 log 통나무, 들보 4 get rid of ~ ~을 제거하다 see past 간과하다, 지나치다 5 hypocrite 위선자 well enough 제법, 잘 deal with ~ ~을 처리하다 6 waste 낭비하다, 허비하다 pearl 진주 trample 짓밟다 attack 공격하다

23

월 일

응답받는 기도와 삶

마태복음 7:7-12

새찬송 364장 | 통일 482장

• 먼저 묵상을 위한 기도를 드린 후, 성경 본문을 2번 이상 읽고 묵상하십시오.

본문요약 | 예수님은 제자들에게 구하고 찾고 문을 두드리라고 하시며, 그렇게 하는 사람은 원하는 것을 받게 될 것이라고 말씀하신다. 하늘에 계신 아버지는 자녀에게 좋은 것을 주신다. 그러므로 다른 사람들에게도 먼저 그들이 원하는 것을 해 주는 삶을 살아야 한다.

개역개정

7 구하라 그리하면 너희에게 주실 것이요 찾으라 그리하면 찾아낼 것이요 문을 두드리라 그리하면 너희에게 열릴 것이니

8 구하는 이마다 받을 것이요 찾는 이는 찾아낼 것이요 두드리는 이에게는 열릴 것이니라

9 너희 중에 누가 아들이 떡을 달라 하는데 돌을 주며

10 생선을 달라 하는데 뱀을 줄 사람이 있겠느냐

11 너희가 악한 자라도 좋은 것으로 자식에게 줄 줄 알거든 하물며 하늘에 계신 너희 아버지께서 구하는 자에게 좋은 것으로 주시지 않겠느냐

12 그러므로 무엇이든지 남에게 대접을 받고자 하는 대로 너희도 남을 대접하라 이것이 율법이요 선지자니라

1. 오늘 하나님께서 나에게 주신 깨달음은 무엇입니까?

2. 말씀을 어떻게 내 삶에 구체적으로 적용해야 합니까?

절별 해설

7 구하라, 찾으라, 문을 두드리라 기도는 내 힘으로 할 수 없기에 하나님을 의지하는 거룩한 수단이다. 그 때문에 기도는 구하고 찾고 두드리는 자의 간절함이 있어야 한다. 또한 본절이 언급하는 세 행동을 중복적·반복적 의미로도 보지만, 단계적으로 강화되는 모습으로 해석하기도 한다. 구하는 것이 단순히 기도의 행위라면, 찾는 것은 기도 후에 최선을 다해 하나님의 뜻을 찾아가는 삶을 더한 것이다. 또한 문이 열릴 때까지 두드리는 것은 기도와 함께 최선을 다해 노력하면서 하나님의 뜻이 발견될 때까지 참고 견디는 것을 의미한다.

8 구하는 이마다 받을 것이요 찾는 이는 찾아낼 것이요 두드리는 이에게는 열릴 것이니라 단순히 7절의 반복처럼 보이지만, 본절에는 '구하고 찾고 두드리는 이마다' 얻게 된다는 것이 강조하여 나타난다. 기도자의 자세를 다시금 강조한 것이다. 사람이 하나님께 구하고도 얻지 못하는 것은 하나님께 문제가 있는 것이 아니라 기도자의 자세에 문제가 있는 것이다(약 4:3). 하나님께는 무엇이든지 구할 수 있다. 물질적인 것만이 아니라 지혜와 같이 비물질적인 것도 구할 수 있다(약 1:5).

9-10 예수님은 부모의 자식 사랑을 예로 들어 기도응답에 대해 설명하신다. 어떤 부모도 자식이 필요한 것(떡, 생선)을 달라고 하는데 전혀 불필요한 것이나 해로운 것(돌, 뱀)을 주지 않는다. 예수님은 이것을 의문문 형식으로 말씀하시면서 인간에게도 있을 수 없는 일을 하나님이 절대로 행하시지 않음을 강조하신다(11절).

11 악한 자 인간을 '악한 자'로 표현하신 이유는 인간이 죄성을 가지고 있는 유한한 존재임을 말씀하신 것이다. 이에 반해 하나님은 본성에 전혀 악함이 없으시고 무한한 능력을 가지신 분이다. 하나님은 구하는 자에게 좋은 것으로 주신다.
좋은 것 〈누가복음〉의 병행구절에는 '성령'으로 표현되어 있다(눅 11:13). 여러 해석이 있으나 가장 좋은 것은 성령이시므로, 이방인을 위해 쓰인 〈누가복음〉은 믿음을 주시는 성령을 언급하는 것으로 본다.

12 그러므로 무엇이든지 남에게 대접을 받고자 하는 대로 너희도 남을 대접하라 기독교인의 삶을 요약하는 소위 '황금률'(The golden rule)로 불리는 말씀이다. 핵심은 내가 대접받고 싶은 수준으로 남을 대접하라는 것이다. 앞 절들과 연결해 보면, 하나님이 구하는 자에게 원하는 좋은 것을 주시므로 다른 사람들에게도 이런 삶을 살라는 명령이다. 기도는 언제나 나만을 위한 유익으로 끝나지 않고 다른 사람들에게까지 연결되는 삶이어야 한다. 이것이 성경의 요약이다(율법과 선지자[선지서]).

쉬운성경

7 "구하라, 그러면 너희에게 주실 것이다. 찾아라, 그러면 발견할 것이다. 두드려라, 그러면 문이 너희에게 열릴 것이다.

8 구하는 사람은 누구든지 받을 것이다. 찾는 사람은 찾을 것이다. 그리고 두드리는 사람에게는 문이 열릴 것이다.

9 아들이 빵을 달라고 하는데, 너희 중에서 누가 돌을 주겠느냐?

10 아들이 생선을 달라고 하는데, 누가 뱀을 주겠느냐?

11 비록 너희가 나쁜 사람이라 할지라도, 자녀에게 좋은 것을 주려고 하는데, 하물며 하늘에 계신 너희 아버지께서 구하는 사람에게 좋은 것을 주시지 않겠느냐?"

12 "다른 사람이 너희에게 해 주었으면 하는 대로, 너희가 다른 사람들에게 모두 해 주어라. 이것이 율법과 예언서의 내용이다."

저자의 묵상

기도는 우리 존재의 연약함을 인정하고 하나님께 도움을 구하는 것이다. 우리 힘만으로 할 수 없음을 깨닫고 하나님께 간구하는 것이다. 그 때문에 기도에는 믿음과 간절함이 요구된다. 본문에는 구하고 찾고 문을 두드리는 행동으로 나타나고 있다. 기도하고 노력해야 하며 인내하고 참아야 한다. 이처럼 기도는 단순한 기도 행위를 넘어 삶으로 연결될 때 진실하고 믿음 있는 기도가 된다.

우리의 기도가 응답받지 못하는 것은 성경이 말하는 이런 절실한 믿음과 태도를 견지하지 못하기 때문인 경우가 많다. 또한 응답받은 후에도 그것으로 나의 유익만을 삼지 말고 황금률에 나타난 것처럼 다른 사람을 나처럼 배려하고 사랑해야 함을 잊지 말자.

무릎 기도 | 간절한 믿음으로 기도하고, 기도한 대로 살기 원합니다. 또한 기도응답을 받은 후에도 다른 사람들을 위한 너그러운 마음과 배려를 잊지 않게 하소서.

NLT - Matthew 7

7 "Keep on asking, and you will receive what you ask for. Keep on seeking, and you will find. Keep on knocking, and the door will be opened to you.
8 For everyone who asks, receives. Everyone who seeks, finds. And to everyone who knocks, the door will be opened.
9 "You parents—if your children ask for a loaf of bread, do you give them a stone instead?
10 Or if they ask for a fish, do you give them a snake? Of course not!
11 So if you sinful people know how to give good gifts to your children, how much more will your heavenly Father give good gifts to those who ask him.
12 "Do to others whatever you would like them to do to you. This is the essence of all that is taught in the law and the prophets.

7 keep on ~ing 계속해서 ~하다 receive 받다, 얻다 ask for 구하다, 청하다 seek 찾다 knock 두드리다, 치다
9 a loaf of bread 빵 한 조각 10 snake 뱀 11 sinful 죄 많은 12 essence 본질, 핵심 the prophets 선지자, 예언서

24

월 일

좁은 문으로 들어가라

마태복음 7:13-20

새찬송 521장 | 통일 253장

• 먼저 묵상을 위한 기도를 드린 후, 성경 본문을 2번 이상 읽고 묵상하십시오.

본문요약 | 멸망으로 가는 문은 넓고 쉬워 많은 사람들이 가지만, 예수님은 성도에게 좁은 문으로 들어가라고 말씀하신다. 또한 위장하여 성도에게 다가오는 거짓 선지자들을 조심할 것을 경고하신다. 나무의 열매를 보고 그 나무를 판단할 수 있듯이 그들의 열매로 분별하라고 하신다.

개역개정

13 좁은 문으로 들어가라 멸망으로 인도하는 문은 크고 그 길이 넓어 그리로 들어가는 자가 많고
14 생명으로 인도하는 문은 좁고 길이 협착하여 찾는 자가 적음이라
15 거짓 선지자들을 삼가라 양의 옷을 입고 너희에게 나아오나 속에는 노략질하는 이리라
16 그들의 열매로 그들을 알지니 가시나무에서 포도를, 또는 엉겅퀴에서 무화과를 따겠느냐
17 이와 같이 좋은 나무마다 아름다운 열매를 맺고 못된 나무가 나쁜 열매를 맺나니
18 좋은 나무가 나쁜 열매를 맺을 수 없고 못된 나무가 아름다운 열매를 맺을 수 없느니라
19 아름다운 열매를 맺지 아니하는 나무마다 찍혀 불에 던져지느니라
20 이러므로 그들의 열매로 그들을 알리라

1. 오늘 하나님께서 나에게 주신 깨달음은 무엇입니까?

2. 말씀을 어떻게 내 삶에 구체적으로 적용해야 합니까?

절별 해설

13 좁은 문으로 들어가라 이는 '신앙의 문'으로 정의할 수 있으며, 이 세상에서 예수 그리스도를 주로 시인하는 삶을 통칭한다. 그 길은 세상의 관점에서 보면 분명히 좁은 길이다. 왜냐하면 인간의 죄 된 본성을 억제하고 거스르는 길이기 때문이다. 또한 주님을 위해 때로는 주변의 가까운 사람과 자신의 생명까지도 부인해야 하는 제자의 길이며(눅 14:26-27), 때로는 고난이 따르는 길이다(딤후 3:12).

14 찾는 자가 적음이라 신앙의 길이 외로운 길임을 시사한다. 진리가 꼭 대중성을 띄는 것은 아니다. 물론 그렇다고 진리가 반드시 적은 수의 사람들에 의해서만 받아들여져야 한다는 뜻은 아니다. 단지 세상에서 믿음의 길을 걷는 것이 때로는 외로운 싸움임을 기억하고 각오하라는 뜻이다(참고. 왕상 19:10).

15 거짓 선지자들을 삼가라 선지자는 하나님의 뜻을 받아 말씀을 대언하는 사람들이다. 그런데 이들 중에서는 하나님의 위임을 받은 것처럼 꾸며 거짓으로 말씀을 전해 사람들을 현혹하는 자들이 있었다(왕상 22:5-28). 그들의 특징은 겉으로는 순한 양과 같은 모습을 하고 있지만 그 속은 늑대라는 것이다. 이는 거짓말의 아버지인 사탄의 수하에 있는 사람들의 특징이다(요 8:44). 성도는 이런 사람들을 분별하고 조심해야 한다.

16 그들의 열매로 그들을 알지니 신앙은 삶으로 증명될 때 그 신앙이 진짜인지 가짜인지를 알 수 있다. 아무리 듣기 좋은 말을 하고 화려한 언변을 구사해도 그들의 말이 그 삶 속에서 실천되는지를 면밀히 살펴봄으로써 거짓 선지자들을 구별할 수 있다.

17-18 자연의 법칙을 바꿀 수 없듯이 거짓 선지자들이 아무리 위장해도 완벽하게 속일 수는 없는 일이다. 거짓 선지자들은 그 거짓됨이 드러나게 마련이다.

20 그들의 열매로 그들을 알리라 앞서 언급한 대로 열매는 삶의 결과다. 좋은 열매는 삶 가운데 말씀대로 행하는 언행일치의 신앙이다. 초월적인 능력을 소유했느냐의 여부가 아니다(참고. 신 13:1-3). 사람들은 흔히 초월적인 능력을 보이는 자를 참 선지자로 여기는데 사탄도 초월적인 능력을 행사할 수 있음을 잊지 말아야 한다.

쉬운성경

13 "좁은 문으로 들어가거라. 멸망으로 가는 문은 넓고 그 길이 쉬워, 많은 사람들이 그곳으로 들어간다.

14 그러나 생명으로 가는 문은 작고 그 길이 매우 좁아, 그곳을 찾는 사람이 적다."

15 "거짓 예언자들을 조심하여라. 그들은 양의 옷을 입고 너희에게 다가온다. 그러나 그 속은 굶주린 늑대이다.

16 그들의 열매를 보고, 그들을 알 것이다. 가시나무에서 포도를 딸 수 있느냐? 엉겅퀴에서 무화과를 딸 수 있느냐?

17 마찬가지로 좋은 나무는 모두 좋은 열매를 맺고, 나쁜 나무는 나쁜 열매를 맺는다.

18 좋은 나무가 나쁜 열매를 맺을 수 없고, 나쁜 나무가 좋은 열매를 맺을 수 없다.

19 좋은 열매를 맺지 못하는 나무는 모두 잘려서 불 속에 던져진다.

20 그러므로 열매를 보고 그들을 알 것이다."

저자의 묵상

신앙의 길은 좁은 길이다. 성도들은 때로 세상 사람들이 예수 그리스도를 믿는 진리에 관심을 갖지 않는 것을 보며 이상히 여긴다. 그러나 진리가 언제나 대중적인 인기를 얻는 것은 아니다. 오히려 진리는 배타성을 갖기에 세상 사람들에게 호감을 주지 못하는 경우가 많다. 복음은 오직 예수 그리스도를 믿는 믿음으로 구원을 얻는다는 사실을 전하기 때문이다. 따라서 세상 사람들은 기독교가 타 종교를 인정하지 않는 독선적인 종교라고 비난하고 있으며, 지난 이천 년 동안 기독교는 진리를 증거하는 가운데 수많은 박해를 받아왔다. 이는 진리의 길이 좁은 길임을 증명한다.

이처럼 오늘날 성도가 걸어가는 믿음의 길은 많은 사람들이 지지하지 않는 외로운 길이다. 그러나 진리를 선포하기로 결단하였다면 그 가운데 받는 박해와 고난을 인정하고 예수 그리스도를 닮는 좁은 길, 의의 길로 걸어가자. 그럴 때 우리 주님이 힘과 은혜를 주실 것이다.

무릎 기도 | 진리의 길, 참된 제자의 길을 걸어가기 원합니다. 세상이 박해하고 비난하여도 하나님께 온전히 순종하는 삶을 살게 인도하소서.

NLT - Matthew 7

13 "You can enter God's Kingdom only through the narrow gate. The highway to hell* is broad, and its gate is wide for the many who choose that way.
14 But the gateway to life is very narrow and the road is difficult, and only a few ever find it.
15 "Beware of false prophets who come disguised as harmless sheep but are really vicious wolves.
16 You can identify them by their fruit, that is, by the way they act. Can you pick grapes from thornbushes, or figs from thistles?
17 A good tree produces good fruit, and a bad tree produces bad fruit.
18 A good tree can't produce bad fruit, and a bad tree can't produce good fruit.
19 So every tree that does not produce good fruit is chopped down and thrown into the fire.
20 Yes, just as you can identify a tree by its fruit, so you can identify people by their actions.

*7:13 Greek *The road that leads to destruction.*

13 narrow 좁은 highway 대로 14 gateway 출입구, (관)문 15 beware of ~ ~에 주의하라 false 거짓의
16 identify ~임을 알다 thornbush 가시나무 덤불 fig 무화과 thistle 엉겅퀴 19 chop 쪼개다, 자르다

25

월 일

말씀에 근거한 신앙

마태복음 7:21-27

새찬송 204장 | 통일 379장

• 먼저 묵상을 위한 기도를 드린 후, 성경 본문을 2번 이상 읽고 묵상하십시오.

본문요약 | 예수님은 자신을 주라고 부르며 능력을 행한다 할지라도 모든 사람이 예수님의 제자가 되는 것은 아니라고 말씀하신다. 오직 예수님의 뜻대로 행하는 자라야 천국에 들어갈 것이라고 하신다. 예수님의 말씀을 듣고 행하는 자는 반석 위에 집을 지은 사람같이 지혜로워 어떤 자연재해에도 안전하다.

개역개정

21 나더러 주여 주여 하는 자마다 다 천국에 들어갈 것이 아니요 다만 하늘에 계신 내 아버지의 뜻대로 행하는 자라야 들어가리라

22 그 날에 많은 사람이 나더러 이르되 주여 주여 우리가 주의 이름으로 선지자 노릇하며 주의 이름으로 귀신을 쫓아내며 주의 이름으로 많은 권능을 행하지 아니하였나이까 하리니

23 그때에 내가 그들에게 밝히 말하되 내가 너희를 도무지 알지 못하니 불법을 행하는 자들아 내게서 떠나가라 하리라

24 그러므로 누구든지 나의 이 말을 듣고 행하는 자는 그 집을 반석 위에 지은 지혜로운 사람 같으리니

25 비가 내리고 창수가 나고 바람이 불어 그 집에 부딪치되 무너지지 아니하나니 이는 주추를 반석 위에 놓은 까닭이요

26 나의 이 말을 듣고 행하지 아니하는 자는 그 집을 모래 위에 지은 어리석은 사람 같으리니

27 비가 내리고 창수가 나고 바람이 불어 그 집에 부딪치매 무너져 그 무너짐이 심하니라

1. 오늘 하나님께서 나에게 주신 깨달음은 무엇입니까?

2. 말씀을 어떻게 내 삶에 구체적으로 적용해야 합니까?

절별 해설

21 나더러 주여 주여 하는 자마다 다 천국에 들어갈 것이 아니요 예수님을 주님이라고 부르는 것은 성령의 도우심의 결과이므로(고전 12:3), 주님이라고 부르는 자는 참 성도라고 할 수 있다. 그러나 예수님은 그렇게 부르는 자 모두가 천국에 들어가는 것은 아니라고 하신다. 거짓 신앙 고백도 있기 때문이다. 진정한 믿음은 아버지의 뜻대로 행함을 통해 증명된다.

22 그 날 '그 날'은 예수님의 재림과 심판의 때를 말한다. 그때 많은 사람이 주님의 제자라고 주장하며 그 증거로 예언, 귀신을 내쫓음, 기적 등을 내놓을 것이다. 그러나 예수님은 그들이 행한 일을 불법이라고 평가하신다(23절). 주님의 이름으로 능력을 행했지만 실상은 그분과 관계없는 능력들이 존재하기 때문이다(참고. 신 13:1-3). 그러므로 나타난 결과에만 치중하지 말아야 한다. 또한 많은 사람들이 이런 착각을 할 것이라고 말씀하신다. 심판 때에 많은 사람이 이런 주장을 한다는 것이 오늘날 우리의 신앙에 경각심을 준다.

23 불법 주의 일을 한다고 해서 다 주의 일은 아니다. 주님의 법대로 주를 위해 해야 한다. 자신의 영광이나 다른 목적을 가지고 임해서는 안 된다.

24 나의 이 말을 듣고 행하는 자 말씀은 모른 채 봉사와 헌신만 하다 보면 잘못된 방향으로 나갈 수 있다. 그러므로 진정한 봉사와 헌신을 드리기 위해서는 말씀을 듣는 일이 선행되어야 한다. 즉, 주님의 말씀대로 순종해야 한다.

25 비가 내리고 창수가 나고 바람이 불어 그 집에 부딪치되 무너지지 아니하나니 말씀을 듣고 행하는 사람은 세상의 어떤 세력이나 풍파에도 흔들리지 않는 인생이 된다. 기초가 튼튼하기 때문이다. 그러나 성도라고 해서 세상에서 어려움이 없는 것은 아니다. 다만 차이점은 주님의 말씀을 듣고 실천에 옮기는 성도는 어려움을 이겨낼 수 있다. 어려움이 닥칠 때 가장 최선의 길은 계속해서 주님의 뜻대로 행하는 것이다.

26 이 말을 듣고 행하지 아니하는 자 주님의 말씀을 듣기는 하는데 행함으로 연결되지 못하는 신앙이 있다(약 1:22-25). 이런 사람은 자신을 속이는 자이며 행함이 주는 복을 받지 못하는 사람이다.

쉬운성경

21 "나에게 '주님, 주님'이라고 말하는 사람 모두가 하늘나라에 들어가는 것은 아니다. 하늘에 계신 내 아버지의 뜻대로 행하는 사람만이 하늘나라에 들어갈 것이다.

22 그 날에 많은 사람이 나에게 이렇게 말할 것이다. '주님, 주님, 우리가 주님의 이름으로 예언하고, 주님의 이름으로 귀신을 내쫓고, 주님의 이름으로 많은 기적을 베풀지 않았습니까?'

23 그때, 내가 분명하게 그들에게 말할 것이다. '나는 너희를 모른다. 악한 일을 행하는 자들아, 내게서 썩 물러나라.'"

24 "내 말을 듣고, 그대로 행하는 사람은 바위 위에 집을 지은 지혜로운 사람과 같다.

25 비가 내리고, 홍수가 나고, 바람이 불어 그 집에 몰아쳐도 그 집은 무너지지 않았다. 왜냐하면 그 집은 바위 위에 지어졌기 때문이다.

26 내 말을 듣고도 행하지 않는 사람은 모래 위에 집을 세운 어리석은 사람과 같다.

27 비가 내리고, 홍수가 나고, 바람이 불어 그 집에 몰아쳤을 때, 그 집은 쉽게 무너졌는데, 그 무너진 정도가 심하였다."

저자의 묵상

성경은 성도로 하여금 입으로만 하는 신앙고백을 넘어 실제로 삶 속에서 말씀대로 실천할 것을 강조한다. 그러나 실천한다고 해서 모두 다 진정한 신앙의 결과는 아니다. 예수님이 없는 성공과 결과도 있기 때문이다. 그러므로 중요한 것은 주님의 말씀을 먼저 듣고 그 토대 위에서 실천하는 신앙이 되어야 한다. 즉, 교회에서는 헌신과 봉사를 권면하기 이전에 반드시 성도들에게 말씀을 제대로 가르치는 일이 선행되어야 한다. 그래야만 자기 만족의 봉사가 아니라 말씀에 기초한 진정한 봉사가 될 수 있다.

한편, 세상을 살다보면 성도나 비성도 모두에게 세상 풍파가 닥쳐올 때가 있다. 신앙생활을 하는 성도라고 해서 고난이 비껴가는 것은 아니다. 그러나 하나님의 말씀을 듣고 행하는 성도는 안전하다는 사실을 잊지 말자. 그것은 어려울 때에 하나님 말씀을 의지하므로 그 어려움을 이겨 낼 힘을 얻기 때문이다

무릎 기도 말씀에 근거하여 실천하는 신앙인이 되게 하소서. 그리하여 명분 좋은 일이라고 스스로 해석하여 만족하며 일하기보다는 모든 일을 하나님의 뜻을 따라 행하길 원합니다.

NLT - Matthew 7

21 "Not everyone who calls out to me, 'Lord! Lord!' will enter the Kingdom of Heaven. Only those who actually do the will of my Father in heaven will enter.
22 On judgment day many will say to me, 'Lord! Lord! We prophesied in your name and cast out demons in your name and performed many miracles in your name.'
23 But I will reply, 'I never knew you. Get away from me, you who break God's laws.'
24 "Anyone who listens to my teaching and follows it is wise, like a person who builds a house on solid rock.
25 Though the rain comes in torrents and the floodwaters rise and the winds beat against that house, it won't collapse because it is built on bedrock.
26 But anyone who hears my teaching and doesn't obey it is foolish, like a person who builds a house on sand.
27 When the rains and floods come and the winds beat against that house, it will collapse with a mighty crash."

21 call out to ~ ~를 소리쳐 구하다 22 prophesy 예언하다 cast out 내쫓다, 내던지다 demon 귀신 perform 수행하다 23 get away from ~ ~로부터 떠나다 24 solid 단단한 25 in torrent (비가) 억수같이, 폭포처럼 floodwater 홍수 beat against 부딪치다 collapse 무너지다 bedrock 튼튼한 기반, 기반암 26 foolish 어리석은

26

월 일

예수님의 가르침과 치유 사역

마태복음 7:28-8:4

새찬송 472장 | 통일 530장

• 먼저 묵상을 위한 기도를 드린 후, 성경 본문을 2번 이상 읽고 묵상하십시오.

본문요약 | 예수님이 말씀을 다 마치시자 사람들은 놀랐다. 그것은 당시 서기관들과 다르게 말씀에 권위가 있었기 때문이다. 산에서 내려오신 예수님은 한 나병환자를 만나시고는 그에게 직접 손을 대어 고쳐 주신다. 그리고 조용히 제사장에게 가서 몸을 보이고 예물을 드리라고 명하신다.

개역개정

28 예수께서 이 말씀을 마치시매 무리들이 그의 가르치심에 놀라니

29 이는 그 가르치시는 것이 권위 있는 자와 같고 그들의 서기관들과 같지 아니함일러라

1 예수께서 산에서 내려오시니 수많은 무리가 따르니라

2 한 나병환자가 나아와 절하며 이르되 주여 원하시면 저를 깨끗하게 하실 수 있나이다 하거늘

3 예수께서 손을 내밀어 그에게 대시며 이르시되 내가 원하노니 깨끗함을 받으라 하시니 즉시 그의 나병이 깨끗하여진지라

4 예수께서 이르시되 삼가 아무에게도 이르지 말고 다만 가서 ㄱ제사장에게 네 몸을 보이고 모세가 명한 예물을 드려 그들에게 입증하라 하시니라

ㄱ. 레 14:2 이하

1. 본문에 나타난 예수님은 어떤 분이십니까?

2. 오늘 하나님께서 나에게 주신 깨달음은 무엇입니까?

3. 말씀을 어떻게 내 삶에 구체적으로 적용해야 합니까?

절별 해설

28-29 예수님의 가르침에 대한 사람들의 반응이 기록된다. 사람들은 예수님의 가르침이 저들의 선생들과 다르게 권위가 있음을 보고 놀란다. 하나님의 아들이신 예수님이 단지 이론적인 교리의 반복이 아니라 실천적이고 구체적으로 말씀을 가르치셨기 때문이다. 예수님은 말씀의 의미를 체험적으로 알고 계셨다.

1 예수께서 산에서 내려오시니 '산상수훈'이라 불리는 말씀(5-7장)을 모두 가르치시고 산 아래 동네로 내려오셨음을 말한다. 이는 단순히 장소적 이동의 의미만을 나타내지 않는다. 예수님이 가르침에만 머무르지 않으시고 사람들의 필요를 채우기 위해 군중 속으로 내려오셨음을 의미한다. 예수님의 사역은 크게 가르침과 치유로 나타난다.

2 나병환자 오늘날의 한센병에 해당되나 성경에서 말하는 나병은 이보다 광범위한 피부질환까지 포함하는 듯하다(레 14:54-57). 이 병은 특성상 사람들로부터 격리되어 생활해야 했으며(레 13:45-46), 사람들과 마주치게 되었을 때는 바람 부는 방향에 있으면 90미터 전에서, 바람과 반대 방향에 있으면 45미터 전에서 '나는 부정하다'라고 외쳐야 했다.
저를 깨끗하게 하실 수 있나이다 이 나병환자는 사람들의 혐오 섞인 외침과 멸시 등의 모든 장벽을 극복하고 예수님께 나아왔을 것이다. 그러나 그는 예수님이 자신의 병을 고쳐 주실 수 있다는 확신이 있었기에 모든 것을 극복한다.

3 예수께서 손을 내밀어 그에게 대시며 율법에 따르면 나병환자를 만지는 것은 부정함의 원인이 되기에 하지 말아야 할 행동이었다(레 13:45-46). 예수님은 말씀만으로도 그를 고치실 수 있었다. 그럼에도 굳이 나병환자에게 손을 대신 것은 그의 육신의 병만이 아니라 사람들에게 멸시받고 천대받은 마음의 병까지지도 따뜻하게 보듬고 계심을 상징한다.

4 삼가 아무에게도 이르지 말고 예수님이 치유 사역을 굳이 숨기시려는 이유는 사람들이 예수님을 단순 치료자로 여기고 현실적 필요만을 채우기 위해 나아오는 것을 방지하기 위해서다. 그래서 오직 제사장을 찾아 율법의 예대로 행하고 하나님께 영광 돌릴 것을 당부하신다.

쉬운성경

28 예수님께서 이 모든 말씀을 마치셨습니다. 사람들은 예수님의 가르침에 놀랐습니다.

29 그것은 율법학자들과는 달리 예수님께서 권위를 지닌 분처럼 가르치셨기 때문입니다.

1 예수님께서 산에서 내려오시자, 많은 사람들이 따라왔습니다.

2 어떤 문둥병 환자가 예수님께 다가와서 절을 하고 말했습니다. "주여, 주님은 하고자 하시면 저를 낫게 하실 수 있습니다."

3 예수님께서 손을 내밀어 그 사람에게 대시며 말씀하셨습니다. "내가 너를 고쳐 주길 원한다. 깨끗하게 나아라!" 그러자 바로 그 사람의 문둥병이 나았습니다.

4 예수님께서 그에게 말씀하셨습니다. "아무에게도 이 일을 말하지 마라. 다만 가서 제사장에게 네 몸을 보여 주어라. 그리고 모세가 명령한 대로 예물을 바쳐서, 사람들에게 증거로 삼아라."

저자의 묵상

예수님의 가르침에는 권위가 있었다. 다시 말하면 사람들의 삶에 실제적인 영향을 끼치고 있었다는 뜻이다. 단지 교리적이고 이론적인 가르침이 아니라, 말씀을 아시는 예수님께서 구체적이고 실천적인 말씀을 주셨기에 가능한 일이었다. 이를 통해 우리는 입에서만 맴도는 말씀은 영향력이 없으며, 삶으로 나타나는 말씀이 이웃에게 선한 영향을 끼칠 수 있음을 깨닫게 된다.

한편, 오늘 본문에서 예수님은 나병환자를 치료하셨다. 나병환자는 누구와도 가까이할 수 없었지만 예수님이라면 자신의 병을 치료하여 주실 것을 확신하며 모든 난관을 뚫고 믿음으로 예수님 앞에 나아갔다. 이에 예수님은 그 사람을 친히 만지시고 치료하셨다. 이처럼 사람들의 시선을 의식하지 않고 치료하시는 주님을 믿으며 나아갈 때 우리의 죄는 사함을 받는다. 주님은 성도의 죄만이 아니라 그들의 상한 마음까지 고쳐 주시며 만져 주실 것이다.

무릎 기도 | 주님의 본을 받아 다른 사람들의 삶에 영향을 미치는 복음을 전하길 원합니다. 사람들을 대할 때 주님처럼 차별 없는 사랑으로 살필 수 있게 도와주소서.

NLT - Matthew 7-8

28 When Jesus had finished saying these things, the crowds were amazed at his teaching,

29 for he taught with real authority—quite unlike their teachers of religious law.

1 Large crowds followed Jesus as he came down the mountainside.

2 Suddenly, a man with leprosy approached him and knelt before him. "Lord," the man said, "if you are willing, you can heal me and make me clean."

3 Jesus reached out and touched him. "I am willing," he said. "Be healed!" And instantly the leprosy disappeared.

4 Then Jesus said to him, "Don't tell anyone about this. Instead, go to the priest and let him examine you. Take along the offering required in the law of Moses for those who have been healed of leprosy.* This will be a public testimony that you have been cleansed."

*8:4 See Lev 14:2–32.

28 amaze 놀라게 하다 29 authority 권위 religious 종교적인 1 come down 내려오다 2 leprosy 문둥병, 나병 kneel 무릎 꿇다 3 reach out 뻗다, 내밀다 instantly 즉시로 4 priest 제사장 take along ~ ~을 가지고 가다 testimony 증거

27

월 일

백부장의 믿음

마태복음 8:5-13

새찬송 357장 | 통일 397장

• 먼저 묵상을 위한 기도를 드린 후, 성경 본문을 2번 이상 읽고 묵상하십시오.

본문요약 | 예수님이 가버나움에서 한 백부장의 하인을 고쳐 주신다. 요청을 받으신 예수님은 직접 가겠다고 하셨으나 백부장은 자신이 예수님을 직접 모실 만한 자격이 없음을 말하고, 말씀만으로 고쳐 달라고 한다. 이에 예수님은 이스라엘 중에서 이런 믿음을 보지 못했다고 하시며 그의 하인을 고쳐 주신다.

개역개정

5 예수께서 가버나움에 들어가시니 한 백부장이 나아와 간구하여
6 이르되 주여 내 하인이 중풍병으로 집에 누워 몹시 괴로워하나이다
7 이르시되 내가 가서 고쳐 주리라
8 백부장이 대답하여 이르되 주여 내 집에 들어오심을 나는 감당하지 못하겠사오니 다만 말씀으로만 하옵소서 그러면 내 하인이 낫겠사옵나이다
9 나도 남의 수하에 있는 사람이요 내 아래에도 군사가 있으니 이더러 가라 하면 가고 저더러 오라 하면 오고 내 종더러 이것을 하라 하면 하나이다
10 예수께서 들으시고 놀랍게 여겨 따르는 자들에게 이르시되 내가 진실로 너희에게 이르노니 [1]이스라엘 중 아무에게서도 이만한 믿음을 보지 못하였노라
11 또 너희에게 이르노니 동서로부터 많은 사람이 이르러 아브라함과 이삭과 야곱과 함께 천국에 [2]앉으려니와
12 그 나라의 본 자손들은 바깥 어두운 데 쫓겨나 거기서 울며 이를 갈게 되리라
13 예수께서 백부장에게 이르시되 가라 네 믿은 대로 될지어다 하시니 그 즉시 하인이 나으니라

1) 어떤 사본에, 이스라엘 중에서라도
2) 헬, 기대어 누우려니와(유대인이 음식 먹을 때에 가지는 자세)

1. 본문에 나타난 예수님은 어떤 분이십니까?

2. 오늘 하나님께서 나에게 주신 깨달음은 무엇입니까?

3. 말씀을 어떻게 내 삶에 구체적으로 적용해야 합니까?

절별 해설

5 백부장 '백부장'은 로마 군대의 장교로서 100명의 군사를 거느린 수장을 일컫는다. 보통은 80명 정도를 이끌었다고 한다. 한편, 본절에서는 백부장이 직접 예수께 나와서 요청한 것으로 되어 있지만, 〈누가복음〉에 보면 백부장이 예수님의 소문을 듣고 평소에 친분이 있던 유대인 장로 몇 사람을 통해 요청한 것으로 되어 있다(눅 7:3). 이는 그가 예수님 앞에 감히 나설 수 없는 존재임을 깨닫고 있었기 때문이다(8절).

6 내 하인이 중풍병으로 집에 누워 몹시 괴로워하나이다 백부장은 자신의 하인이 신체 일부가 마비되는 중풍으로 누워 괴로워하는 것을 보고 예수님께 어렵게 청원했다. 당시는 하인이 인격적인 취급을 받지 못하던 때였으므로, 이 일은 백부장이 사람에 대한 사랑이 얼마나 깊었던가를 보여준다. 그는 로마인이면서도 점령지인 유대 민족을 사랑하고 평소에도 선행을 베풀었던 사람이다(눅 7:5).

8-9 다만 말씀으로만 하옵소서 그러면 내 하인이 낫겠사옵나이다 '말씀으로만 하옵소서'(8절)라는 요청 속에 담긴 백부장의 믿음을 엿볼 수 있다. 백부장은 군인으로 군대의 상하 관계와 명령 체계에 익숙한 사람이었다. 즉, 그는 마치 군대에서 명령 하나로 모든 것이 통하듯, 천지의 주인이신 예수님이 직접 오시지 않고 말로만 명령하셔도 세상의 모든 일이 예수님께 순종할 것이라는 믿음을 표현한 것이다.

10 이스라엘 중 아무에게서도 이만한 믿음을 보지 못하였노라 예수님은 백부장의 훌륭한 믿음을 보시고 심지어 하나님을 믿는다고 하는 이스라엘 민족 중에서도 이 같은 믿음을 본 적이 없다고 평가하신다. 예수님의 존재에 대한 분명한 확신과 그의 말씀이 갖는 능력을 표현한 백부장의 믿음은 모든 신자가 가져야 하는 모습이다.

11-12 예수님은 백부장과 동일한 믿음을 가진 이방인들의 구원을 언급하시고 이스라엘 사람이라도 진정한 믿음이 없는 사람은 심판받을 것이라 하신다. 하나님 앞에서는 신분이나 자격이 아니라 오직 믿음에 의해서만 의롭다 함을 받는다.

쉬운성경

5 예수님께서 가버나움이라는 마을에 들어가셨을 때, 한 백부장이 예수님께 와서 도움을 청했습니다.

6 백부장이 말했습니다. "주님, 제 종이 집에 중풍으로 누워 있는데, 매우 고통을 받고 있습니다."

7 예수님께서 말씀하셨습니다. "내가 가서 고쳐 주겠다."

8 백부장이 대답했습니다. "주님, 저는 주님을 집에 모실 만한 자격이 없습니다. 그저 말씀만 해 주십시오. 그러면 제 종이 나을 것입니다.

9 제 자신도 다른 사람의 부하이고, 제 밑에도 부하들이 있습니다. 제가 부하에게 '가거라' 하면 그가 가고, '오너라' 하면 그가 옵니다. 그리고 부하에게 '이것을 하라' 하면 그것을 합니다."

10 예수님께서 이 말을 들으시고 놀라시며, 따라오던 사람들에게 말씀하셨습니다. "내가 진정으로 말한다. 나는 지금까지 이스라엘에서 이같이 큰 믿음을 가진 사람을 본 적이 없다.

11 내가 너희에게 말한다. 많은 사람들이 동쪽과 서쪽에서 와서, 하늘나라에서 아브라함, 이삭 그리고 야곱과 함께 앉아서 먹을 것이다.

12 그러나 이 나라의 아들들은 바깥 어두운 곳에 던져져, 그곳에서 슬피 울며 고통스럽게 이를 갈 것이다."

13 예수님께서 백부장에게 말씀하셨습니다. "가거라. 네가 믿은 대로, 네게 이루어질 것이다." 그러자 백부장의 종이 그 순간에 치료되었습니다.

저자의 묵상

오늘 본문을 통해 본 백부장의 믿음은 놀라울 따름이다. 그는 이방인이었지만 당시 이스라엘 백성 그 누구보다도 예수님에 대해 올바르며 확신에 찬 믿음을 가지고 있었다. 백부장은 예수님을 인류 구원의 메시아로 믿었기에 감히 직접 그분 앞에 나서지도 못하고 멀리서 지인들을 통해 자기의 하인을 낫게 해 달라고 요청한 것이다(눅 7:3). 이러한 백부장의 모습은 오늘날 교회에 만연한 편리주의와 점차 신앙이 가볍게 여겨지는 모습에 경각심을 일깨워 준다. 예수님을 두려워하고 어려워하는 백부장의 이러한 진정한 믿음이야말로 우리가 따라야 할 참된 신앙의 모습이다.

또한 백부장은 예수님의 말씀에 확신을 가졌다. 예수님이 천지의 주인이시므로 당연히 그분의 말씀으로 이루어지지 않을 것이 없다고 믿은 것이다. 오늘 우리는 어떠한가? 하나님의 말씀이 어떤 상황에도 이루어진다는 확고부동한 믿음을 소유하고 있는지 자신을 돌아보자.

무릎기도 백부장처럼 주님 앞에 온전히 겸손한 자가 되게 하시며, 주의 말씀의 완전함과 능력을 믿고 확신하는 믿음을 주소서. 어떤 상황에서도 흔들리지 않길 원합니다.

NLT - Matthew 8

5 When Jesus returned to Capernaum, a Roman officer* came and pleaded with him,

6 "Lord, my young servant* lies in bed, paralyzed and in terrible pain."

7 Jesus said, "I will come and heal him."

8 But the officer said, "Lord, I am not worthy to have you come into my home. Just say the word from where you are, and my servant will be healed.

9 I know this because I am under the authority of my superior officers, and I have authority over my soldiers. I only need to say, 'Go,' and they go, or 'Come,' and they come. And if I say to my slaves, 'Do this,' they do it."

10 When Jesus heard this, he was amazed. Turning to those who were following him, he said, "I tell you the truth, I haven't seen faith like this in all Israel!

11 And I tell you this, that many Gentiles will come from all over the world—from east and west—and sit down with Abraham, Isaac, and Jacob at the feast in the Kingdom of Heaven.

12 But many Israelites—those for whom the Kingdom was prepared—will be thrown into outer darkness, where there will be weeping and gnashing of teeth."

13 Then Jesus said to the Roman officer, "Go back home. Because you believed, it has happened." And the young servant was healed that same hour.

*8:5 Greek *a centurion;* similarly in 8:8, 13.
*8:6 Or *child;* also in 8:13.

5 plead with ~ ~에게 간청하다 6 lie in bed 침상에 눕다 paralyzed 마비된 terrible 무시무시한 8 be worthy to ~ ~할 자격이 있다 9 authority 권위 superior 상관의 10 amaze 놀라게 하다 11 feast 잔치 12 be thrown into ~ ~에 내던져지다 weep 울다 gnash 이를 갈다 13 servant 종

28
월 일

예언을 따라 병 고치심

마태복음 8:14-17

새찬송 276장 | 통일 334장

• 먼저 묵상을 위한 기도를 드린 후, 성경 본문을 2번 이상 읽고 묵상하십시오.

본문요약 | 예수님은 베드로의 집에 들어가 열병을 앓고 있던 그의 장모를 고쳐 주신다. 여인은 곧 일어나 예수님을 대접했다. 날이 저물자 사람들이 귀신 들린 자와 병든 자를 많이 데리고 와 예수님께 고침을 받는다. 이 것은 이사야의 예언이 성취된 것이다.

개역개정

14 예수께서 베드로의 집에 들어가사 그의 장모가 열병으로 앓아누운 것을 보시고
15 그의 손을 만지시니 열병이 떠나가고 여인이 일어나서 예수께 수종 들더라
16 저물매 사람들이 귀신 들린 자를 많이 데리고 예수께 오거늘 예수께서 말씀으로 귀신들을 쫓아내시고 병든 자들을 다 고치시니
17 이는 선지자 이사야를 통하여 하신 말씀에
ㄱ우리의 연약한 것을 친히 담당하시고
병을 짊어지셨도다
함을 이루려 하심이더라

ㄱ. 사 53:4

1. 본문에 나타난 예수님은 어떤 분이십니까?

2. 오늘 하나님께서 나에게 주신 깨달음은 무엇입니까?

3. 말씀을 어떻게 내 삶에 구체적으로 적용해야 합니까?

절별 해설

14 베드로의 집 베드로의 집은 가버나움에 있었다. 베드로는 벳새다 사람이었으나(요 1:44) 결혼 후에 벳새다에서 가까운 가버나움에 정착하였고, 형제 안드레와 더불어 어부로 생업을 이어가고 있었다(4:18). 예수님은 가버나움에서 복음을 전하시며 베드로의 집에도 가끔 들르셨다.

장모가 열병으로 앓아누운 것을 보시고 베드로는 결혼했고 장모가 있었다. 베드로의 부인은 나중에 함께 전도 사역을 감당하기도 했다(고전 9:5). 장모가 앓던 병은 장티푸스나 말라리아의 일종으로 추정되며, 의사인 누가의 기록에 의하면 병의 상태가 상당히 심각했던 것 같다(눅 4:38).

15 그의 손을 만지시니 예수님은 사람들을 치유하실 때 여러 가지 방법을 쓰셨다. 말씀으로만 하신 경우도 있고 손을 대시거나 다른 물질을 사용하여(요 9:6) 고치기도 하셨다. 여인은 열병에 걸렸으므로 손을 만지면 자칫 전염될 수도 있는 상황이었다. 그러나 하나님이신 예수님께는 이런 것이 전혀 문제가 될 수 없었다.

여인이 일어나서 예수께 수종 들더라 예수님의 치유가 즉각적이며 완전했음을 보여주는 구절이다. 의사였던 누가의 기록처럼 열병은 위중한 상태였고 그 때문에 베드로의 장모는 누워 있을 수밖에 없었다. 그러나 예수님이 고치신 이후에는 곧 일어나 예수님을 대접할 정도로 회복되었다.

16 저물매 사람들이 저녁에 몰려든 이유는 전날 저녁부터 그날 저녁까지가 안식일이었기 때문이다(눅 4:31-39). 당시 율법은 안식일에 노동을 금했고, 혼자 움직일 수 없는 병자들을 사람들이 옮기는 행위는 노동에 해당되었다. 그러므로 사람들은 안식일이 끝나기를 기다렸다가 저녁에 예수님께 몰려온 것이다.

병든 자들을 다 고치시니 예수님께 나온 사람들은 정신적으로 문제가 있는 귀신 들린 사람들이나 육신적 병자들이었다. 예수님은 이를 가리지 않고 모두 고쳐 주셨다.

17 이는 선지자 이사야를 통하여 하신 말씀에 우리의 연약한 것을 친히 담당하시고 병을 짊어지셨도다 함을 이루려 하심이더라 본절은 같은 사건을 기록하고 있는 〈마가복음〉과 〈누가복음〉에는 없는 마태의 해석이다(막 1:29-34; 눅 4:38-41). 마태는 유대인들을 대상으로 본문을 쓰고 있으므로 예수님의 일거수일투족을 예언의 성취로 연결한다. 그럼으로써 예수님이 구약의 메시아이심을 드러낸다. 이는 이사야 53장 4절의 인용으로, 우리의 '질고'와 '슬픔'을 메시아가 지신다는 내용을 병을 고치시는 예수님과 연결하고 있다.

쉬운성경

14 예수님께서 베드로의 집에 가셨을 때, 베드로의 장모가 열이 높아서 누워 있는 것을 보셨습니다.

15 예수님께서 그 여자의 손을 만지시니, 열이 사라졌습니다. 그 여자가 일어나 예수님을 대접했습니다.

16 저녁이 되자, 사람들이 예수님께 귀신 들린 사람들을 많이 데리고 왔습니다. 예수님께서 말씀으로 귀신을 쫓아내시고, 모든 병자들을 고쳐 주셨습니다.

17 이것은 예언자 이사야가 말한 것을 이루려고 하신 것입니다.

> "그는 우리의 연약함을 짊어지셨고 우리의 질병을 떠맡으셨다."*

*8:17 사 53:4에 기록되어 있다.

저자의 묵상

마태가 기록하는 예수님의 치유 사건은 누가와 마가와는 차이가 있다. 단순히 병을 치유하신 사건을 언급하기보다는 그것을 예수님이 메시아가 되시는 증거로 제시하기 때문이다. 어찌 보면 단순한 치유 사건을 말씀과 연결하여 성취된 예언으로 해석하는 것처럼 보일 수도 있다. 그러나 이런 마태의 관점을 우리도 배울 필요가 있다. 그것은 우리에게 일어나는 사소해 보이는 사건도 말씀과 연결하여 보려는 태도를 가질 때 우리 삶이 더욱 하나님께 가까워짐을 느끼기 때문이다.

성도의 삶에는 우연을 넘어 필연적으로 인도하고 역사하시는 하나님의 도우심이 있다. 그 때문에 나에게 주어진 사건과 환경을 무심코 넘길 것이 아니라 하나님의 섭리와 역사로 보려는 태도가 있어야 한다. 그럴 때 내 삶이 주님과 연합되어 있으며 나에게 발생한 사건이 무의미한 사건이 아님을 알 수 있다.

무릎 기도 | 인간의 모든 연약함을 주님이 감당하여 주시니 감사합니다. 우리의 죄를 짊어지실 뿐만 아니라 육체적 연약함까지도 고쳐 주시는 주님을 찬양합니다.

NLT - Matthew 8

14 When Jesus arrived at Peter's house, Peter's mother-in-law was sick in bed with a high fever.
15 But when Jesus touched her hand, the fever left her. Then she got up and prepared a meal for him.
16 That evening many demon-possessed people were brought to Jesus. He cast out the evil spirits with a simple command, and he healed all the sick.
17 This fulfilled the word of the Lord through the prophet Isaiah, who said, "He took our sicknesses and removed our diseases."*

*8:17 Isa 53:4.

14 mother-in-law 장모 be sick in bed 병으로 누워 있다 16 demon-possessed 귀신 들린 cast out 내쫓다 command 명령, 지시 heal 고치다, 치료하다 17 fulfill 성취하다 prophet 선지자 sickness 연약함, 질병

29

월 일

예수님을 따르는 일의 어려움

마태복음 8:18-27 　　　　**새찬송 371장** | 통일 419장

• 먼저 묵상을 위한 기도를 드린 후, 성경 본문을 2번 이상 읽고 묵상하십시오.

본문요약 | 예수님을 따르겠다는 서기관에게 예수님은 자신이 머리 둘 곳이 없다고 대답하신다. 또 아버지를 장사하겠다는 제자에게는 예수님을 따를 것을 명하신다. 이어지는 사건에서 제자들은 예수님을 따랐지만 항해 도중에 폭풍을 만나게 된다. 예수님은 제자들의 믿음이 작음을 책망하신다.

개역개정

18 예수께서 무리가 자기를 에워싸는 것을 보
시고 건너편으로 가기를 명하시니라
19 한 서기관이 나아와 예수께 아뢰되 선생
님이여 어디로 가시든지 저는 따르리이다
20 예수께서 이르시되 여우도 굴이 있고 공중
의 새도 거처가 있으되 인자는 머리 둘 곳
이 없다 하시더라
21 제자 중에 또 한 사람이 이르되 주여 내
가 먼저 가서 내 아버지를 장사하게 허락
하옵소서
22 예수께서 이르시되 죽은 자들이 그들의 죽
은 자들을 장사하게 하고 너는 나를 따르
라 하시니라
23 배에 오르시매 제자들이 따랐더니
24 바다에 큰 놀이 일어나 배가 물결에 덮이
게 되었으되 예수께서는 주무시는지라
25 그 제자들이 나아와 깨우며 이르되 주여
구원하소서 우리가 죽겠나이다
26 예수께서 이르시되 어찌하여 무서워하느
냐 믿음이 작은 자들아 하시고 곧 일어나
사 바람과 바다를 꾸짖으시니 아주 잔잔
하게 되거늘
27 그 사람들이 놀랍게 여겨 이르되 이이가
어떠한 사람이기에 바람과 바다도 순종하
는가 하더라

1. 본문에 나타난 예수님은 어떤 분이십니까?

2. 오늘 하나님께서 나에게 주신 깨달음은 무엇입니까?

3. 말씀을 어떻게 내 삶에 구체적으로 적용해야 합니까?

절별 해설

19 선생님이여 어디로 가시든지 저는 따르리이다 서기관들은 일반적으로 예수님의 활동에 반기를 드는 무리였는데(눅 5:30), 여기서 한 서기관이 예수님의 제자가 되겠다고 한 것은 당시로서는 파격적인 일이 아닐 수 없다. 그는 예수님이 일으키신 기적을 보며(16절) 신적 권위에 압도되어 예수님의 제자가 되겠다고 선언한 것 같다.

20 예수님은 서기관의 요청에 긍정도 부정도 하지 않으신다. 다만 예수님의 제자가 되는 일의 어려움을 말씀하신다. 여우나 새와 같은 한낱 짐승도 그들의 거처가 있으나 인자는 머리 둘 곳, 즉 쉴 만한 거처가 없다고 하신다. 즉, 예수님은 기적과 능력을 보고 자신을 따르려는 서기관에게 참 제자가 되는 것은 기적이나 능력을 행사하는 상태가 되는 것이 아니라, 이 세상에서 쉴 만한 거처도 없는 희생을 감수하는 자리임을 가르치신다.

21-22 율법(십계명)의 제5계명에도 부모를 공경하라고 했으며, 유대사회에서도 부모에게 효도하는 것은 당연한 의무였다. 게다가 부모의 마지막 장례를 치르는 것은 자식이 해야 할 마땅한 도리였다. 그러나 예수님은 이에 대해 장례는 영적으로 죽은 사람들에게 맡기고 자신을 따르라 명하신다. 이것은 인륜을 저버리라는 의미가 아니다. 영적인 일의 시급성을 표현하신 것이다. 예수님의 제자가 되려면 성도는 심지어 자기 목숨까지도 미워할 수 있어야 한다(눅 14:26).

24 바다에 큰 놀이 일어나 갈릴리 호수(혹은 디베랴 바다)는 주변이 산으로 둘러싸인 호수였으므로 산 위에서 불어오는 바람에 의해 갑자기 돌풍이 부는 곳으로 유명했다. 한편, 본문은 예수님이 탄 배도 풍랑을 만날 수 있음을 보여준다. 바울도 사명을 가지고 로마로 향하고 있었지만 유라굴로라는 광풍을 만났다(행 27장).

26 어찌하여 무서워하느냐 믿음이 작은 자들아 〈누가복음〉에 보면 예수님은 배에 오르시며 분명히 호수 건너편까지 가겠다고 목적지를 말씀하셨다(눅 8:22). 그 때문에 제자들은 이를 믿었어야 했다. 그러나 풍랑이 일자 제자들은 무서운 나머지 예수님의 말씀을 믿지 못하였고, 예수님은 그런 제자들을 '믿음이 작은 자들'이라고 언급하신다. 예수님은 앞에서도 많은 기적을 통해 자신이 하나님의 아들임을 드러내셨다. 그러므로 제자들은 예수님을 믿고 예수님이 탄 배가 안전함을 믿어야 했다.

27 이이가 어떠한 사람이기에 바람과 바다도 순종하는가 하더라 이 사건을 통해 예수님이 자연계의 주인임이 명확하게 드러났

쉬운성경

18 주위에 모여든 사람들을 보시고, 예수님께서 제자들에게 호수 건너편으로 가자고 말씀하셨습니다.

19 그때, 한 율법학자가 예수님께 나아와 말했습니다. "선생님, 저도 선생님이 가시는 곳이라면 어디든지 따라가겠습니다."

20 예수님께서 그에게 대답하셨습니다. "여우도 굴이 있고, 공중의 새도 둥지가 있지만, 인자는 머리 둘 곳조차 없다."

21 제자들 중에서 한 사람이 예수님께 말했습니다. "주님, 제가 먼저 가서 아버지의 장례를 치르도록 허락해 주십시오."

22 예수님께서 그에게 말씀하셨습니다. "나를 따르라. 죽은 사람의 장례는 죽은 사람이 치르도록 하여라."

23 예수님께서 배를 타시자, 제자들이 함께 따라왔습니다.

24 호수에 매우 거친 폭풍이 일어나, 파도가 배를 뒤덮었습니다. 그러나 예수님께서는 주무시고 계셨습니다.

25 제자들이 가서 예수님을 깨웠습니다. "주님, 살려 주십시오! 우리가 빠져 죽을 지경입니다."

26 예수님께서 "왜 무서워하느냐? 믿음이 적은 자들아!" 하고 말씀하셨습니다. 그리고 일어나 바람과 바다를 꾸짖으시자, 아주 잠잠해졌습니다.

27 사람들이 놀라서 말했습니다. "도대체 예수님은 어떤 분이길래 바람과 바다도 이분의 말씀에 순종하는가!"

다. 선지자들이 질병을 고쳐 준 일은 있었으나 예수님은 자연까지 꾸짖으시며 하나님인 자신의 신성을 드러내셨다(시 89:8–9). 이 사건을 통해 제자들은 예수님이 육신의 질병만이 아니라 자연도 주관하신다는 것을 깨닫고, 그분에 대한 생각의 지평이 넓어졌을 것이다.

저자의 묵상

예수님이 탄 배가 풍랑을 만났던 것처럼 신앙을 가지고 있는 성도도 세상을 살아가며 세상의 풍파를 경험한다. 그러나 그것이 우리를 삼킬 수 없음을 믿어야 한다. 어떤 문제가 발생했을 때, 그 '문제'가 문제가 아니라 그 '문제'를 바라보며 흔들리는 내 믿음이 문제임을 알아야 한다. 예수님은 세상 끝날까지 우리와 함께하신다고 하셨으므로 세상의 풍파 속에서도 예수님이 우리를 지키실 것을 확실히 믿는 믿음을 가져야 하는 것이다. 또한 제자들은 이 사건을 통해 예수님이 병을 고치실 뿐 아니라 자연의 주인이심을 배웠다.

이처럼 고난과 어려움은 힘든 것이지만 그것을 통해 우리는 주님이 어떤 분이신지 배우게 된다. 욥은 자신의 고난을 통해 귀로만 듣는 신앙에서 눈으로 보는 신앙으로 발전했다고 고백한다(욥 42:5). 지금 당신이 겪고 있는 어려움이 당신의 신앙을 더욱 발전시켜 강한 성도가 되게 할 것이다.

무릎 기도 | 어떤 상황에서도 주님에 대한 믿음이 줄어들지 않게 하소서. 주님이 세상 끝날까지 우리와 함께하신다고 말씀하셨으므로 어떤 경우에도 지켜 주심을 믿습니다.

NLT - Matthew 8

18 When Jesus saw the crowd around him, he
instructed his disciples to cross to the other side
of the lake.
19 Then one of the teachers of religious law said to
him, "Teacher, I will follow you wherever you
go."
20 But Jesus replied, "Foxes have dens to live in,
and birds have nests, but the Son of Man* has
no place even to lay his head."
21 Another of his disciples said, "Lord, first let me
return home and bury my father."
22 But Jesus told him, "Follow me now. Let the
spiritually dead bury their own dead.*"
23 Then Jesus got into the boat and started across
the lake with his disciples.
24 Suddenly, a fierce storm struck the lake, with
waves breaking into the boat. But Jesus was
sleeping.
25 The disciples went and woke him up, shouting,
"Lord, save us! We're going to drown!"
26 Jesus responded, "Why are you afraid? You
have so little faith!" Then he got up and rebuked
the wind and waves, and suddenly there was a
great calm.
27 The disciples were amazed. "Who is this man?"
they asked. "Even the winds and waves obey
him!"

*8:20 "Son of Man" is a title Jesus used for himself.
*8:22 Greek *Let the dead bury their own dead.*

18 instruct 지시하다 disciple 제자, 사도 19 religious 종교의 20 den 굴 21 bury 매장하다 22 spiritually 영적으로 one's own 자기의 23 get into ~ ~안으로 들어가다, 타다 24 fierce 거대한 storm 폭풍우 break into ~ ~에 침입하다 25 drown 익사하다 26 rebuke 꾸짖다 calm 잔잔한

30

월 일

귀신 들린 두 사람

마태복음 8:28-34

새찬송 262장 | 통일 196장

• 먼저 묵상을 위한 기도를 드린 후, 성경 본문을 2번 이상 읽고 묵상하십시오.

본문요약 | 예수님이 가다라 지방에 오셨을 때 무덤 사이에서 귀신 들린 두 사람이 나타난다. 귀신은 예수님을 보고 두려워하며 돼지 떼에게 들어가기를 청했고, 예수님은 이를 허락하신다. 그러자 돼지 떼가 물에 빠져 몰사하고 마을 사람들은 예수님께 떠나 달라고 간청한다.

개역개정

28 또 예수께서 건너편 가다라 지방에 가시매 귀신 들린 자 둘이 무덤 사이에서 나와 예수를 만나니 그들은 몹시 사나워 아무도 그 길로 지나갈 수 없을 지경이더라

29 이에 그들이 소리 질러 이르되 하나님의 아들이여 우리가 당신과 무슨 상관이 있나이까 때가 이르기 전에 우리를 괴롭게 하려고 여기 오셨나이까 하더니

30 마침 멀리서 많은 돼지 떼가 먹고 있는지라

31 귀신들이 예수께 간구하여 이르되 만일 우리를 쫓아내시려면 돼지 떼에 들여보내 주소서 하니

32 그들에게 가라 하시니 귀신들이 나와서 돼지에게로 들어가는지라 온 떼가 비탈로 내리달아 바다에 들어가서 물에서 몰사하거늘

33 치던 자들이 달아나 시내에 들어가 이 모든 일과 귀신 들린 자의 일을 고하니

34 온 시내가 예수를 만나려고 나가서 보고 그 지방에서 떠나시기를 간구하더라

1. 본문에 나타난 예수님은 어떤 분이십니까?

2. 오늘 하나님께서 나에게 주신 깨달음은 무엇입니까?

3. 말씀을 어떻게 내 삶에 구체적으로 적용해야 합니까?

절별 해설

28 가다라 지방 다른 복음서에는 '거라사' 지방으로 나온다(막 5:1; 눅 8:26). 거라사는 가다라 지방의 한 마을로 추정된다. 이곳은 갈릴리 호수에서 가까웠고 당시에 많은 이방인들이 거주했으며 유대인들이 혐오하는 돼지를 키우는 지역이기도 했다.
귀신 들린 자 둘이 다른 복음서에는 한 사람으로 기록되어 있다. 이 차이는 아마도 두 사람 중 한 사람의 귀신 들린 정도가 훨씬 심하고 사나웠기 때문에 다른 복음서는 그를 두드러지게 기록한 것으로 보인다(막 5:3; 눅 8:27).

29 하나님의 아들이여 귀신도 예수님을 알아봤다. 성경은 종종 귀신이 하나님의 사람을 알아보고 인정한 발언을 기록한다(행 16:16-17). 귀신은 초월적 존재이기에 당연히 하나님에 대한 신지식이 있다. 그러나 지식과 신앙은 다르다. 귀신은 하나님에 대해 단순히 지식적으로 알고 두려워한 것이지, 하나님을 믿고 섬기며 따르지는 않았다.
때가 이르기 전에 예수님은 마지막 때에 심판자로서 사탄과 그 수하들을 영원한 불과 유황 못에 던져 넣으실 것이다(계 20:10). 여기서 놀라운 것은 귀신들이 자신들의 운명을 알고 있다는 것이다. 그럼에도 회개하지 않고 사탄의 하수인 역할을 하며 사람들을 괴롭힌다.

30-31 돼지 떼의 수는 약 이천 마리에 달했고(막 5:13) 귀신도 군대와 같이 수가 많았다(막 5:9). 돼지 떼가 있었던 것은 당시 이 지방에는 다수의 이방인들이 살고 있었기에 그들이 돼지를 키웠거나, 혹은 일부 유대인들이 유대인들은 키우지 않는 돼지 떼를 돈벌이를 위해 키웠던 것으로 보인다.

32 그들에게 가라 하시니 예수님은 왜 귀신들의 요청을 허락하셨을까? 그 결과로 많은 재산상의 손해가 있었는데도 말이다. 예수님은 이 사건을 통해 두 사람을 괴롭히고 있는 귀신의 실체가 얼마나 흉악하며, 반면에 사람의 영혼이 얼마나 소중한가를 보이기 원하셨다.

34 예수를 만나려고 나가서 보고 그 지방에서 떠나시기를 간구하더라 이는 돼지를 치던 사람들에게 자초지종을 들은 사람들의 반응이다. 그들은 예수님을 영접하는 대신에 마을을 떠나 달라고 요청한다. 자신들에게 추가적인 재산상의 손해가 있을까 봐 두려웠기 때문이다. 예수님의 능력을 보고도 인간적인 이익만을 계산하는 사람들의 어리석음을 볼 수 있다. 한편, 돼지를 치던 사람들이 자신들이 입은 재산상의 손해를 따지지 않은 이유는 예수님의 기적에 놀라고, 또한 자신들이 돼지를 키우는 행위가 유대인의 율법에 의하면 떳떳하지 못한 것이었기 때문으로 보인다.

쉬운성경

28 예수님께서 호수 건너편 가다라 지방에 오셨을 때였습니다. 귀신 들린 두 사람이 무덤 사이에서 나오다가 예수님과 마주쳤습니다. 이들은 너무 사납기 때문에 아무도 그 길로 지나다닐 수 없을 정도였습니다.

29 그 두 사람이 소리쳤습니다. "하나님의 아들이여, 당신이 우리와 무슨 상관이 있습니까? 때가 되기도 전에 우리를 괴롭히려고 여기에 오셨습니까?"

30 마침, 거기서 얼마간 떨어진 곳에 많은 돼지 떼가 먹이를 먹고 있었습니다.

31 귀신들이 예수님께 간청했습니다. "만일 우리를 이 사람들에게서 쫓아내시려면, 저 돼지 떼 속으로 보내 주십시오."

32 예수님께서 그들에게 말씀하셨습니다. "가거라!" 귀신들은 그 사람들에게서 빠져 나와 돼지 떼 속으로 들어갔습니다. 그러자 돼지 떼가 산 아래에 있는 호수로 달려가더니, 모두 물 속에 빠져 죽었습니다.

33 돼지를 치던 사람들은 마을로 달려가서, 귀신 들린 사람들에게 일어난 모든 일들을 사람들에게 이야기했습니다.

34 그러자 온 마을 사람들이 예수님께 나아와 예수님을 보고 자기 마을을 떠나가 달라고 말했습니다.

저자의 묵상

예수님은 가다라 지방에서 귀신 들린 사람들을 고쳐 주신다. 많은 재산상의 손해도 아랑곳하지 않으시고 귀신을 내쫓으시며 인간의 영혼이 얼마나 고귀한가를 이 사건을 통해 보이셨다. 이처럼 사람은 돈과 비교할 수 없는 값진 존재다. 예수님은 우리를 구원하기 위해 십자가에 달려 돌아가시기까지 하셨다. 그러므로 오늘날과 같이 돈을 위해서라면 사람도 배신하는 시대에도 그리스도인은 예수님의 본을 받아 물질을 사람의 영혼을 구원하는 일에 사용해야 한다.

한편, 귀신들도 예수님을 알아보았으며, 또한 그들은 자신들의 운명이 예수님에 의해 처단될 것도 알고 있었다. 그러나 이것은 단순한 지식일 뿐 예수님을 섬기는 신앙과는 무관했음을 오늘 본문을 통해 알 수 있다. 지식에 머무르는 인생이 되어서는 안 된다. 예수님을 알았으면 그분을 구주로 섬기고 삶으로 뒤따르는 신앙으로 발전해야 한다.

무릎기도 | 주님이 우리를 위해 죽으실 정도로 인간을 사랑하신 것을 묵상합니다. 우리도 영혼 구원에 최우선의 관심을 갖고 우리가 가진 것을 기쁨으로 사용하게 하소서.

NLT - Matthew 8

28 When Jesus arrived on the other side of the lake, in the region of the Gadarenes,* two men who were possessed by demons met him. They lived in a cemetery and were so violent that no one could go through that area.

29 They began screaming at him, "Why are you interfering with us, Son of God? Have you come here to torture us before God's appointed time?"

30 There happened to be a large herd of pigs feeding in the distance.

31 So the demons begged, "If you cast us out, send us into that herd of pigs."

32 "All right, go!" Jesus commanded them. So the demons came out of the men and entered the pigs, and the whole herd plunged down the steep hillside into the lake and drowned in the water.

33 The herdsmen fled to the nearby town, telling everyone what happened to the demon-possessed men.

34 Then the entire town came out to meet Jesus, but they begged him to go away and leave them alone.

*8:28 Other manuscripts read *Gerasenes;* still others read *Gergesenes.* Compare Mark 5:1; Luke 8:26.

28 in the region of ~ ~의 가까이에, 근처에 be possessed by ~ ~에 사로잡히다 cemetery 무덤 violent 사나운 go through ~ ~을 지나가다 29 scream 소리치다 interfere with ~ ~를 방해하다 torture 괴롭히다 31 beg 간청하다 cast out 내쫓다 32 come out of ~ ~로부터 나오다 plunge 돌진하다 steep 가파른 drown 익사하다

31

월 일

중풍병자를 고치심

마태복음 9:1-8

새찬송 259장 | 통일 193장

• 먼저 묵상을 위한 기도를 드린 후, 성경 본문을 2번 이상 읽고 묵상하십시오.

본문요약 | 다시 고향으로 돌아오신 예수님은 중풍병자를 고쳐 주신다. 예수님이 먼저 그의 죄를 용서하시자 서기관들은 이를 신성모독으로 생각했다. 그러자 예수님은 그들에게 죄 용서와 치유 중 어느 것이 쉽겠느냐 물으시며 자신이 치유를 통해 죄 용서의 권세가 있음을 보이신다.

개역개정

1 예수께서 배에 오르사 건너가 본 동네에
이르시니
2 침상에 누운 중풍병자를 사람들이 데리고
오거늘 예수께서 그들의 믿음을 보시고 중
풍병자에게 이르시되 작은 자야 안심하라
네 죄 사함을 받았느니라
3 어떤 서기관들이 속으로 이르되 이 사람이
신성을 모독하도다
4 예수께서 그 생각을 아시고 이르시되 너
희가 어찌하여 마음에 악한 생각을 하느냐
5 네 죄 사함을 받았느니라 하는 말과 일어
나 걸어가라 하는 말 중에 어느 것이 쉽
겠느냐
6 그러나 인자가 세상에서 죄를 사하는 권능
이 있는 줄을 너희로 알게 하려 하노라 하
시고 중풍병자에게 말씀하시되 일어나 네
침상을 가지고 집으로 가라 하시니
7 그가 일어나 집으로 돌아가거늘
8 무리가 보고 두려워하며 이런 권능을 사람
에게 주신 하나님께 영광을 돌리니라

1. 본문에 나타난 예수님은 어떤 분이십니까?

2. 오늘 하나님께서 나에게 주신 깨달음은 무엇입니까?

3. 말씀을 어떻게 내 삶에 구체적으로 적용해야 합니까?

절별 해설

2 침상에 누운 중풍병자를 사람들이 데리고 오거늘 '중풍병'은 혈관계 질환으로, 뇌혈관이 막히거나 출혈이 있을 때 몸이 마비되는 질병을 말한다. 이 중풍병에 걸린 환자는 그 정도가 심해서 스스로 움직일 수 없었고 침상에 누인 채로 예수님께 나아왔다. 마가의 기록에 의하면 4명의 사람이 메고 왔고, 예수님이 계신 곳에 사람이 많아 지붕을 뜯어 그의 누운 상을 달아 내렸다고 되어 있다(막 2:3-4).

그들의 믿음을 보시고 병자와 그를 데리고 온 4명 모두의 믿음을 일컫는다. 구원은 자신의 믿음으로 받는 것이지만, 옆에서 돕고 협조한 사람들의 믿음도 큰 역할을 함을 알 수 있다. 복음 전도에서 기억해야 할 부분이다.

네 죄 사함을 받았느니라 예수님은 병을 고쳐 주시기 이전에 죄 사함을 먼저 선언하신다. 즉, 육신의 질병을 치료받는 것보다 더 중요한 것은 죄 사함임을 보이신 것이다. 많은 사람들이 예수님을 믿으며 자신의 외적인 환경이 개선되기를 희망한다. 그러나 진정한 신앙은 죄 사함을 받고 예수님이 주시는 참된 신앙의 길을 걸어가는 것이다. 이런 삶을 사는 사람들은 오히려 외적인 조건이 충족되지 않아도 예수님을 원망하거나 떠나지 않는다(합 3:17-18).

3-4 이 사람이 신성을 모독하도다 예수님이 죄 사함을 언급하시자 서기관들은 이를 신성모독이라고 생각한다. 죄는 하나님만 사하시기 때문이다. 그러나 구약에도 하나님의 위임을 받은 선지자가 죄를 사하는 경우가 종종 나온다(삼하 12:13). 따라서 이들의 관심이 오직 예수님을 트집 잡는 것임을 알 수 있다. 예수님이 서기관들의 생각이 악하다고 하시는 이유도 그들이 예수님을 인정하지 않고 오직 트집 잡을 구실만을 찾고 있었기 때문이다.

5 두 가지 말 중에 죄를 사한다는 말을 하는 것이 더 쉽다. 왜냐하면 죄 사함은 그 결과를 눈으로 당장 확인할 수 없지만, 일어나 걸어가라고 하는 말씀은 그 즉시 증명되어야 하기 때문이다.

본절은 일반적으로 어려운 것이 무엇이냐는 질문이다. 문맥을 설명하면, 예수님이 죄 사함을 선언하시자 서기관들이 신성모독이라고 느낀다. 왜냐하면 아무 증거도 없이 말로만 죄 사함을 하고 있기에, 하나님만 하실 수 있는 것을 인간 예수가 하나님인척 하면서 하고 있다고 보는 것이다. 그래서 신성모독이라고 느낀다. 서기관들은 예수가 인간인 주제에 신적 행사를 하고 있다고 보는 것이다. 그래서 예수님은 그들에게 더 어려운 걷게 하는 신적 능력을 보이심으로써 죄 사함의 권

쉬운성경

1 예수님께서 배를 타시고, 호수를 가로질러 고향으로 돌아오셨습니다.

2 그때, 사람들이 중풍병 환자 한 사람을 침상에 누인 채 예수님께로 데려왔습니다. 예수님께서 사람들의 믿음을 보시고 중풍병 환자에게 말씀하셨습니다. "안심하여라, 아들아! 네 죄가 용서받았다."

3 몇몇 율법학자들이 속으로 말했습니다. '이 사람이 하나님을 모독하는구나.'

4 예수님께서 그들의 생각을 아시고 말씀하셨습니다. "어찌하여 너희가 마음속으로 악한 생각을 하느냐?

5 '네 죄가 용서받았다'라고 하는 것과 '일어나 걸어라' 하고 말하는 것 중에서 어느 것이 더 쉽겠느냐?

6 그러나 인자가 땅에서 죄를 용서할 권세를 가지고 있다는 것을 너희에게 보여주기 위함이었다." 그리고 예수님께서 중풍병 환자에게 말씀하셨습니다. "일어나 네 침상을 가지고 집으로 가거라."

7 그러자 그 사람이 일어나 집으로 갔습니다.

8 사람들이 이것을 보고 두려워하며, 사람에게 이런 권세를 주신 하나님께 영광을 돌렸습니다.

세가 있는 하나님이심을 증명하신 것이다. 말로만 죄 사함을 말하고 있지 않고 진정한 하나님이심을 치유를 통해 보이시는 것이다.

6 인자가 세상에서 죄를 사하는 권능이 있는 줄을 너희로 알게 하려 하노라 예수님의 치유 활동은 단순히 병을 고치는 것을 넘어 예수님이 이 땅에서 죄를 사하시는 메시아의 사역을 감당하고 있음을 보여주는 사건이다. 그 때문에 기적은 종종 '표적'(sign-예수님이 그리스도이심을 나타내는 표지)이란 말로도 사용되었다(요 12:37).

저자의 묵상

중풍병 환자의 병을 고치시는 사건을 통해 예수님은 자신이 메시아로서 인간의 죄를 사하는 권세가 있음을 보이셨다. 이처럼 예수님의 병 고침 사역은 예수님의 메시아 되심과 긴밀하게 연결되어 있다. 즉, 기적 자체가 중요한 것이 아니라 그 치유 사건을 통해 예수님이 하나님의 아들이심을 드러낸 것이다. 그러므로 예수님을 믿는 자들에게 기적 자체는 그리 중요한 것이 아니다.

또 어떤 사람들은 초월적인 현상이 나타나는 것을 보면 그것이 진정한 종교라고 믿고 따르기도 한다. 그러나 이는 성경이 지지하는 사상이 아니다. 예수님이 오신 것은 인간의 외적 환경과 상황을 개선하기 위해서가 아니라 인간의 죄를 용서하시기 위해서다. 그러므로 세상 일이 내 마음대로 되지 않는다고 해서 주님의 능력을 의심하거나 신앙을 떠나는 것은 이방종교를 믿는 사람의 태도와 같음을 잊지 말자.

무릎 기도 영원한 죽음에 처할 수밖에 없던 죄인을 용서해 주시고 구원해 주시니 감사합니다. 그 갚을 수 없는 놀라운 은혜에 합당한 삶을 살게 하소서.

NLT - Matthew 9

1 Jesus climbed into a boat and went back across the lake to his own town.

2 Some people brought to him a paralyzed man on a mat. Seeing their faith, Jesus said to the paralyzed man, "Be encouraged, my child! Your sins are forgiven."

3 But some of the teachers of religious law said to themselves, "That's blasphemy! Does he think he's God?"

4 Jesus knew* what they were thinking, so he asked them, "Why do you have such evil thoughts in your hearts?

5 Is it easier to say 'Your sins are forgiven,' or 'Stand up and walk'?

6 So I will prove to you that the Son of Man* has the authority on earth to forgive sins." Then Jesus turned to the paralyzed man and said, "Stand up, pick up your mat, and go home!"

7 And the man jumped up and went home!

8 Fear swept through the crowd as they saw this happen. And they praised God for sending a man with such great authority.*

*9:4 Some manuscripts read *saw*.
*9:6 "Son of Man" is a title Jesus used for himself.
*9:8 Greek *for giving such authority to human beings*.

1 climb into ~ ~에 타다, 오르다 2 paralyzed 마비된 be encouraged 힘(기운)을 얻다 forgive 용서하다
3 blasphemy 신성모독 4 an evil thought 악한 생각 5 be easy to ~ ~하기가 쉽다 6 prove to ~ ~을 증명하다
authority 권세, 권능 8 sweep through ~ ~을 휩쓸고 지나가다

32

월 일

죄인을 부르러 오신 예수님

마태복음 9:9–13

새찬송 453장 | 통일 506장

• 먼저 묵상을 위한 기도를 드린 후, 성경 본문을 2번 이상 읽고 묵상하십시오.

본문요약 | 길을 가시던 예수님은 세관에 앉아 있는 마태를 보시고 자신을 따르라고 명하신다. 마태의 집에 들어가신 예수님은 세리와 죄인들과 함께 식사를 하셨다. 바리새인들은 그 일이 부당함을 지적하였으나 예수님은 죄인을 부르러 오신 자신의 사명을 분명히 말씀하신다.

개역개정

9 예수께서 그곳을 떠나 지나가시다가 마태
라 하는 사람이 세관에 앉아 있는 것을 보
시고 이르시되 나를 따르라 하시니 일어
나 따르니라
10 예수께서 마태의 집에서 [1]앉아 음식을 잡
수실 때에 많은 세리와 죄인들이 와서 예
수와 그의 제자들과 함께 [1]앉았더니
11 바리새인들이 보고 그의 제자들에게 이르
되 어찌하여 너희 선생은 세리와 죄인들과
함께 잡수시느냐
12 예수께서 들으시고 이르시되 건강한 자에
게는 의사가 쓸데없고 병든 자에게라야 쓸
데 있느니라
13 너희는 가서 ㄱ내가 긍휼을 원하고 제사를
원하지 아니하노라 하신 뜻이 무엇인지 배
우라 나는 의인을 부르러 온 것이 아니요
죄인을 부르러 왔노라 하시니라

1) 8:11 난하주를 보라 ㄱ. 호 6:6

1. 본문에 나타난 예수님은 어떤 분이십니까?

2. 오늘 하나님께서 나에게 주신 깨달음은 무엇입니까?

3. 말씀을 어떻게 내 삶에 구체적으로 적용해야 합니까?

절별 해설

9 마태라 하는 사람이 세관에 앉아 있는 것을 보시고 '마태'는 하나님의 선물이란 뜻이다. 마가와 누가는 이 사람을 '레위'라고 기록하는데(막 2:14; 눅 5:27), 레위가 본명이고 마태는 예수를 믿고 난 이후에 붙여진 이름인 것 같다. 베드로도 본명은 '들음'이란 의미의 '시몬'이나, 예수님이 '베드로'(반석)라는 이름을 붙여 주셨다. 한편, 마태의 직업은 세관의 세리였다. 당시 세리는 창녀와 더불어 유대인들이 혐오하는 계층이었다(21:31). 그들이 로마의 위임을 받아 세금을 거두는 과정에서 사욕을 채우려고 더 많은 돈을 거두어 착복했기 때문이다. 마태는 통행세를 받던 세리다. 당시 그가 근무하던 가버나움 세관은 북부 갈릴리 지방에서 들어오는 사람들이 골란 지역과 갈릴리 호수 지역으로 반입하는 물품에 관세를 부과했다.
나를 따르라 하시니 일어나 따르니라 마태는 자신의 일을 멈추고 그저 따라갔다고 기록하나, 〈누가복음〉에 의하면 자신의 모든 것을 버려두고 갔다(눅 5:28)고 되어 있다. 또한 단순한 식사를 제공한 것처럼 기록하나(10절), 누가는 이것이 큰 잔치였다고 기록한다(눅 5:29). 즉, 여기서는 마태가 자신의 행동을 겸손히 기록한 것이라고 볼 수 있다.

10 이 식사는 특히 많은 세리와 죄인들이 함께하는 식사였다. 유대사회에서 식사는 하나 됨의 표지였다. 즉, 예수님은 식사를 통해 이들과 하나 됨을 기꺼이 나타내셨다. 여기서 말하는 '죄인'은 유대인들이 보기에 도덕적으로 부족한 자들을 일컫는다.

12 건강한 자에게는 의사가 쓸데없고 병든 자에게라야 쓸데 있느니라 당시 사용되던 격언을 언급하며 교훈하신다. 예수님은 '마태'라는 한 영혼을 보셨고, 바리새인들은 한 '세리'를 보았다는 것이 가장 큰 차이다. 바리새인들은 자신의 의로움을 지키는 것에 주목했기에 죄인들을 비난하는 수준의 삶을 살았지만, 예수님은 죄인들의 영혼을 구원하시는 데 최종 목적을 두고 계셨다.

13 내가 긍휼을 원하고 제사를 원하지 아니하노라 이는 〈호세아서〉 6장 6절의 인용이다. 제사(예배)와 긍휼은 사실 모두 필요한 것이다. 그러나 진정한 긍휼과 자비가 빠진 제사는 하나님이 원치 않으신다.
죄인을 부르러 왔노라 사실 하나님 앞에서 의인은 하나도 없다(롬 3:10). 바리새인이라 할지라도 하나님 앞에서는 결코 의로울 수 없다. 그러므로 예수님은 바리새인들을 의인이라고 인정하신 것이 아니다. 그들이 스스로 의롭다고 여기는 것을 반어적으로 표현하신 것이다.

쉬운성경

9 예수님께서 그곳을 떠나 길을 가시다가, 마태라는 사람이 세관에 앉아 있는 것을 보셨습니다. 예수님께서 그에게 말씀하셨습니다. "나를 따라오너라." 그러자 마태는 일어나서 예수님을 따라갔습니다.

10 예수님께서 마태의 집에서 식사를 하실 때였습니다. 많은 세리들과 죄인들이 와서, 예수님과 제자들로 더불어 함께 식사를 하고 있었습니다.

11 바리새파 사람들이 이것을 보고 제자들에게 말했습니다. "어째서 너희 선생님은 세리들과 죄인들하고 함께 어울려 식사를 하느냐?"

12 예수님께서 이 소리를 들으시고 말씀하셨습니다. "건강한 사람은 의사가 필요 없으나, 환자들은 의사가 필요하다.

13 너희는 가서 '나는 희생 제물보다 자비를 원한다'라는 말씀이 무슨 뜻인지 배워라. 나는 의인을 부르러 온 것이 아니라, 죄인을 부르러 왔다."

저자의 묵상

18세기 영국에서 감리교는 폭발적 증가를 경험한다. 그 원인 중 하나는 요한 웨슬리, 찰스 웨슬리 형제를 통해 일어난 부흥운동 때문이었다. 부흥운동의 영향으로 교양 있는 부인들이 자신의 집을 당시 하층 계급에게 개방했고, 서로 간의 교제가 이루어졌다. 이렇게 진정한 교제와 식사가 계층을 넘어 이루어질 때 부흥은 일어났다.

예수님은 이 땅에서 세리와 죄인들과 함께 기꺼이 식사를 나누며 하나 됨을 보여주셨다. 예수님이 삶을 통해 보이신 차별 없는 사랑과 긍휼로 마태와 같은 세리와 죄인들이 회개하고 주님을 따르는 역사가 일어났다. 잘못을 지적하는 논리나 비난으로 사람은 설복되지 않는다. 당시 바리새인들의 방법은 그래서 잘못된 것이다. 그들과 하나 되고 진정으로 품어 주는 사랑과 자비가 영혼을 구원하는 참된 방편임을 기억하고, 주변의 영혼을 돌보고 구원으로 인도하는 삶을 살아가자.

무릎기도 주님이 보여주신 자비와 사랑을 본받기 원합니다. 잘못한 사람을 비방하기보다 그 영혼을 얻는 것에 최종 목적을 두는 신앙이 되게 하소서.

NLT - Matthew 9

9 As Jesus was walking along, he saw a man named Matthew sitting at his tax collector's booth. "Follow me and be my disciple," Jesus said to him. So Matthew got up and followed him.

10 Later, Matthew invited Jesus and his disciples to his home as dinner guests, along with many tax collectors and other disreputable sinners.

11 But when the Pharisees saw this, they asked his disciples, "Why does your teacher eat with such scum?*"

12 When Jesus heard this, he said, "Healthy people don't need a doctor—sick people do."

13 Then he added, "Now go and learn the meaning of this Scripture: 'I want you to show mercy, not offer sacrifices.'* For I have come to call not those who think they are righteous, but those who know they are sinners."

*9:11 Greek *with tax collectors and sinners?*
*9:13 Hos 6:6 (Greek version).

9 tax collector 세금 징수원, 세리 disciple 제자, 사도 10 along with ~ ~와 함께 disreputable 평판이 좋지 않은, 불명예스러운 sinner 죄인 11 scum 인간쓰레기 13 mercy 자비 sacrifice (희생) 제물 righteous 의로운

33

월 일

새 포도주는 새 부대에

마태복음 9:14-17

새찬송 191장 | 통일 427장

• 먼저 묵상을 위한 기도를 드린 후, 성경 본문을 2번 이상 읽고 묵상하십시오.

본문요약 | 요한의 제자들은 예수님의 제자들이 금식하지 않는 것을 보며 질문한다. 이에 예수님은 혼인잔치의 예를 들어 금식하지 않는 이유를 설명하신다. 또 생베 조각을 낡은 옷에 붙이지 않고 새 포도주를 새 가죽 부대에 넣듯이 예수님에 대해 새롭게 인식해야 함을 말씀하신다.

개역개정

14 그때에 요한의 제자들이 예수께 나아와 이르되 우리와 바리새인들은 금식하는데 어찌하여 당신의 제자들은 금식하지 아니하나이까

15 예수께서 그들에게 이르시되 혼인집 손님들이 신랑과 함께 있을 동안에 슬퍼할 수 있느냐 그러나 신랑을 빼앗길 날이 이르리니 그때에는 금식할 것이니라

16 생베 조각을 낡은 옷에 붙이는 자가 없나니 이는 기운 것이 그 옷을 당기어 해어짐이 더하게 됨이요

17 새 포도주를 낡은 가죽 부대에 넣지 아니하나니 그렇게 하면 부대가 터져 포도주도 쏟아지고 부대도 버리게 됨이라 새 포도주는 새 부대에 넣어야 둘이 다 보전되느니라

1. 본문에 나타난 예수님은 어떤 분이십니까?

2. 오늘 하나님께서 나에게 주신 깨달음은 무엇입니까?

3. 말씀을 어떻게 내 삶에 구체적으로 적용해야 합니까?

절별 해설

14 그때 '그때'는 예수님이 세리 마태의 집에서 식사하시고 죄인들을 용납하셨을 때다(9-13절).

요한의 제자들 그들은 광야에서 살며 금욕적인 생활을 한 세례 요한을 따랐기에 금욕적인 삶에 매우 익숙했을 것이다(3:1-4). 그 때문에 바리새인들처럼 금식 문제에 대해 언급한다.

우리와 바리새인들은 금식하는데 당시 율법에 엄격한 유대인들은 율법을 따라 일 년에 한 번 속죄일에 금식했으며(레 16:29), 율법 조항에는 없으나 일주일에 두 번(월, 목) 자신의 성결을 위해 금식했다. 이로 보아 본절의 예수님이 식사하신 날은 유대인들의 금식일이었던 것 같다.

15 혼인집 손님들이 신랑과 함께 있을 동안에 슬퍼할 수 있느냐 그러나 신랑을 빼앗길 날이 이르리니 그때에는 금식할 것이니라 예수님은 금식의 필요성은 인정하시지만 시기 문제에는 이견을 보이신다. 예수님은 제자들이 자신과 함께하는 시간을 기쁜 혼인잔치에 비유하신다. 당시 혼인잔치는 일주일간 계속되었고, 그 기간에는 누구도 금식하지 않았으며 슬퍼하지 않았다. 한편, 이 비유를 들어 요한의 제자들에게 대답하신 이유는 요한이 예수님을 신랑에, 자신을 신랑의 친구에 비유했기 때문이었다(요 3:29). 요한의 제자들은 이 비유를 들었을 때 스승의 말을 떠올리며 예수님의 말씀을 믿었을 것이다. '신랑을 빼앗길 날'은 예수님이 십자가를 지시고 죽임 당하시는 때를 말한다.

16 '생베 조각'은 '새 천 조각'으로도 번역되는데, 이는 세탁할 때 수축이 심한 옷감 소재다. '생베 조각'은 한 번도 세탁하지 않은 옷감을 뜻하며, 이것을 낡은 옷에 붙이면 세탁 시 생베가 낡은 옷을 잡아당기게 되어 옷이 더 못쓰게 되었다. 예수님은 이런 구체적인 예를 통해 자신이 선포하는 복음이 당시 율법에 익숙한 사람들의 삶과는 차원이 다른 새로운 삶임을 가르치신다. 율법은 죄인을 정죄하는 한계가 있으나 복음은 죄인을 구원하는 기쁜 소식이다.

17 새 포도주를 낡은 가죽 부대에 넣지 아니하나니 당시에는 포도주와 같은 액체를 짐승의 가죽으로 만든 부대에 담아 보관하였다. 그런데 가죽 부대를 오래 사용하다 보면 액체와 닿아 딱딱하게 되고 균열할 위험이 있었다. 그래서 낡은 가죽 부대에는 발효가 되지 않은 새 포도주를 담지 않았다. 발효 과정에서 부대가 찢어질 수도 있었기 때문이다. 이는 16절의 '생베 조각'과 비슷한 비유로, 예수님의 일을 당시 율법의 관점으로만 바라봐서는 안 된다는 교훈을 담고 있다. 그렇다고 예수님이 율법을 버리신 것은 아니다. 둘 다 보존되기를 바라셨다.

쉬운성경

14 그때, 요한의 제자들이 예수님께 와서 말했습니다. "우리들과 바리새파 사람들은 자주 금식을 하는데, 왜 선생님의 제자들은 전혀 금식을 하지 않습니까?"

15 예수님께서 이들에게 대답하셨습니다. "결혼식에 참석한 사람들이 신랑과 함께 있을 때, 슬퍼할 수 있느냐? 그러나 신랑을 빼앗길 날이 올 텐데, 그때는 금식할 것이다.

16 그 누구도 새 천 조각을 낡은 옷에 대고 깁지 않는다. 만일 그렇게 하면, 새 천 조각이 그 옷을 잡아당겨 더 심하게 찢어질 것이다.

17 그 누구도 새 포도주를 낡은 가죽 부대에 담지 않는다. 만일 그렇게 하면, 낡은 부대가 터져 포도주가 쏟아지고, 가죽 부대도 못 쓰게 될 것이다. 새 포도주는 새 가죽 부대에 넣어야 한다. 그래야 둘 다 보존될 수 있다."

저자의 묵상

새로운 것은 언제나 옛것에 의해 도전받기 마련이다. 예수님이 오셔서 죄인을 구원하는 복음의 기쁜 소식을 전하시고 자주 죄인들과 기쁘게 식사하시는 모습은 오늘 우리에게는 낯선 장면이 아니다. 그러나 당시 율법에 갇혀 있던 사람들에게는 파격적인 일이었을 것이다. 그럼에도 예수님은 복음이 갖는 기쁘고 복된 측면을 강조하시기 위해서 기쁘게 저들과 어울리시고 하나가 되는 식사를 나누셨다. 복음은 혼인잔치와 같은 기쁜 소식이며 이처럼 우리의 신앙생활은 늘 기쁨이 가득해야 마땅하다.

또한 우리는 새것은 언제나 도전받는다는 사실을 알아야 한다. 본문의 사건은 새로운 일은 평탄한 상황이 아니라 종종 도전 속에서 이루어짐을 보여준다. 신앙의 일도 마찬가지다. 주님 안에서의 새로운 삶은 세상의 인정이 아니라 반대 속에 이루어질 때가 많음을 기억해야 한다. 그럴 때 고난이 와도 신앙을 지킬 수 있다.

무릎 기도 | 어두운 죄의 터널 속에 있는 우리에게 주님께서 복음의 기쁜 잔치를 허락해 주시니 감사합니다. 늘 축제와 같이 기쁨이 가득한 신앙으로 살아가게 하소서.

NLT - Matthew 9

14 One day the disciples of John the Baptist came
to Jesus and asked him, "Why don't your
disciples fast* like we do and the Pharisees do?"
15 Jesus replied, "Do wedding guests mourn
while celebrating with the groom? Of course
not. But someday the groom will be taken away
from them, and then they will fast.
16 "Besides, who would patch old clothing with
new cloth? For the new patch would shrink and
rip away from the old cloth, leaving an even
bigger tear than before.
17 "And no one puts new wine into old wineskins.
For the old skins would burst from the pressure,
spilling the wine and ruining the skins. New
wine is stored in new wineskins so that both are
preserved."

*9:14 Some manuscripts read *fast often*.

14 John the Baptist 세례 요한 fast 금식하다 15 mourn 슬퍼하다 celebrate 축하하다 groom 신랑 take away from ~ ~로부터 빼앗다 16 patch 헝겊을 대고 깁다 shrink 오그라들다 rip away from ~ ~에서 떨어져 나가다 17 wineskin 가죽 부대 burst 터지다 pressure 압력 spill 엎질러지다 ruin 못쓰게 만들다 store 저장하다 preserve 보존하다

34

월 일

한 관리의 죽은 딸과 혈루증을 앓는 여자

마태복음 9:18-26

새찬송 471장 | 통일 528장

• 먼저 묵상을 위한 기도를 드린 후, 성경 본문을 2번 이상 읽고 묵상하십시오.

본문요약 | 한 관리가 예수님께 찾아와 자신의 죽은 딸을 살려 달라고 요청하자 예수님은 그를 따라가신다. 그 길에 12년을 혈루증으로 고생하던 여자가 예수님의 겉옷 가를 만지고 고침받는다. 그 관리의 집에 도착하신 예수님은 사람들의 비웃음 속에서 죽은 소녀를 살려 내신다.

개역개정

18 예수께서 이 말씀을 하실 때에 한 관리가 와서 절하며 이르되 내 딸이 방금 죽었사오나 오셔서 그 몸에 손을 얹어 주소서 그러면 살아나겠나이다 하니
19 예수께서 일어나 따라가시매 제자들도 가더니
20 열두 해 동안이나 혈루증으로 앓는 여자가 예수의 뒤로 와서 그 겉옷 가를 만지니
21 이는 제 마음에 그 겉옷만 만져도 구원을 받겠다 함이라
22 예수께서 돌이켜 그를 보시며 이르시되 딸아 안심하라 네 믿음이 너를 구원하였다 하시니 여자가 그 즉시 구원을 받으니라
23 예수께서 그 관리의 집에 가사 피리 부는 자들과 떠드는 무리를 보시고
24 이르시되 물러가라 이 소녀가 죽은 것이 아니라 잔다 하시니 그들이 비웃더라
25 무리를 내보낸 후에 예수께서 들어가사 소녀의 손을 잡으시매 일어나는지라
26 그 소문이 그 온 땅에 퍼지더라

1. 본문에 나타난 예수님은 어떤 분이십니까?

2. 오늘 하나님께서 나에게 주신 깨달음은 무엇입니까?

3. 말씀을 어떻게 내 삶에 구체적으로 적용해야 합니까?

절별 해설

18 '한 관리'라고 기록된 사람의 이름은 '야이로'이고, 죽은 사람은 12살 된 그의 외동딸이었다(눅 8:41-42). 마가와 누가는 그 관리가 예수님께 찾아왔을 때 딸이 죽어가고 있으며(막 5:23; 눅 8:42) 예수님이 가시는 도중 사망한 것으로 기록하나, 마태는 처음부터 죽은 상태로 기록한다. 아마도 마태는 자세한 과정보다는 소녀가 살아난 사실에 치중하여 기록한 것으로 보인다. 혹자는 이런 차이가 성경의 오류라고 지적하나, 오히려 결과에 영향을 주지 않는 작은 오류를 성령께서 그대로 인정하여 자연스럽게 기록하게 하심으로 성경이 인간들이 합의하여 꾸민 이야기가 아님을 드러내신다.

19 예수께서 일어나 따라가시매 제자들도 가더니 한 관리의 믿음은 당시로서는 파격적이었다. 죽은 사람을 살리는 것은 불가능한 일이었기 때문이다. 예수님은 그런 믿음을 가진 그에게 반응하셔서 그를 따라가셨다. 진정한 믿음은 예수님의 반응으로 이어진다는 사실을 알 수 있다.

20 혈루증으로 앓는 여자 '혈루증'은 부인병의 일종으로 만성적으로 하혈을 하는 질환을 가리킨다. 이 여자는 12년 동안 가산을 탕진해 가며 온갖 치료를 병행했지만 소용없었다(막 5:26). 율법에 의하면 이런 병을 가진 사람은 부정했기 때문에 다른 사람과 접촉할 수 없었다(레 15:25-27). 그래서 여자는 몰래 예수님 뒤로 와서 옷자락을 만진 것이다.

21-22 제 마음에 그 겉옷만 만져도 구원을 받겠다 함이라 여자의 믿음은 실로 놀라운 것이었다. 그것은 예수님께 속한 작은 것을 통해서도 자신의 병이 나을 것이라는 믿음이었다. 이때는 많은 사람이 예수님의 주변에서 밀치고 있었지만 예수님은 정확히 여자의 병이 나음을 아셨고 이어서 여자를 위로하셨다(막 5:30-34).

23 피리 부는 자들 당시에는 사람이 죽으면 피리 부는 사람과 애곡하는 사람을 고용하여 장례를 치루는 것이 일반적이었다.

24-25 예수님은 소녀가 잔다고 하셨고 장례업에 종사하는 사람들은 자신들의 풍부한 경험을 토대로 예수님의 말씀을 비웃었다. 성경은 여러 곳에서 죽음을 '잠'으로 기록한다(요 11:11; 살전 4:13). 즉, 죽음이 끝이 아니라 잠에서 깨어나듯이 영원한 세계로 향하는 과정임을 강조한 표현이다. 예수님은 불신앙을 가진 사람들을 내보내신 후 소녀를 살려 주셨다. 불신앙은 주님의 기적과 능력의 현장을 체험할 기회를 잃게 한다.

쉬운성경

18 예수님께서 이 말씀을 하시는 동안, 회당장이 와서 예수님께 절하고 말했습니다. "제 딸이 조금 전에 죽었습니다. 오셔서 손을 얹어 주십시오. 그러면 다시 살아날 것입니다."

19 예수님께서 일어나 회당장을 따라 가셨습니다. 제자들도 같이 갔습니다.

20 가는 길에, 십이 년 동안, 혈루증을 앓아 온 한 여자가 예수님의 뒤로 와서 옷깃을 만졌습니다.

21 그녀는 속으로 '예수님의 옷을 만지기만 해도 내가 나을 거야!'라고 생각했던 것입니다.

22 예수님께서 뒤돌아서서 그 여자를 보고 말씀하셨습니다. "안심하여라, 딸아! 네 믿음이 너를 구원하였다." 그 즉시, 그 여자의 병이 나았습니다.

23 예수님께서 회당장의 집에 도착했을 때였습니다. 예수님은 피리를 부는 사람들과 떠드는 사람들을 보셨습니다.

24 예수님께서 말씀하셨습니다. "물러나라. 소녀는 죽은 것이 아니라 자고 있는 것이다." 그러자 사람들이 예수님을 비웃었습니다.

25 사람들을 밖으로 내보낸 뒤, 예수님께서 들어가셔서 소녀의 손을 잡았습니다. 그러자 소녀가 일어났습니다.

26 이 소식은 온 동네 사방으로 퍼져 나갔습니다.

저자의 묵상

본문은 두 가지 사건을 함께 기록한다. 그것은 예수님의 능력이 우연이 아님을 분명히 드러내기 위해서다. 예수님은 두 경우 모두 사람들의 믿음에 반응하셨다. 그것은 죽은 딸을 살릴 수 있다는 한 관리의 믿음과 오랫동안 낫지 않았던 병이지만 예수님의 옷자락만 만져도 나을 것이라고 믿는 여자에 대한 반응이었다. 이처럼 예수님은 진정한 믿음에 반응하신다.

반면에 예수님의 능력을 믿지 못하는 자들은 예수님이 능력을 보이시는 현장에 참여하지 못하고 쫓겨난다(25절). 이처럼 불신앙은 스스로를 불행하게 만들 뿐만 아니라, 주님의 크신 능력에 참여하지 못하는 불행을 가져온다. 혈루증을 앓다가 고침을 받은 여자처럼 주님 안에서는 우리가 실낱같은 희망과 믿음을 가져도 그것이 능력이 되고 현실이 된다는 확신을 가져야 한다.

무릎기도 불신앙의 유혹을 떨치고 아무리 팍팍한 환경에서도 주님을 향한 소망을 잃지 않게 하소서. 주님의 능력을 반드시 체험하는 인생이 되길 원합니다.

NLT - Matthew 9

18 As Jesus was saying this, the leader of a
synagogue came and knelt before him. "My
daughter has just died," he said, "but you can
bring her back to life again if you just come and
lay your hand on her."
19 So Jesus and his disciples got up and went with
him.
20 Just then a woman who had suffered for twelve
years with constant bleeding came up behind
him. She touched the fringe of his robe,
21 for she thought, "If I can just touch his robe, I
will be healed."
22 Jesus turned around, and when he saw her he
said, "Daughter, be encouraged! Your faith has
made you well." And the woman was healed at
that moment.
23 When Jesus arrived at the official's home, he
saw the noisy crowd and heard the funeral
music.
24 "Get out!" he told them. "The girl isn't dead;
she's only asleep." But the crowd laughed at
him.
25 After the crowd was put outside, however, Jesus
went in and took the girl by the hand, and she
stood up!
26 The report of this miracle swept through the
entire countryside.

18 synagogue 회당 bring ~ back to life ~를 소생시키다 lay one's hand on~ ~에 손을 얹다 20 constant 끊임없는 bleeding 출혈 come up 다가오다 fringe (옷의) 술, 가장자리 21 heal 치료되다, 낫다 22 turn around 돌아서다 be encouraged 기운을 얻다 at that moment 그때, 그 순간 23 noisy 시끄러운 funeral 장례의 24 laugh at ~ ~를 비웃다 26 sweep through~ ~에 급속히 퍼지다

35 두 맹인과 귀신 들려 말 못하는 사람

월 일

마태복음 9:27-34

새찬송 542장 | 통일 340장

• 먼저 묵상을 위한 기도를 드린 후, 성경 본문을 2번 이상 읽고 묵상하십시오.

본문요약 | 두 맹인이 예수님을 향하여 다윗의 자손이라 외치며 치유를 구한다. 예수님은 그들의 믿음을 확인하시고 믿음대로 고쳐 주시며 이를 소문내지 말라고 하신다. 또 사람들이 귀신 들려 말 못하는 사람을 데려왔고, 그를 고치신 예수님을 바리새인들은 모함했다.

개역개정

27 예수께서 거기에서 떠나가실새 두 맹인이
따라오며 소리 질러 이르되 다윗의 자손이
여 우리를 불쌍히 여기소서 하더니
28 예수께서 집에 들어가시매 맹인들이 그에
게 나아오거늘 예수께서 이르시되 내가 능
히 이 일 할 줄을 믿느냐 대답하되 주여 그
러하오이다 하니
29 이에 예수께서 그들의 눈을 만지시며 이르
시되 너희 믿음대로 되라 하시니
30 그 눈들이 밝아진지라 예수께서 엄히 경
고하시되 삼가 아무에게도 알리지 말라
하셨으나
31 그들이 나가서 예수의 소문을 그 온 땅에
퍼뜨리니라
32 그들이 나갈 때에 귀신 들려 말 못하는 사
람을 예수께 데려오니
33 귀신이 쫓겨나고 말 못하는 사람이 말하
거늘 무리가 놀랍게 여겨 이르되 이스라
엘 가운데서 이런 일을 본 적이 없다 하되
34 바리새인들은 이르되 그가 귀신의 왕을 의
지하여 귀신을 쫓아낸다 하더라

1. 본문에 나타난 예수님은 어떤 분이십니까?

2. 오늘 하나님께서 나에게 주신 깨달음은 무엇입니까?

3. 말씀을 어떻게 내 삶에 구체적으로 적용해야 합니까?

절별 해설

27 다윗의 자손이여 본서에 기록된 예수님의 치유 사건에서 처음으로 등장하는 표현이다. 당시 '다윗의 자손'이라는 표현은 구약에 예언된 다윗의 왕권을 이어받는 메시아를 일컫는 것으로(사 11:1-5), 두 맹인은 예수님을 바로 그 메시아로 고백하고 있다. 그들은 메시아가 오시면 보지 못하는 자를 보게 하신다는 예언을 토대로 예수님께 치유를 요청하고 있었다(사 35:5; 42:7). 말씀에 대한 올바른 이해로부터 바른 믿음과 행동이 나타나는 것을 볼 수 있다.

28 내가 능히 이 일 할 줄을 믿느냐 예수님은 두 맹인의 고쳐 달라는 요청에 아무 응답 없이 집으로 들어가셨고, 그들은 따라 들어왔다. 이는 예수님이 그들의 믿음을 모르셔서가 아니라 간절함을 통해 믿음을 더 증가시키려는 의도로 행하신 일이다. 예수님은 사람의 마음을 아시는 분이다. 그 때문에 본 절의 질문도 그들의 믿음을 더욱 분명히 드러내시려는 의도로 파악된다.

29 너희 믿음대로 되라 하시니 능력은 예수님이 행하시지만 사람들의 믿음에 따라 이루어 주시는 주님이다. 믿음은 주님의 능력이 이루어지는 통로이자, 그 분량에 따라 이루어진다는 것을 알 수 있다.

30 삼가 아무에게도 알리지 말라 예수님은 종종 병자를 고쳐 주시면서 소문을 내지 말라고 당부하셨다(8:4). 이는 사람들이 예수님을 단순히 기적을 일으키는 사람으로 생각하는 것을 막기 위한 방책이었다.

32 귀신 들려 말 못하는 사람 마태가 본문에서 보여주는 예수님의 기적의 특징은 두 사람을 동시에 치료하신 것과 함께, 복합적인 증상을 가진 사람을 고치셨다는 것이다. 이를 통해 주님이 인생의 여러 가지 문제를 총괄적으로 치유하는 분이심을 드러내고 있다.

34 바리새인들의 모습을 통해서 눈앞에서 벌어지는 기적을 보면서도 예수님을 믿지 않고 다른 핑곗거리를 만들어 내는 인간의 모습을 본다. 이를 통해 단순히 기적 사건이 진정한 믿음을 만들어 내는 것은 아님을 알 수 있다.

쉬운성경

27 예수님께서 거기를 떠나가실 때, 보지 못하는 두 사람이 예수님을 따라오면서 소리 질렀습니다. "다윗의 자손이여, 우리를 불쌍히 여겨 주소서."

28 예수님께서 집 안으로 들어가시자, 보지 못하는 사람들이 예수님께 나아왔습니다. 예수님께서 그들에게 물으셨습니다. "내가 너희를 보게 할 수 있다고 믿느냐?" 그들이 대답했습니다. "그렇습니다, 주님."

29 예수님께서 그들의 눈을 만지시며 말씀하셨습니다. "너희의 믿음대로 너희에게 이루어져라."

30 그러자 그들의 눈이 뜨였습니다. 예수님께서 그들에게 매우 엄중히 이르셨습니다. "이 일을 아무에게도 알리지 마라."

31 그러나 두 사람은 나가서 예수님에 대한 소문을 사방에 퍼뜨렸습니다.

32 그들이 떠나갔을 때, 사람들이 귀신 들려 말하지 못하는 사람을 데리고 예수님께 왔습니다.

33 예수님께서 귀신을 내쫓자, 말 못했던 사람이 말을 하게 되었습니다. 사람들은 놀라서 말했습니다. "이스라엘에서 이와 같은 일이 일어난 적이 없었다."

34 그러나 바리새파 사람들은 말했습니다. "그는 우두머리 귀신의 힘으로 귀신을 내쫓는 것이다."

저자의 묵상

마태는 본문에서 두 맹인의 필요를 동시에 채우시는 예수님의 모습과 함께 복합적인 증상을 가진 사람을 고치시는 예수님의 능력을 드러내고 있다. 이는 예수님의 치유가 한 사람, 그리고 한 가지 증상에만 머무르지 않고 인간의 상처와 고난과 아픔 등, 모든 필요를 채우시는 능하신 예수님을 표현하기 위해 예수님이 베푸신 수많은 병 고침 기적 가운데 마태가 선택적으로 기록한 것이다.

주님은 인간의 모든 문제를 총괄적으로 해결하시는 분이다. 그분의 능력에는 한계가 없다. 다만 우리의 믿음이 작아 주님의 능력을 제한할 때가 많을 뿐이다. 주님은 언제나 우리의 믿음을 보신다. 그것이 우리가 믿음의 분량을 크게 갖도록 힘써야 하는 이유다. 그러나 간과해서는 안 될 것은 주님을 단순히 내 문제를 해결하는 분으로 여겨서는 안 된다는 것이다. 내 인생의 주인이요 전부로 섬기는 것이 문제를 해결하는 것보다 훨씬 더 중요하다.

무릎기도 제 믿음의 분량이 날마다 자라기를 기도합니다. 부족한 종의 눈을 여셔서 주의 법의 기이한 것을 깨닫게 하시고 주님에 대해 더 깊은 신앙을 갖게 하소서.

NLT - Matthew 9

27 After Jesus left the girl's home, two blind men followed along behind him, shouting, "Son of David, have mercy on us!"

28 They went right into the house where he was staying, and Jesus asked them, "Do you believe I can make you see?" "Yes, Lord," they told him, "we do."

29 Then he touched their eyes and said, "Because of your faith, it will happen."

30 Then their eyes were opened, and they could see! Jesus sternly warned them, "Don't tell anyone about this."

31 But instead, they went out and spread his fame all over the region.

32 When they left, a demon-possessed man who couldn't speak was brought to Jesus.

33 So Jesus cast out the demon, and then the man began to speak. The crowds were amazed. "Nothing like this has ever happened in Israel!" they exclaimed.

34 But the Pharisees said, "He can cast out demons because he is empowered by the prince of demons."

27 blind 눈 먼 have mercy on ~ ~에게 자비를 베풀다 30 sternly 엄하게 warn 경고하다 31 spread … over ~ ~에 …가 퍼지다 fame 명성 32 demon-possessd man 귀신 들린 자 33 cast out ~ ~를 내쫓다 exclaim 외치다 34 empower 능력을 주다

36

월 일

추수할 일꾼들

마태복음 9:35-10:4

새찬송 495장 | 통일 271장

• 먼저 묵상을 위한 기도를 드린 후, 성경 본문을 2번 이상 읽고 묵상하십시오.

본문요약 | 예수님은 유대 땅을 두루 다니시며 백성을 가르치시고 그들의 질병을 치료하신다. 또 사람들을 불쌍히 여기시며 제자들에게 추수할 일꾼을 보내달라고 청하라고 하신다. 열두 제자에게는 복음 전파를 위해 귀신을 쫓고 병 고치는 권능도 주신다.

개역개정

35 예수께서 모든 도시와 마을에 두루 다니사 그들의 회당에서 가르치시며 [1]천국 복음을 전파하시며 모든 병과 모든 약한 것을 고치시니라

36 무리를 보시고 불쌍히 여기시니 이는 그들이 목자 없는 양과 같이 고생하며 기진함이라

37 이에 제자들에게 이르시되 추수할 것은 많되 일꾼이 적으니

38 그러므로 추수하는 주인에게 청하여 추수할 일꾼들을 보내주소서 하라 하시니라

1 예수께서 그의 열두 제자를 부르사 더러운 귀신을 쫓아내며 모든 병과 모든 약한 것을 고치는 권능을 주시니라

2 열두 사도의 이름은 이러하니 베드로라 하는 시몬을 비롯하여 그의 형제 안드레와 세베대의 아들 야고보와 그의 형제 요한,

3 빌립과 바돌로매, 도마와 세리 마태, 알패오의 아들 야고보와 다대오,

4 [2]가나나인 시몬 및 가룟 유다 곧 예수를 판 자라

1) 헬, 그 나라의 복음을
2) 아람어에서 온 말로 열심당원이란 뜻이다.

1. 본문에 나타난 예수님은 어떤 분이십니까?

2. 오늘 하나님께서 나에게 주신 깨달음은 무엇입니까?

3. 말씀을 어떻게 내 삶에 구체적으로 적용해야 합니까?

35 예수께서 모든 도시와 마을에 두루 다니사 예수님은 갈릴리 지역의 도시와 마을을 다니시며 회당에서 가르치셨다. 한 곳에 머무르지 않고 가급적 많은 곳을 다니시며 하나님 나라의 기쁜 소식을 전하셨다. 그만큼 백성에게 복음을 전하는 것이 시급한 일이었기 때문이다. 이를 통해 사람이 천국 복음을 듣는 일보다 시급한 일이 없음을 보여주셨다. 또한 예수님은 병자들의 약함을 고치심으로 그들의 육체적 필요도 채우셨다. 교회가 할 두 가지 핵심적인 일을 몸소 보여주셨다.

36 무리를 보시고 불쌍히 여기시니 '불쌍히 여기다'의 원문 의미는 '창자가 꿈틀거렸다'는 뜻이다. 당시 사람들은 창자를 감정의 좌소로 생각하고 매우 큰 감정적 동요를 이처럼 신체적으로 표현했다. 예수님이 크게 동요하신 이유는 진정한 영적 지도자가 없어 백성이 고통을 당하고 있었기 때문이다.

37 추수할 것은 많되 일꾼이 적으니 '추수할 것'은 사람들을 구원하며 복음으로 인도하는 일을, '일꾼'은 그 일을 감당할 사람을 말한다. 즉, 감당해야 할 하나님의 일에 비해 언제나 일꾼이 적다는 것을 알 수 있다.

38 추수하는 주인에게 청하여 추수할 일꾼들을 보내주소서 하라 예수님은 제자들에게 사람들을 모으라고 하시지 않았다. 하나님께 청하여 일꾼을 보내달라고 요청하라고 주문하셨다. 하나님의 일은 하나님이 하신다. 그 일을 위한 일꾼도 하나님이 은혜를 주시고 감동을 주셔서 세운 인물들이 사용되는 것이지 인간의 힘과 노력으로 되는 일이 아님을 알 수 있다.

1 열두 제자 예수님이 세우신 열두 명의 제자는 그냥 세워진 것이 아니다. 이스라엘 열두 지파를 대표하여 열두 사도를 뽑으신 것이며, 그들에 의해 열두 지파로 상징되는 교회가 세워진다(19:28; 눅 22:28-30).
권능을 주시니라 다른 복음서에 보면 예수님이 제자들을 부르시기 전에 밤을 새워 기도하신 것을 볼 수 있다(눅 6:12). 그만큼 중요한 일이었기 때문이다. 또한 예수님은 제자들을 부르셨을 뿐만 아니라 능력을 주셨다. 예수님의 능력을 힘입지 않고는 제자의 일을 감당할 수 없기 때문이다.

2-4 열두 제자의 이름이 나온다. 이들은 대부분 갈릴리 출신의 평범한 사람들이었다. 예수님은 능력의 근원이 이들에게 있지 않음을 보이신다. 인간적인 조건은 주님의 일을 하는 데 필수조건이 아니다.

쉬운성경

35 예수님께서 모든 성읍과 마을을 두루 다니셨습니다. 예수님께서는 유대인의 회당에서 가르치기도 하셨고, 하나님 나라에 대한 기쁜 소식을 전하기도 하셨습니다. 그리고 온갖 질병과 고통을 치료해 주셨습니다.

36 예수님께서는 사람들을 불쌍히 여기셨습니다. 그것은 사람들이 마치 목자 없는 양처럼 내팽개쳐져 고통을 당하고 있었기 때문입니다.

37 예수님께서 제자들에게 말씀하셨습니다. "추수할 것은 넘쳐나는데, 일꾼이 적구나.

38 그러므로 추수할 밭의 주인에게 간청하여 일꾼들을 추수할 밭으로 보내 달라고 하여라."

1 예수님께서 열두 명의 제자를 부르셨습니다. 그리고 제자들에게 더러운 영을 쫓고, 모든 병과 허약함을 치료하는 권능을 주셨습니다.

2 열두 제자의 이름은 이렇습니다. 베드로라고도 불리는 시몬과 그의 동생 안드레, 세베대의 아들 야고보와 그의 동생 요한,

3 빌립과 바돌로매, 도마와 세리 출신인 마태, 알패오의 아들 야고보, 다대오,

4 열심당원 시몬과 가룟 출신 유다입니다. 유다는 예수님을 배반한 사람입니다.

저자의 묵상

예수님은 백성이 목자 없는 양같이 버려진 것을 보고 가슴 아파하신다. 이에 제자들에게 하나님께 추수할 일꾼들을 보내달라고 요청하라고 명하신다. 아무리 해야 할 하나님의 일이 많을지라도 인간의 열심이나 능력이 그 일을 이루는 것이 아니다. 하나님이 세우신 사람들을 통하여 그 일이 이루어진다. 그 때문에 우리는 하나님의 일에 뛰어들기에 앞서 언제나 먼저 그분께 기도하며 능력 주시기를 간구해야 한다.

예수님은 제자들을 세우고 그들에게 능력을 주셨다. 그럼으로써 주님의 능력이 없으면 하나님의 일을 감당할 수 없음을 보이신 것이다. 아무리 잘난 사람이라도 하나님의 능력이 없으면 그분의 일을 감당할 수 없다. 또한 아무리 못난 사람이라도 주님의 능력을 힘입으면 못할 일이 없다. 그것이 평범한 갈릴리 제자들이 위대한 주님의 사역을 감당한 비결이다.

무릎 기도 저를 주님의 제자로 세워 주시고 능력을 허락하여 주소서. 제 힘과 능력으로는 아무것도 선한 것을 이룰 수 없음을 깨닫게 하시고 주님만 바라보게 하소서.

NLT - Matthew 9-10

35 Jesus traveled through all the towns and villages of that area, teaching in the synagogues and announcing the Good News about the Kingdom. And he healed every kind of disease and illness.

36 When he saw the crowds, he had compassion on them because they were confused and helpless, like sheep without a shepherd.

37 He said to his disciples, "The harvest is great, but the workers are few.

38 So pray to the Lord who is in charge of the harvest; ask him to send more workers into his fields."

1 Jesus called his twelve disciples together and gave them authority to cast out evil* spirits and to heal every kind of disease and illness.

2 Here are the names of the twelve apostles: first, Simon (also called Peter), then Andrew (Peter's brother), James (son of Zebedee), John (James's brother),

3 Philip, Bartholomew, Thomas, Matthew (the tax collector), James (son of Alphaeus), Thaddaeus,*

4 Simon (the zealot*), Judas Iscariot (who later betrayed him).

*10:1 Greek *unclean*.
*10:3 Other manuscripts read *Lebbaeus;* still others read *Lebbaeus who is called Thaddaeus.*
*10:4 Greek *the Cananean,* an Aramaic term for Jewish nationalists.

35 travel through 두루 여행하다 synagogue 회당 announce 선포하다 every kind of ~ 모든 종류의 ~ 36 have compassion on ~ ~을 측은히 여기다 confuse 혼동하다, 어리둥절하게 하다 shepherd 목자 37 disciple 제자, 사도 harvest 수확물 38 be in charge of ~ ~을 맡다, 담당하다, 책임지다 1 authority 권위 cast out ~ ~를 내쫓다 2 apostle 사도 3 tax collector 세리, 세금 징수원 4 zealot 열심당원, 광신자 betray 배반하다

37

월 일

열두 제자를 파송하시는 예수님

마태복음 10:5-15

새찬송 213장 | 통일 348장

• 먼저 묵상을 위한 기도를 드린 후, 성경 본문을 2번 이상 읽고 묵상하십시오.

본문요약 | 예수님은 이스라엘의 잃은 양을 찾기 위해 열두 제자를 보내신다. 제자들은 천국이 가까이 왔음을 선포하고 치유를 행하였다. 이때 제자들은 금전적 이익을 삼가고 여행을 위한 지나친 준비를 피해야 했다. 또 예수님은 머물 집을 정해 끝까지 묵으며 평안을 빌고, 복음을 거절하는 사람에겐 발의 먼지를 떨어 버리라고 하신다.

개역개정

5 예수께서 이 열둘을 내보내시며 명하여 이
르시되 이방인의 길로도 가지 말고 사마리
아인의 고을에도 들어가지 말고
6 오히려 이스라엘 집의 잃어버린 양에게
로 가라
7 가면서 전파하여 말하되 천국이 가까이 왔
다 하고
8 병든 자를 고치며 죽은 자를 살리며 나병
환자를 깨끗하게 하며 귀신을 쫓아내되 너
희가 거저 받았으니 거저 주라
9 너희 전대에 금이나 은이나 동을 가지지
말고
10 여행을 위하여 배낭이나 두 벌 옷이나 신
이나 지팡이를 가지지 말라 이는 일꾼이
자기의 먹을 것 받는 것이 마땅함이라
11 어떤 성이나 마을에 들어가든지 그중에 합
당한 자를 찾아내어 너희가 떠나기까지 거
기서 머물라
12 또 그 집에 들어가면서 평안하기를 빌라
13 그 집이 이에 합당하면 너희 빈 평안이 거
기 임할 것이요 만일 합당하지 아니하면
그 평안이 너희에게 돌아올 것이니라
14 누구든지 너희를 영접하지도 아니하고 너
희 말을 듣지도 아니하거든 그 집이나 성
에서 나가 너희 발의 먼지를 떨어 버리라
15 내가 진실로 너희에게 이르노니 심판 날
에 소돔과 고모라 땅이 그 성보다 견디기
쉬우리라

1. 본문에 나타난 예수님은 어떤 분이십니까?

2. 오늘 하나님께서 나에게 주신 깨달음은 무엇입니까?

3. 말씀을 어떻게 내 삶에 구체적으로 적용해야 합니까?

절별 해설

5-6 이방인의 길로도 가지 말고 사마리아인의 고을에도 들어가지 말고 오히려 이스라엘 집의 잃어버린 양에게로 가라 예수님은 제자들을 파송하시며 전도 대상자를 정해 주신다. 이를 통해 제자는 머물러 있는 사람이 아니라 보내지는 사람임을 알 수 있다. 특별히 유대인들에게 집중하라는 말씀은 그들이 복음을 들어야 할 우선 대상이기 때문이다. 이후에 자연스럽게 이방인과 사마리아인에게도 복음이 확대된다(행 1:8). 사마리아 사람은 북이스라엘과 앗수르 사이에 생겨난 혼혈 민족으로, 유대인들은 이들을 이방인과 동일하게 취급하였다.

7 천국이 가까이 왔다 '천국'의 핵심은 하나님 통치의 실현이다. 예수 그리스도를 통하여 그분의 통치가 이 땅에 구체적으로 나타나기 시작하였고, 십자가를 통하여 그 정점인 구원이 이루어졌으며, 장차 예수님의 재림을 통하여 완성될 것이다. 지금 이 땅에서도 그 능력은 완전하지 않지만 맛볼 수 있다고 성경은 기록한다(히 6:5).

8 예수님은 제자들에게 각종 치유를 행하고 죽은 자를 살리라고 명하신다. 이런 기적들은 주님의 통치가 이 땅에서 실현되고 있다는 증거로 나타난다. 그러나 능력은 예수님이 주신 것이기 때문에(1절), 제자들은 이것을 통해 어떤 경제적 이익을 얻어서는 안 되며 받은 대로 거저 나누어야 했다.

9-10 전대의 돈을 갖지 말라고 하신 이유는 하나님이 채우실 것이기 때문에 복음을 전하는 본질적인 일 외에 부차적인 삶을 너무 걱정하지 말라는 의미다(6:33). 여분의 여행 물품도 챙기지 말라는 말씀은 하나님과 복음을 듣는 사람들에 의해서 채워질 것을 기대하라는 것이다. 한편, 〈마가복음〉에는 지팡이와 신발은 가지라는 말씀이 나오는데(막 6:8-9), 처음 출발할 때는 하나를 가지라는 말씀이며, 본문에서 가지지 말라는 것은 '여분의 것'을 더 가지지 말라는 말씀이다.

11-13 도착한 지역에서 복음을 받아들이는 사람의 집에 머물되 떠날 때까지 머물라는 말씀은 이곳저곳 옮겨 다니며 대접을 받지 말라는 말씀이다. 사람들에게 오해를 살 수 있기 때문이다. 또 거처를 옮기면 전 집주인의 마음이 불편해질 수 있기 때문이다. 평안을 비는 것은 유대인의 인사법이지만, 여기서는 그것을 넘어 예수님의 제자들을 영접하는 자들에게 예수님을 모신 것과 같은 복이 주어질 것을 암시한다(18:5).

14 그 집이나 성에서 나가 너희 발의 먼지를 떨어 버리라 당시 유대인들은 이방 지역을 지나오면 발의 먼지를 떨어 그들과 상종치 않음을 나타냈다. 마찬가지로 복음을 거절하는 자들에게는 이런 행동을 통해 심판의 분명한 메시지를 전달하라는 의미다.

쉬운성경

5 예수님께서 열두 제자를 보내시며 이렇게 지시하셨습니다. "이방 사람의 길로 가지 말고, 사마리아 성에도 들어가지 마라.

6 너희는 이스라엘 집의 잃은 양에게로 가거라.

7 가면서 이렇게 전하여라. '하늘나라가 가까이 왔다.'

8 환자들을 고쳐 주고, 죽은 사람을 일으켜 세워라. 문둥병 환자를 깨끗하게 하고, 귀신을 내쫓아라. 너희가 거저 받았으니, 거저 주어라.

9 금이나, 은이나, 동전을 네 허리의 돈주머니에 넣어 두지 마라.

10 여행용 가방도 가지지 말고, 옷 두 벌이나, 신발이나, 지팡이도 가지지 마라. 일꾼은 자기 생활비를 받는 것이 당연하다.

11 어느 도시나 마을에 들어가든지 거기서 마땅한 사람을 찾아 떠날 때까지 그곳에 머물러라.

12 그 집에 들어가면서 평안을 빌며 인사하여라.

13 만일 그 집이 평안을 받을 만하면 너희가 빌어 준 평안이 거기에 머물게 하고, 평안을 받을 만하지 않다면 다시 그 평안이 너희에게 돌아갈 것이다.

14 누구든지 너희를 맞아들이기를 거절하거나 너희 말을 귀 기울여 듣지 않으면, 그 집이나 도시를 떠날 때, 네 발의 먼지를 털어 버려라.

15 내가 너희에게 진정으로 말한다. 심판의 날에 그 마을이 소돔과 고모라보다 더 많은 심판을 받을 것이다."

저자의 묵상

예수님은 제자들에게 전해야 할 말씀과 그것을 감당하는 데 필요한 능력을 모두 주신 후에 유대 고을로 보내신다. 이처럼 하나님의 일을 사명으로 받은 자는 그 일을 감당할 능력도 주님께로부터 올 것을 당연히 기대해야 한다. 또한 주님을 위해 행한 일은 주님이 주신 능력으로 한 것이므로 절대로 자신이 영광을 취하거나 경제적인 이익을 가져서도 안 된다.

오늘날 이단들 중에는 병자를 고쳐 주고 금전적인 이익을 취하는 경우가 종종 있다. 이것은 그들이 주님의 참 제자가 아님을 보여주는 확실한 증거다. 주님은 제자들이 지나친 돈을 준비하거나 여행 물품을 준비하는 것도 삼가하게 하셨다. 하나님의 일을 할 때 하나님이 채우시는 은혜를 경험하는 것은 성도의 특권이다. 지나친 준비는 이를 방해함을 깨닫고 우리와 함께하시고 채우실 주님을 기대하자.

무릎 기도 주님의 복음을 전하며 성도로서의 사명을 감당하게 하소서. 그럴 때 주님이 나머지 것들을 책임져 주시는 고귀한 체험을 하기 원합니다.

NLT - Matthew 10

5 Jesus sent out the twelve apostles with these instructions: "Don't go to the Gentiles or the Samaritans,
6 but only to the people of Israel—God's lost sheep.
7 Go and announce to them that the Kingdom of Heaven is near.*
8 Heal the sick, raise the dead, cure those with leprosy, and cast out demons. Give as freely as you have received!
9 "Don't take any money in your money belts—no gold, silver, or even copper coins.
10 Don't carry a traveler's bag with a change of clothes and sandals or even a walking stick. Don't hesitate to accept hospitality, because those who work deserve to be fed.
11 "Whenever you enter a city or village, search for a worthy person and stay in his home until you leave town.
12 When you enter the home, give it your blessing.
13 If it turns out to be a worthy home, let your blessing stand; if it is not, take back the blessing.
14 If any household or town refuses to welcome you or listen to your message, shake its dust from your feet as you leave.
15 I tell you the truth, the wicked cities of Sodom and Gomorrah will be better off than such a town on the judgment day.

*10:7 Or *has come*, or *is coming soon*.

5 Gentile 이방인 7 announce 선포하다, 전파하다 8 cure 고치다 leprosy 나병, 문둥병 freely 공짜로 9 copper coin 동전 10 hesitate 망설이다 hospitality 환대, 후대 deserve ~할 만하다 11 worthy 합당한 13 turn out to ~ ~임이 판명되다 14 shake … from ~ ~에서 …를 털어 없애다 15 be better off 형편이 더 좋다

38

월 일

박해받는 제자의 삶

마태복음 10:16-23

새찬송 314장 | 통일 511장

• 먼저 묵상을 위한 기도를 드린 후, 성경 본문을 2번 이상 읽고 묵상하십시오.

본문요약 | 예수님은 제자들에게 뱀처럼 지혜롭고 비둘기처럼 순결할 것을 말씀하시고, 복음을 전할 때 박해를 겪을 것이라고 예고하신다. 그러나 제자들이 박해를 받을 때에 할 말을 성령께서 가르쳐 주실 것이다. 또한 가까운 사람의 배신이 있을 것이나 견뎌 내야 하며, 사명 완수를 위해 때로는 피신할 것을 말씀하신다.

개역개정

16 보라 내가 너희를 보냄이 양을 이리 가운데로 보냄과 같도다 그러므로 너희는 뱀같이 지혜롭고 비둘기같이 순결하라
17 사람들을 삼가라 그들이 너희를 공회에 넘겨주겠고 그들의 회당에서 채찍질하리라
18 또 너희가 나로 말미암아 총독들과 임금들 앞에 끌려가리니 이는 그들과 이방인들에게 증거가 되게 하려 하심이라
19 너희를 넘겨줄 때에 어떻게 또는 무엇을 말할까 염려하지 말라 그때에 너희에게 할 말을 주시리니
20 말하는 이는 너희가 아니라 너희 속에서 말씀하시는 이 곧 너희 아버지의 성령이시니라
21 장차 형제가 형제를, 아버지가 자식을 죽는 데에 내주며 자식들이 부모를 대적하여 죽게 하리라
22 또 너희가 내 이름으로 말미암아 모든 사람에게 미움을 받을 것이나 끝까지 견디는 자는 구원을 얻으리라
23 이 동네에서 너희를 박해하거든 저 동네로 피하라 내가 진실로 너희에게 이르노니 이스라엘의 모든 동네를 다 다니지 못하여서 인자가 오리라

1. 본문에 나타난 예수님은 어떤 분이십니까?

2. 오늘 하나님께서 나에게 주신 깨달음은 무엇입니까?

3. 말씀을 어떻게 내 삶에 구체적으로 적용해야 합니까?

절별 해설

16 내가 너희를 보냄이 양을 이리 가운데로 보냄과 같도다 늑대 무리 속에 양이 들어가는 것처럼 예수님은 복음 전도자가 세상에서 어려움을 당할 것이기 때문에 뱀과 비둘기처럼 처신하라고 말씀하신다. 뱀의 특징은 '교활함'이다. 복음 전도자가 교활해야 한다는 의미는 아니지만, 그 정도로 지혜롭고 신중하게 처신할 필요를 가르치신 것이다. 동시에 비둘기처럼 순수하고 깨끗해야 한다. 지혜로움이 순수함을 잃으면 타락하고, 순수함이 지혜로움을 잃으면 남에게 이용당하기 쉽기 때문이다.

17 사람들을 삼가라 '사람'은 복음을 증거할 대상인 동시에 조심할 대상이다. 제자들을 박해하는 것은 환경이 아니라 사람이기 때문이다. 종교적 집단(17절)과 정치적 집단(18절)에 의해서 박해가 있을 것이란 이 예언은 이후 기독교 역사 속에서 그대로 이루어졌다.

19-20 그때에 너희에게 할 말을 주시리니 예수님은 제자들이 박해를 받을 때에 성령께서 그들의 언어 사용까지도 도울 것이라고 말씀하신다. 그러니 걱정하지 말라는 것이다. 전도자가 세상에서 어려움을 당하나 하나님이 그것을 다 아시고 매우 구체적으로 도울 것을 약속하신다.

21 복음 때문에 가장 가까운 가족 간에도 분열이 생길 수 있다는 말씀이다. 전도자는 복음 안에서 인간의 가장 기본적인 질서조차도 재편성될 수 있음을 알아야 한다. 복음이 갖는 시급성은 인간적인 정과 인연을 초월한다. 세상에서 어떤 대가를 치르더라도 주님을 믿는 믿음보다 우선하는 것은 없다.

22 내 이름으로 말미암아 모든 사람에게 미움을 받을 것이나 다른 이유가 아니라 예수님의 이름 때문에 받는 미움을 견뎌 내야 한다. 세상은 우리가 주님을 사랑하고 정의를 사랑한다는 것 때문에 우리를 미워한다. 세상의 배후에 악의 원인인 사탄이 존재하고 있음을 증명해 주는 대목이다.

23 이 동네에서 너희를 박해하거든 저 동네로 피하라 단지 고난을 피하기 위하여 도망하라는 뜻이 아니라, 예수님께 받은 전도자의 사명을 위해 처신을 가볍게 하지 말라는 권면이다. **이스라엘의 모든 동네를 다 다니지 못하여서 인자가 오리라** 이 말씀은 궁극적·영적으로 해석하여 '이스라엘의 모든 동네'는 '온 세상'을, '인자가 오리라'는 '재림'을 뜻하는 것으로 해석한다. 그 외에도 인자의 오심은 부활 후 예수님이 제자들을 찾아오신 일이나 성령강림 사건(행 2장)으로 이해하기도 한다.

쉬운성경

16 "들어라! 내가 너희를 보내는 것이 마치 늑대 무리 속으로 양을 보내는 것과 같다. 그러므로 뱀처럼 지혜롭고 비둘기처럼 순결하여라.

17 사람들을 조심하여라. 그들은 너희를 법정에 넘기고, 회당에서 채찍질할 것이다.

18 나 때문에 너희는 총독들과 왕들 앞에 끌려갈 것이다. 너희는 그들과 이방 사람들에게 증언하게 될 것이다.

19 사람들이 너희를 잡아 넘길 때, 무엇을 어떻게 말해야 할지 걱정하지 마라. 그때에 너희가 말해야 할 것을 다 알려 주실 것이다.

20 말하는 이는 너희가 아니다. 너희 아버지의 영이 너희 속에서 말씀하시는 것이다.

21 형제가 형제를 배신하여 죽게 하고, 아버지 또한 자녀를 그렇게 할 것이다. 자녀가 부모를 대적하여 죽게 할 것이다.

22 내 이름 때문에 너희가 미움을 받을 것이다. 그러나 끝까지 견디는 사람은 구원을 얻을 것이다.

23 이 마을에서 너희를 핍박하면, 다른 마을로 피하여라. 내가 진정으로 너희에게 말한다. 너희가 이스라엘 모든 마을을 다 다니기 전에 인자가 올 것이다.

저자의 묵상

제자들이 예수님께 파송을 받았듯이 우리도 세상을 향해 보냄을 받은 사람들이다. 그러나 세상은 성도에게 호의적이지 않다. 그들을 위해 좋은 일과 기쁜 소식을 전함에도 우리를 적대시하고 배척한다. 이를 통해 우리는 사탄이 그 배후에 존재하고 있음을 깨닫는다. 그러므로 주님의 제자인 우리도 뱀처럼 지혜롭고 비둘기처럼 순결해야 한다. 지혜로움이 없는 순수함은 어리석음이며, 순수함이 없는 지혜로움은 세상적 이익을 취하기 쉽기 때문이다. 이처럼 균형이야말로 신앙인이 가슴에 새겨야 하는 덕목이다.

또한 균형을 취해도 그리스도인으로 살아가다 보면 세상에서 어려움이 있을 것을 각오해야 한다. 기독교 역사는 박해의 역사라 해도 과언이 아니다. 그러므로 늘 주님을 의지하면서 복음을 들고 세상으로 나아가야 한다. 가장 가까운 가족도 주님을 섬기는 일에 어려움이 될 수 있음을 기억해야 할 것이다.

무릎 기도 | 제자로서 이 세상을 살아가는 일의 어려움을 경고해 주시니 감사합니다. 영광된 길이지만 모두가 환영하는 길이 아님을 깨닫고 낙심하지 않게 하소서.

NLT - Matthew 10

16 "Look, I am sending you out as sheep among wolves. So be as shrewd as snakes and harmless as doves.

17 But beware! For you will be handed over to the courts and will be flogged with whips in the synagogues.

18 You will stand trial before governors and kings because you are my followers. But this will be your opportunity to tell the rulers and other unbelievers about me.*

19 When you are arrested, don't worry about how to respond or what to say. God will give you the right words at the right time.

20 For it is not you who will be speaking—it will be the Spirit of your Father speaking through you.

21 "A brother will betray his brother to death, a father will betray his own child, and children will rebel against their parents and cause them to be killed.

22 And all nations will hate you because you are my followers.* But everyone who endures to the end will be saved.

23 When you are persecuted in one town, flee to the next. I tell you the truth, the Son of Man* will return before you have reached all the towns of Israel.

*10:18 Or *But this will be your testimony against the rulers and other unbelievers.*
*10:22 Greek *on account of my name.*
*10:23 "Son of Man" is a title Jesus used for himself.

16 shrewd 영리한 harmless 순결한 17 beware 주의하다 hand over to ~ ~에게 넘겨주다 flog 채찍질하다 synagogue 회당 18 stand trial 재판을 받다 governor 관리, 총독 opportunity 기회 19 arrest 체포하다 21 betray 배반하다 rebel against 반란을 일으키다, 대적하다 cause A to B A로 하여금 B하게 하다 22 endure 견디다 23 persecute 박해하다 flee to ~ ~로 달아나다, 피하다

39

월 일

두려워하지 말라

마태복음 10:24-33

새찬송 382장 | 통일 432장

• 먼저 묵상을 위한 기도를 드린 후, 성경 본문을 2번 이상 읽고 묵상하십시오.

본문요약 | 예수님은 제자들이 자신만큼 어려움을 당할 것이라고 경고하신다. 그러나 사람은 영혼을 죽일 수 없으니 그들을 두려워하지 말고 공개적으로 복음을 전하라고 말씀하신다. 참새도 보살피시는 하나님이 성도를 지키시며 이 땅에서 그분을 시인하는 자를 예수님도 인정하실 것이다.

개역개정

24 제자가 그 선생보다, 또는 종이 그 상전보다 높지 못하나니

25 제자가 그 선생 같고 종이 그 상전 같으면 족하도다 집주인을 바알세불이라 하였거든 하물며 그 집 사람들이랴

26 그런즉 그들을 두려워하지 말라 감추인 것이 드러나지 않을 것이 없고 숨은 것이 알려지지 않을 것이 없느니라

27 내가 너희에게 어두운 데서 이르는 것을 광명한 데서 말하며 너희가 귓속말로 듣는 것을 집 위에서 전파하라

28 몸은 죽여도 영혼은 능히 죽이지 못하는 자들을 두려워하지 말고 오직 몸과 영혼을 능히 지옥에 멸하실 수 있는 이를 두려워하라

29 참새 두 마리가 한 [1]앗사리온에 팔리지 않느냐 그러나 너희 아버지께서 허락하지 아니하시면 그 하나도 땅에 떨어지지 아니하리라

30 너희에게는 머리털까지 다 세신 바 되었나니

31 두려워하지 말라 너희는 많은 참새보다 귀하니라

32 누구든지 사람 앞에서 나를 시인하면 나도 하늘에 계신 내 아버지 앞에서 그를 시인할 것이요

33 누구든지 사람 앞에서 나를 부인하면 나도 하늘에 계신 내 아버지 앞에서 그를 부인하리라

1) 동전의 명칭

1. 본문에 나타난 예수님은 어떤 분이십니까?

2. 오늘 하나님께서 나에게 주신 깨달음은 무엇입니까?

3. 말씀을 어떻게 내 삶에 구체적으로 적용해야 합니까?

24-25 제자들 역시 스승이 당한 만큼의 어려움을 겪을 것이라는 경고의 말씀이다. 예수님이 바리새인들에게 배척을 당하였듯 제자들의 여정도 결코 만만치 않을 것을 시사하신다.
바알세불 '바알세불'은 '귀신들의 집의 왕'이란 의미로 사탄을 가리킨다. 바리새인들은 예수님이 기적을 행하시자 귀신의 왕을 힘입은 것이라며 애써 평가절하했다(12:24).

26 두려워하지 말라 본절을 시작으로 33절까지 '두려워하지 말라'라는 표현이 3번 쓰였다(28, 31절). 두려워하지 않아도 될 첫 번째 이유는 박해를 받을 수 있으나 결코 망하지 않을 성도의 운명 때문이다.
감추인 것이 드러나지 않을 것이 없고 숨은 것이 알려지지 않을 것이 없느니라 이는 당시 사람들 사이에서 통용되던 말로, 하나님 앞에서는 모든 진실이 다 드러날 것이라는 뜻이다. 때로는 진실이 왜곡되어 사람들 앞에서 오해도 받지만, 결코 하나님 앞에서는 그런 일이 일어나지 않는다. 그 때문에 사람을 두려워할 필요가 없다.

27 본절은 제자들이 예수님이 하신 말씀을 공개적으로 사람들에게 전파해야 한다는 말씀이다. 복음을 전하면서 사람에 대한 두려움을 떨쳐 버릴 뿐만 아니라, 더 적극적이고 공개적으로 복음을 선포하라는 명령이다.

28 몸은 죽여도 영혼은 능히 죽이지 못하는 자들을 두려워하지 말고 본절은 제자들이 두려워할 필요가 없는 두 번째 이유다(첫 번째 이유-26절). 사람이 할 수 있는 가장 큰 박해는 육신의 목숨을 거두어 가는 것이다. 그러나 이것 역시 일시적일 뿐 영혼은 건드리지 못한다. 영혼이 지옥에서 영원히 고통받는 것이야말로 진정한 형벌이다. 몸과 영혼을 처벌할 권한을 가지신 하나님만을 두려워하는 것이 마땅하다.

29 한 앗사리온 당시 통용되던 로마의 동전으로, 노동자의 하루 품삯인 1데나리온의 1/16에 해당하는 금액이다. 즉, 매우 소액을 의미한다. 이런 작은 금액에 해당하는 참새도 하나님의 섭리 아래에 놓여 있다는 말씀이다.

32-33 이 땅에서의 처신이 하늘나라에서 받을 인정과 깊은 관련이 있음을 강조하는 말씀이다.

쉬운성경

24 제자가 스승보다 높지 않고, 종이 주인보다 높지 않다.

25 제자가 스승만큼 되고, 종이 주인과 같이 된다면 더 바랄 것이 없다. 그들이 집주인을 바알세불이라고 불렀으니, 그 가족들을 부를 때는 얼마나 심한 말로 부르겠느냐?"

26 "그러므로 사람들을 두려워하지 마라. 덮였던 것은 모두 벗겨질 것이고, 감추어졌던 것은 다 알려질 것이다.

27 내가 어두운 데서 말한 것을 너희는 빛 가운데서 말하여라. 너희가 귓속말로 들은 것을 지붕 위에서 외쳐라.

28 몸은 죽일 수 있으나 영혼은 죽일 수 없는 사람들을 두려워 마라. 영혼과 몸을 모두 지옥에 던져 멸망시킬 수 있는 분을 두려워하여라.

29 참새 두 마리가 동전 한 개*에 팔리지 않느냐? 그러나 너희 아버지가 아니고서는 한 마리도 땅에 떨어질 수 없다.

30 심지어 너희 머리카락의 수까지도 하나님은 아신다.

31 그러므로 두려워 마라. 너희는 참새 여러 마리보다 훨씬 더 귀하다."

32 "누구든지 사람들 앞에서 나를 인정하는 사람은, 나도 하늘에 계신 나의 아버지 앞에서 그를 인정할 것이다.

33 그러나 누구든지 사람들 앞에서 나를 모른다고 하면, 나도 하늘에 계신 나의 아버지 앞에서 그를 모른다고 할 것이다."

*10:29 개역 성경에는 (그)'앗사리온'이라고 표기되어 있다. 로마의 소액 동전으로 1/16 데나리온에 해당된다.

저자의 묵상

예수님은 제자들에게 주님의 제자로서 받게 될 세상의 박해에 대해 미리 경고하신다. 그렇게 하심으로써 막상 제자들에게 그 일이 닥쳤을 때 우왕좌왕하거나 갈등하지 않게 하려는 예수님의 배려와 의도가 들어 있다.

이처럼 성도는 사람을 두려워할 필요가 없다. 우리가 진정으로 두려워해야 할 분은 하나님이시다. 성도는 이 세상에서 무엇을 하든지 하나님 앞에서 행해야 한다. 앞서 간 믿음의 선배들은 '하나님 앞에서'(코람데오)의 신앙을 유지하려고 애썼다. 하나님이 매우 작은 부분까지 우리를 지키고 돌보며 섭리하시기 때문에 그분을 믿고 따라야 한다. 세상에서 복음의 길을 가는 것에 두려움을 갖는 신앙은 하나님 앞에서 두려움을 당하게 될 것이다. 우리가 가진 믿음을 삶에서 잘 지켜나가는 동시에 사람들에게 확고하게 해야 한다. 혹시 지금 복음을 부끄러워하고 있지는 않은지 자신을 돌아보자.

무릎 기도 | 사람을 두려워하지 않고 하나님을 두려워하는 신앙인이 되게 하소서. 복음을 공개적으로 시인하고 사람들에게 전하며 살기 원합니다.

NLT - Matthew 10

24 "Students* are not greater than their teacher, and slaves are not greater than their master.

25 Students are to be like their teacher, and slaves are to be like their master. And since I, the master of the household, have been called the prince of demons,* the members of my household will be called by even worse names!

26 "But don't be afraid of those who threaten you. For the time is coming when everything that is covered will be revealed, and all that is secret will be made known to all.

27 What I tell you now in the darkness, shout abroad when daybreak comes. What I whisper in your ear, shout from the housetops for all to hear!

28 "Don't be afraid of those who want to kill your body; they cannot touch your soul. Fear only God, who can destroy both soul and body in hell.*

29 What is the price of two sparrows—one copper coin*? But not a single sparrow can fall to the ground without your Father knowing it.

30 And the very hairs on your head are all numbered.

31 So don't be afraid; you are more valuable to God than a whole flock of sparrows.

32 "Everyone who acknowledges me publicly here on earth, I will also acknowledge before my Father in heaven.

33 But everyone who denies me here on earth, I will also deny before my Father in heaven.

*10:24 Or *Disciples*.
*10:25 Greek *Beelzeboul;* other manuscripts read *Beezeboul;* Latin version reads *Beelzebub*.
*10:28 Greek *Gehenna*.
*10:29 Greek *one assarion* [i.e., one "as," a Roman coin equal to 1/16 of a denarius].

26 be afraid of ~ ~를 두려워하다 threaten 위협하다 reveal 계시하다, 드러내다 27 abroad 널리 daybreak 새벽 whisper 속삭이다 housetop 지붕 29 sparrow 참새 copper coin 동전 fall to the ground 땅에 떨어지다 31 valuable 가치 있는, 귀중한 32 acknowledge 인정하다 publicly 공개적으로 33 deny 부인하다, 거절하다

40

월 일

제자의 조건

마태복음 10:34-42

새찬송 321장 | 통일 351장

• 먼저 묵상을 위한 기도를 드린 후, 성경 본문을 2번 이상 읽고 묵상하십시오.

본문요약 | 예수님은 자신이 세상에 화평이 아니라 검을 주러 왔으며, 집안 식구끼리도 나뉘어 원수가 될 것이라고 말씀하신다. 또 예수님보다 더 사랑하는 것이 있어서는 안 되며 자기 십자가를 지고 주를 따라야 함을 말씀하신다. 제자들을 영접하는 것은 예수님을 영접하는 것이기에 그에 맞는 상을 받게 될 것이다.

개역개정

34 내가 세상에 화평을 주러 온 줄로 생각하지 말라 화평이 아니요 검을 [1]주러 왔노라
35 내가 온 것은 사람이 그 아버지와, 딸이 어머니와, 며느리가 시어머니와 불화하게 하려 함이니
36 사람의 원수가 자기 집안 식구리라
37 아버지나 어머니를 나보다 더 사랑하는 자는 내게 합당하지 아니하고 아들이나 딸을 나보다 더 사랑하는 자도 내게 합당하지 아니하며
38 또 자기 십자가를 지고 나를 따르지 않는 자도 내게 합당하지 아니하니라
39 자기 목숨을 얻는 자는 잃을 것이요 나를 위하여 자기 목숨을 잃는 자는 얻으리라
40 너희를 영접하는 자는 나를 영접하는 것이요 나를 영접하는 자는 나를 보내신 이를 영접하는 것이니라
41 선지자의 이름으로 선지자를 영접하는 자는 선지자의 상을 받을 것이요 의인의 이름으로 의인을 영접하는 자는 의인의 상을 받을 것이요
42 또 누구든지 제자의 이름으로 이 작은 자 중 하나에게 냉수 한 그릇이라도 주는 자는 내가 진실로 너희에게 이르노니 그 사람이 결단코 상을 잃지 아니하리라 하시니라

1) 헬, 던지려

1. 본문에 나타난 예수님은 어떤 분이십니까?

2. 오늘 하나님께서 나에게 주신 깨달음은 무엇입니까?

3. 말씀을 어떻게 내 삶에 구체적으로 적용해야 합니까?

절별 해설

34 화평이 아니요 검을 주러 왔노라 예수님은 화평을 주겠다고 약속하셨으므로(요 14:27) 본절과 상충되는 것처럼 보일 수 있다. 그러나 이는 각각의 의도가 다르게 쓰인 말씀들이다. 예수님은 궁극적으로 믿음생활을 통해 우리에게 평화와 안식을 주신다. 그러나 '검'을 주신다는 말씀처럼 예수를 믿는 믿음 안에서 세상과 구별되고 나뉘는 아픔도 겪게 된다.

35-36 가장 가까운 가족 사이에서도 예수 그리스도를 받아들이는 자와 그렇지 않은 자 사이에서 믿음 때문에 분쟁이 초래될 것을 언급하신다. 심지어 가족이 원수가 된다고 하신다. 믿음이 달라서 가족을 고소하고 처벌하는 일은 오늘날에도 반기독교적인 국가에서 빈번히 발생하는 일이다.

37 아버지나 어머니를 나보다 더 사랑하는 자는 내게 합당하지 아니하고 예수님을 믿는 삶이 부모도 몰라보고 자녀도 돌보지 않는 비윤리적인 행태를 보여야 한다는 말씀이 절대 아니다. 예수님의 제자는 부모 형제와 자녀를 사랑하나, 그 사랑이 주님을 사랑하는 것보다 우선할 수 없다는 말씀이다.

38-39 자기 십자가 여러 가지를 상징하는 표현이다. 포괄적으로 예수 그리스도의 제자로 그분을 섬기고 따르면서 만나는 내적인 장애물과 외적인 고난 등을 총칭하는 표현이다. 유대인들은 메시아가 오시면 자신들에게 번영을 가져다줄 것으로 확신했으나, 예수님은 그들이 예수님의 제자가 되기 위해서 세상에서 겪어야 할 어려움을 언급하신다. 제자의 길은 희생의 길이며, 자기 목숨까지도 주님을 위해 내어놓아야 한다.

40 예수님은 성경 여러 곳에서 제자들과 예수님을 동일시하신다(참고. 25:40; 빌 4:18). 예수님의 제자는 예수님을 대신하는 사신의 자격을 갖고 있으므로(고후 5:20), 그를 영접하는 것은 예수님을 영접하는 것이 된다.

41-42 제자들을 영접하는 사람들에게 주어지는 상을 언급하신다. 자신이 하는 대접만큼 예수님께로부터 상과 대접을 받는다는 황금률의 말씀과 일치한다(7:12).
이 작은 자 중 하나 예수님의 제자들을 가리킨다. 그들에게 냉수와 같이 작은 것을 대접한 것까지 반드시 보답하겠다는 예수님의 약속이다.

쉬운성경

34 "내가 세상에 평화를 주러 온 줄로 생각하지 마라. 평화가 아니라 칼을 주러 왔다.

35 나는 아들이 아버지를, 딸이 어머니를, 며느리가 시어머니를 거슬러서 서로 다투게 하려고 왔다.

36 사람의 원수가 자기의 가족이 될 것이다.

37 누구든지 나를 사랑하는 것보다 자기 부모를 더 사랑하면, 나의 제자가 될 자격이 없다. 누구든지 나를 사랑하는 것보다 자기 아들과 딸을 더 사랑하면, 나의 제자가 될 자격이 없다.

38 자기 십자가를 지고 나를 따르지 않는 사람은 내 제자가 될 자격이 없다.

39 자기의 목숨을 찾으려고 하는 사람은 잃게 될 것이며, 나를 위하여 자기 목숨을 버리는 사람은 얻게 될 것이다."

40 "너희를 맞아들이는 사람은 나를 맞아들이는 것이다. 나를 맞아들이는 사람은 나를 보내신 분을 맞아들이는 것이다.

41 예언자의 이름으로 예언자를 맞아들이는 사람은 예언자의 상을 받을 것이다. 의인의 이름으로 의인을 맞아들이는 사람은 의인의 상을 받을 것이다.

42 내가 진정으로 말한다. 제자의 이름으로 보잘것 없는 사람에게 냉수 한 잔이라도 주는 사람은 반드시 하늘나라에서 상을 받을 것이다."

저자의 묵상

예수님의 제자는 자기 십자가를 지는 사람이다. 제자로서 영광을 얻고 번영을 얻는 것이 목적이 아니라, 예수님을 따르며 진리를 좇는 것이 목적이기 때문에 제자는 때때로 세상에서 어려움을 당한다. 또 제자는 세상에서 결코 주님보다 우선하는 것이 있어서는 안 된다. 그럴 때 우리 눈에 희생처럼 보이는 것은 결코 희생이 아니다. 주를 위해 목숨을 잃고자 하는 자는 얻는다는 말씀처럼 주님은 우리에게 더 큰 은혜로 갚아 주실 것이다.

한편, 희생을 각오로 나서는 제자들을 영접하는 사람은 상을 받는다. 하나님은 작은 것 하나도 그냥 넘어가지 않으실 것이다. 주변에 우리가 섬겨야 할 주님의 사역자들과 제자들이 있을 것이다. 그들은 주님께서 주신 사명을 감당하느라 종종 세상에서 어려움을 겪는다. 그런 사역자들을 돌보는 일도 주님의 일임을 기억하자.

무릎 기도 어떤 희생이 있어도 주님을 따르는 것이 결국은 저를 위한 가장 복된 길임을 믿습니다. 또한 주변에 어려운 사역자들을 섬길 수 있는 마음도 주소서.

NLT - Matthew 10

34 "Don't imagine that I came to bring peace to the
earth! I came not to bring peace, but a sword.
35 'I have come to set a man against his father, a
daughter against her mother, and a daughter-
in-law against her mother-in-law.
36 Your enemies will be right in your own
household!'*
37 "If you love your father or mother more than
you love me, you are not worthy of being mine;
or if you love your son or daughter more than
me, you are not worthy of being mine.
38 If you refuse to take up your cross and follow
me, you are not worthy of being mine.
39 If you cling to your life, you will lose it; but if you
give up your life for me, you will find it.
40 "Anyone who receives you receives me, and
anyone who receives me receives the Father
who sent me.
41 If you receive a prophet as one who speaks for
God,* you will be given the same reward as a
prophet. And if you receive righteous people
because of their righteousness, you will be
given a reward like theirs.
42 And if you give even a cup of cold water to one
of the least of my followers, you will surely be
rewarded."

*10:35–36 Mic 7:6.
*10:41 Greek *receive a prophet in the name of a prophet.*

34 imagine 상상하다, 가정하다 bring peace to ~ ~에게 평화를 주다 35 set … against ~ …를 ~와 대항시키다, 이간시키다 daughter-in-law 며느리 mother-in-law 시어머니 37 be worthy of ~ ~에 적합하다 38 refuse to ~ ~를 거절하다 take up 메다, 지다 39 cling to ~ ~에 집착하다 give up ~ ~을 포기하다 41 prophet 선지자 reward 보상 righteousness 의

41

월 일

세례 요한의 질문

마태복음 11:1-6

새찬송 538장 | 통일 327장

• 먼저 묵상을 위한 기도를 드린 후, 성경 본문을 2번 이상 읽고 묵상하십시오.

본문요약 | 예수님이 사역하고 계셨을 때 요한은 옥에 갇혀 있었다. 요한은 제자들을 보내어 오실 메시아가 주님이신가를 묻는다. 이에 예수님은 답을 해 주시는 대신에 그들에게 자신이 행하는 일에 대해 듣고 본 것들을 가서 알리라고 하신다. 또한 예수님을 의심하지 않는 사람은 복이 있다고 하신다.

개역개정

1 예수께서 열두 제자에게 명하기를 마치시
고 이에 그들의 여러 동네에서 가르치시며
전도하시려고 거기를 떠나가시니라
2 요한이 옥에서 그리스도께서 하신 일을 듣
고 제자들을 보내어
3 예수께 여짜오되 오실 그이가 당신이오
니이까 우리가 다른 이를 기다리오리이까
4 예수께서 대답하여 이르시되 너희가 가서
듣고 보는 것을 요한에게 알리되
5 맹인이 보며 못 걷는 사람이 걸으며 나병
환자가 깨끗함을 받으며 못 듣는 자가 들
으며 죽은 자가 살아나며 가난한 자에게
복음이 전파된다 하라
6 누구든지 나로 말미암아 실족하지 아니하
는 자는 복이 있도다 하시니라

1. 본문에 나타난 예수님은 어떤 분이십니까?

2. 오늘 하나님께서 나에게 주신 깨달음은 무엇입니까?

3. 말씀을 어떻게 내 삶에 구체적으로 적용해야 합니까?

절별 해설

1 제자들을 파송하는 일을 마치신 예수님은 가르치고 전도하는 일을 위해 그곳을 떠나셨다. 예수님은 복음 전파의 사명을 제자들에게만 맡겨 두지 않으시고 친히 복음을 전파하고 가르치기 위해 일하셨다. 이를 통해 복음 전파의 사명이 모두에게 주어진 긴박한 사명임을 알 수 있다.

2 요한이 옥에서 그리스도께서 하신 일을 듣고 세례 요한은 사명을 감당하던 중에 당시 분봉왕이었던 헤롯이 자신의 동생 빌립의 아내와 결혼한 것을 책망하다가 감옥에 갇혔다(14:3-4). 이는 율법이 금하는 일로써 옳지 않았기에 요한은 공개적으로 헤롯의 잘못을 지적한 것이다(레 20:21).

3 예수께 여짜오되 오실 그이가 당신이오니이까 요한은 비록 감옥에 갇혀 있었지만, 자신이 메시아로 예언했고(요 1:29) 하나님이 확인해 주신(3:13-17) 예수님의 일거수일투족에 깊은 관심을 가지고 있었다(2절). 그래서 제자들을 보내어 예수님이 약속된 메시아인지 확인한다. 그것은 예수님이 행하시는 사역이 요한 자신이 알고 있는 심판과 정의를 실현하는 메시아가 아니라, 자비와 은혜를 베푸는 사역에 집중되어 있었기 때문이다. 요한의 메시아에 대한 이해 역시도 당시 사람들의 수준을 크게 벗어나지 못했음을 알 수 있다. 당시 사람들은 메시아를 악을 멸하고 해방을 가져다주는 대상으로만 생각했을 뿐, 인류를 구원하기 위해 먼저 은혜를 베푸시는 분임을 간과하고 있었다(요 3:17).

4 너희가 가서 듣고 보는 것을 요한에게 알리되 예수님은 직접적인 답을 주시는 대신에 요한의 제자들에게 듣고 본 것을 가서 알려 주라고 명하신다. 예수님은 요한이 믿음이 없다고 책망하시지 않았다. 그를 이해하셨고 바른 답을 들려주셨다.

5 본절에 언급된 여러 가지 기적은 구약에 예언된 메시아가 오시면 행하실 사역들로 여러 차례 예언된 것들이다(사 35:5-6; 42:7; 61:1). 그중에 '죽은 자가 살아난다'는 사건은 예언되어 있지 않다. 이는 예수님이 실로 예언을 능가하시는 참된 메시아이심을 드러내는 말씀이다.

6 누구든지 나로 말미암아 실족하지 아니하는 자는 복이 있도다 '실족하지 아니하는 자'는 예수님을 의심하지 않는 사람을 가리킨다. 믿음은 때로 인간의 이해를 벗어나거나 기대와 다르게 전개되는 경우가 있다.

쉬운성경

1 예수님께서 열두 제자들에게 지시하기를 마치시고, 여러 마을에서 가르치고 전도하기 위해 그곳을 떠나셨을 때의 일입니다.

2 세례자 요한은 감옥에서 그리스도의 하신 일을 들었습니다. 요한은 제자들을 예수님께 보냈습니다.

3 요한은 그들을 통해 예수님께 물었습니다. "오신다고 했던 분이 바로 당신입니까? 아니면 다른 분을 기다려야 합니까?"

4 예수님께서 대답하셨습니다. "요한에게 가서 너희가 듣고 본 것을 말하여라.

5 보지 못하는 사람이 보고, 걷지 못하는 사람이 걷고, 문둥병 환자가 깨끗해지고, 듣지 못하는 사람이 듣고, 죽은 사람이 살아나며, 가난한 사람에게 복음이 전해진다고 하여라.

6 나를 의심하지 않는 사람은 복이 있다."

저자의 묵상

세례 요한은 공개적으로 예수님을 메시아로 인정한 첫 번째 사람이었다. 그러나 요한은 감옥에 갇혀 있으면서 메시아에 대한 이해의 한계를 드러낸다. 세례 요한처럼 아무리 대단한 인물이라도 인간이기에 어려움을 당하면 일시적으로 흔들릴 수 있다. 그럴 때 우리는 요한을 이해해 주셨던 예수님을 생각해야 한다. 그를 정죄하지 말고 예수님처럼 받아 주고 올바로 이끌어 주어야 하는 것이다.

요한이 메시아에 대해 제한적인 생각을 가졌듯이 우리도 예수님과 믿음생활에 대해 모든 것을 알지는 못한다. 인간인 우리는 하나님의 일하심을 다 이해할 수 없다. 그러므로 어려운 순간이 닥치면 하나님의 선하심을 믿고 흔들리지 말아야 한다. 사람들은 자신들이 기대하는 대로 되지 않으면 의심하는 경향이 있다. 그러나 하나님은 내 마음대로 움직일 수 있거나 원하는 것을 얻어내는 분이 아님을 기억하라. 그분의 선하신 뜻을 믿고, 당장은 이해가 되지 않더라도 모든 것을 합력하여 선을 이루시는 주님을 신뢰하며 기다려야 한다.

무릎기도 | 고난의 순간에도 제 인생의 주인이신 주님만 붙듭니다. 제 뜻대로 안 되고 기대에 못 미치는 것이 현실이라 할지라도 주님만 신뢰하며 따르게 하소서.

NLT - Matthew 11

1 When Jesus had finished giving these instructions to his twelve disciples, he went out to teach and preach in towns throughout the region.

2 John the Baptist, who was in prison, heard about all the things the Messiah was doing. So he sent his disciples to ask Jesus,

3 "Are you the Messiah we've been expecting,* or should we keep looking for someone else?"

4 Jesus told them, "Go back to John and tell him what you have heard and seen—

5 the blind see, the lame walk, the lepers are cured, the deaf hear, the dead are raised to life, and the Good News is being preached to the poor.

6 And tell him, 'God blesses those who do not turn away because of me.*'"

*11:3 Greek *Are you the one who is coming?*
*11:6 Or *who are not offended by me.*

1 instruction 가르침, 지시 preach 전파하다, 전도하다 2 prison 감옥 3 expect 기대하다 look for ~ ~를 찾다
5 blind 눈 먼 lame 절름발이의 leper 나병 환자 cure 치료하다 deaf 듣지 못하는 6 turn away 외면하다, 돌아서다

42

월 일

세례 요한에 대한 설명

마태복음 11:7–15

새찬송 595장 | 통일 372장

• 먼저 묵상을 위한 기도를 드린 후, 성경 본문을 2번 이상 읽고 묵상하십시오.

본문요약 | 예수님은 요한이 바람에 흔들리는 갈대도 아니며 부드러운 옷을 입은 사람도 아니나, 선지자보다 더 나은 사람이라고 하신다. 요한은 주님의 길을 예비한 사람이나 천국의 관점에서는 그 역시 작은 사람이다. 또한 요한은 구약을 마감하고 새 시대를 연 사람이다.

개역개정

7 그들이 떠나매 예수께서 무리에게 요한에
대하여 말씀하시되 너희가 무엇을 보려고
광야에 나갔더냐 바람에 흔들리는 갈대냐
8 그러면 너희가 무엇을 보려고 나갔더냐 부
드러운 옷 입은 사람이냐 부드러운 옷을
입은 사람들은 왕궁에 있느니라
9 그러면 너희가 어찌하여 나갔더냐 선지자
를 보기 위함이었더냐 옳다 내가 너희에
게 이르노니 선지자보다 더 나은 자니라
10 기록된 바

ㄱ보라 내가 내 사자를 네 앞에 보내노니
그가 네 길을 네 앞에 준비하리라

하신 것이 이 사람에 대한 말씀이니라
11 내가 진실로 너희에게 말하노니 여자가 낳
은 자 중에 1)세례 요한보다 큰 이가 일어
남이 없도다 그러나 천국에서는 극히 작은
자라도 그보다 크니라
12 1)세례 요한의 때부터 지금까지 천국은 침
노를 당하나니 침노하는 자는 빼앗느니라
13 모든 선지자와 율법이 예언한 것은 요한
까지니
14 만일 너희가 즐겨 받을진대 오리라 한 엘
리야가 곧 이 사람이니라
15 귀 있는 자는 들을지어다

1) 헬, 또는 침례 ㄱ. 말 3:1

1. 본문에 나타난 예수님은 어떤 분이십니까?

2. 오늘 하나님께서 나에게 주신 깨달음은 무엇입니까?

3. 말씀을 어떻게 내 삶에 구체적으로 적용해야 합니까?

절별 해설

7-8 예수님은 요한의 제자들을 통해 감옥에 갇혀 잠시 흔들리고 있던 요한에게 답을 보내시고는(4-6절) 사람들에게 요한에 대해 설명하신다. 요한은 바람에 흔들리는 갈대와 같이 자신의 이익을 위해 행동하는 줏대 없는 사람도 아니며, 화려한 옷을 입고 권력에 아첨하여 호의호식하는 부류의 사람도 아니라고 하신다. 요한의 강직하고 의로운 성품을 묘사하신 것이다.

9 선지자보다 더 나은 자니라 세례 요한이 선지자보다 더 나은 이유는 그가 직접적으로 메시아를 예비하며 주님을 보고 그분의 길을 열었기 때문이다. 구약의 선지자들은 예수님을 직접 보지 못하고 예언만 하였으나 요한은 그렇지 않다는 말씀이다.

11 여자가 낳은 자 중에 세례 요한보다 큰 이가 일어남이 없도다 그러나 천국에서는 극히 작은 자라도 그보다 크니라 이 땅에서 여자가 낳은 사람 중에는 세례 요한이 가장 위대하다. 그것은 요한이 천지의 주인이신 예수 그리스도를 전하며 그의 길을 예비하는 전령이었기 때문이다(10절). 그러나 천국에서는 가장 작은 자라도 요한보다 크다. 이 땅에서 가장 위대한 요한이라도 예수 그리스도에 대해 모든 것을 다 알지는 못하는 한계가 있으나, 천국에 들어간 사람은 그분에 대해 모든 것을 알고 있기 때문이다.

12 세례 요한의 때부터 지금까지 천국은 침노를 당하나니 침노하는 자는 빼앗느니라 예수 그리스도가 오시고 천국은 더욱 힘 있게 성장을 하고 있으며, 그 일에 열심을 내는 사람은(힘 있는 사람들) 그 나라를 차지할 것이라 하신다. 이것은 천국이 인간의 열심으로 이루어진다는 뜻은 아니나, 복음 사역에 확신을 가지고 열심을 내는 일이 소중한 것임을 가르치신 것이다.

13 모든 선지자와 율법 '모든 선지자와 율법'은 포괄적으로 구약을 가리키는 표현이다(7:12). 세례 요한은 예수 그리스도에 대해 예언하는 구약의 예언을 마감하고 그리스도를 보고 전하는 신약을 연 첫 인물이라는 점에서 중요하다.

14 구약에는 메시아가 오시기 전 엘리야가 먼저 와서 그의 길을 예비한다고 예언되었다(말 3:1; 4:5-6). 유대인들은 이 예언을 문자적으로 받아들여 승천한 엘리야가 다시 올 것으로 기대하였으나, 이것은 엘리야의 심정과 마음을 가지고 메시아의 길을 예비할 세례 요한에 대한 예언이라는 설명이다(눅 1:17).

15 귀 있는 자는 들을지어다 이제까지 이르신 말씀을 의미 있게 귀담아들으라는 말씀으로, 당시 종종 사용된 표현법이다(계 3:22).

쉬운성경

7 요한의 제자들이 떠난 뒤에, 예수님께서 모인 사람들에게 요한에 대해 말씀하기 시작하셨습니다. "너희는 무엇을 보러 광야에 나갔느냐? 바람에 흔들리는 갈대를 보러 갔느냐?

8 아니면 무엇을 보러 갔느냐? 화려한 옷을 입은 사람을 보려고 나갔느냐? 화려한 옷을 입은 사람은 왕궁에 있다.

9 그러면 너희는 무엇을 보러 나갔느냐? 예언자를 보려고 나갔느냐? 그렇다. 내가 너희에게 말한다. 이 사람은 예언자보다 더 나은 사람이다.

10 이 사람에 대하여 성경에 이렇게 기록되어 있다.

> '보라, 내가 너보다 앞서 나의 사자를 보낸다. 그는 너의 길을 준비할 것이다.'*

11 내가 너희에게 진정으로 말한다. 여자가 낳은 사람 중에 그 누구도 세례자 요한보다 더 위대한 사람은 없다. 그러나 하늘나라에서는 아무리 낮은 사람이라도 세례자 요한보다 더 위대하다.

12 세례자 요한 때로부터 지금까지 하늘나라는 힘 있게 성장하고 있다. 힘 있는 사람들이 하늘나라를 차지할 것이다.

13 모든 예언자들과 율법에 예언한 것이 요한까지이다.

14 너희가 이 예언을 받아들일 마음이 있다면, 오기로 되어 있는 엘리야가 바로 요한이다.

15 들을 수 있는 귀를 가진 사람은 모두 들어라!

*11:10 말 3:1에 기록되어 있다.

저자의 묵상

세례 요한은 구약을 마감하고 신약을 연 위대한 인물이었다. 그러나 예수님은 이 땅에서 가장 위대한 인물이라도 천국에서는 가장 작은 자보다 못하다고 말씀하신다. 그것은 요한이 아직은 육체적인 한계성을 갖기 때문이다. 바울도 우리가 모든 것을 다 알 수는 없고 부분적으로 사역하고 있다고 했으며, 천국에서 주님을 만나면 모든 것을 알 것이라고 했다(고전 13:12). 요한도 모든 것을 다 알 수는 없었기에 잠시 예수님에 대해 흔들리기도 했던 것이다.

이처럼 우리의 사역은 가치 있는 것임에도 우리 자신은 불완전하다는 사실을 늘 인식하고 있어야 한다. 내가 다 아는 것도 아니며 내 사역이 가장 중요한 사역이 아닐 수도 있다. 그저 우리는 주어진 자신의 역할을 최선을 다해 감당할 뿐이다. 그러므로 남의 사역을 함부로 판단할 자격이 없다는 것을 기억하자. 그리고 주어진 내 일에 겸손히 충성하고 집중하며 주님을 섬기는 삶을 살자.

무릎 기도 주님이 맡겨 주신 일에 충성하기 원합니다. 연약한 인간의 모습이지만 주님의 능력과 일하심을 기대하며 묵묵히 제자의 길을 걷게 하소서.

NLT - Matthew 11

7 As John's disciples were leaving, Jesus began talking about him to the crowds. "What kind of man did you go into the wilderness to see? Was he a weak reed, swayed by every breath of wind?

8 Or were you expecting to see a man dressed in expensive clothes? No, people with expensive clothes live in palaces.

9 Were you looking for a prophet? Yes, and he is more than a prophet.

10 John is the man to whom the Scriptures refer when they say, 'Look, I am sending my messenger ahead of you, and he will prepare your way before you.'*

11 "I tell you the truth, of all who have ever lived, none is greater than John the Baptist. Yet even the least person in the Kingdom of Heaven is greater than he is!

12 And from the time John the Baptist began preaching until now, the Kingdom of Heaven has been forcefully advancing,* and violent people are attacking it.

13 For before John came, all the prophets and the law of Moses looked forward to this present time.

14 And if you are willing to accept what I say, he is Elijah, the one the prophets said would come.*

15 Anyone with ears to hear should listen and understand!

*11:10 Mal 3:1.
*11:12 Or *the Kingdom of Heaven has suffered from violence.*
*11:14 See Mal 4:5.

7 disciple 제자, 사도 wilderness 광야 reed 갈대 swayed by ~ ~에 흔들리는 8 expect 기대하다 9 prophet 선지자 10 refer 언급하다 prepare 준비하다 12 forcefully 힘 있게 advance 전진하다 violent 난폭한 13 look forward to ~ ~을 고대하다 14 be willing to ~ 기꺼이 ~하다

43

월 일

불신에 대한 경고

마태복음 11:16-24

새찬송 450장 | 통일 376장

• 먼저 묵상을 위한 기도를 드린 후, 성경 본문을 2번 이상 읽고 묵상하십시오.

본문요약 | 예수님은 당시 세대를 장터에서 동무들과 놀이하는 아이들에 비유하신다. 피리를 불어도 춤추지 않고 슬픈 노래를 불러도 울지 않는 아이들처럼, 사람들은 요한과 예수님의 사역에 반응하지 않고 비판했다. 예수님이 권능을 많이 행하신 고을들이 회개하지 않자 예수님은 그들에게 심판을 선언하신다.

개역개정

16 이 세대를 무엇으로 비유할까 비유하건대
아이들이 장터에 앉아 제 동무를 불러
17 이르되 우리가 너희를 향하여 피리를 불
어도 너희가 춤추지 않고 우리가 슬피 울
어도 너희가 가슴을 치지 아니하였다 함
과 같도다
18 요한이 와서 먹지도 않고 마시지도 아니하
매 그들이 말하기를 귀신이 들렸다 하더니
19 인자는 와서 먹고 마시매 말하기를 보라
먹기를 탐하고 포도주를 즐기는 사람이요
세리와 죄인의 친구로다 하니 지혜는 그
[1]행한 일로 인하여 옳다 함을 얻느니라
20 예수께서 권능을 가장 많이 행하신 고을
들이 회개하지 아니하므로 그때에 책망하
시되
21 화 있을진저 고라신아 화 있을진저 벳새다
야 너희에게 행한 모든 권능을 두로와 시
돈에서 행하였더라면 그들이 벌써 베옷을
입고 재에 앉아 회개하였으리라
22 내가 너희에게 이르노니 심판 날에 두로와
시돈이 너희보다 견디기 쉬우리라
23 가버나움아 네가 하늘에까지 높아지겠느
냐 음부에까지 낮아지리라 네게 행한 모
든 권능을 소돔에서 행하였더라면 그 성
이 오늘까지 있었으리라
24 내가 너희에게 이르노니 심판 날에 소돔
땅이 너보다 견디기 쉬우리라 하시니라

1) 어떤 사본에, 자녀들로

1. 본문에 나타난 예수님은 어떤 분이십니까?

2. 오늘 하나님께서 나에게 주신 깨달음은 무엇입니까?

3. 말씀을 어떻게 내 삶에 구체적으로 적용해야 합니까?

절별 해설

16–17 이 구절은 부정적 의미의 말씀이다. 예수님은 당시 사람들이 세례 요한의 사역이나 예수님의 사역에 대해 어떤 반응도 보이지 않음을 '장터의 비유'로 말씀하신다. 이 비유는 모든 사람들에 대한 말씀이라기보다는 예수님의 사역에 반응을 보이지 않고 배척한 사람들을 향하신 말씀이다. 당시 아이들은 장터에서 피리를 불며 결혼식 놀이를 했으며, 슬픈 노래를 부르며 장례식 놀이를 하였다. 이런 놀이를 할 때면 그 어떤 것에도 시큰둥한 아이들이 있었다. 이처럼 당시 사람들이 기쁨이나 슬픔, 그 어떤 것에도 반응하지 않는다는 말씀이다.

18 귀신이 들렸다 하더니 세례 요한의 사역은 사람들에게 많은 반향을 일으켰다(3:5–6). 그러나 그런 와중에도 요한을 시기하여 그 사역의 의미를 애써 폄하하고 외면하려는 무리가 있었는데, 바로 유대의 종교지도자들이었다. 그들은 요한의 정체에 대해 묻고 실망하여 이렇게 하였을 것이다(참고. 요 1:19–28). 심지어 그들은 요한이 당시 사람들처럼 먹고 마시지 않으며 금욕적인 생활을 하는 것까지 문제 삼았다.

19 인자가 와서 먹고 마시매 예수님은 요한과 다르게 먹고 마시며 사람들과 어울려 교제하셨다. 심지어 죄인과 세리들과도 함께하며 교제하셨다. 그러자 이번에는 사람들이 예수님을 탐욕스러운 사람으로 몰았다. 이는 당시 사람들이 요한과 예수님의 사역에 대해 어떻게든 핑계를 대고 받아들이지 않으려 했음을 지적하신 말씀이다. 죄의 특징은 자기 자신을 합리화하고 변호하며 절대로 스스로 항복하지 않고 버틴다는 것이다.

지혜는 그 행한 일로 인하여 옳다 함을 얻느니라 하나님의 지혜는 그 지혜를 받아들이고 행하는 사람들을 통해 옳다는 것이 증명된다는 말씀이다. 〈누가복음〉에는 이것을 더욱 분명히 하여 지혜가 그 자녀들을 통해 증명된다고 나온다(눅 7:35).

20 예수님은 갈릴리에서 사역하시며 그 지역에 많은 기적을 행하셨음에도 사람들이 회개하지 않음을 보며 책망하신다. 사람들은 예수님이 행하신 기적을 보고 놀라기는 했지만 그들의 삶이 바뀌는 진정한 회개로까지는 나아가지 않았다.

22 심판 날에 두로와 시돈이 너희보다 견디기 쉬우리라 '두로와 시돈'은 당시 이방종교가 성행한 지역이었다. 심판 날에는 은혜를 많이 입은 자들이 더 많은 대가를 치르게 된다는 말씀이다(참고. 24절). 즉, 하나님의 크신 은혜를 받고도 그에 합당한 열매를 맺지 못하는 자들을 향한 경고의 말씀이다.

쉬운성경

16 내가 이 세대의 사람들을 무엇에 비유할 수 있겠느냐? 이들은 마치 장터에 앉아 있는 아이들이 다른 아이들을 부르는 것과 같다.

17 '우리가 너희를 위하여 피리를 불었는데, 왜 춤을 추지 않았느냐? 우리가 슬픈 노래를 불렀는데, 왜 울지 않았느냐?'

18 요한은 와서 먹지도 않고, 마시지도 않았다. 그러자 사람들이 이렇게 말했다. '그는 귀신 들렸어.'

19 인자가 와서 먹고 마시니, 사람들이 말했다. '저 사람을 봐! 탐욕이 많은 사람이야. 저 사람은 술꾼이야. 세리와 죄인의 친구야.' 그러나 지혜는 그 행한 일 때문에 옳다는 것이 증명된다."

20 그때, 예수님께서 자신이 가장 많은 기적을 베푸셨던 도시들을 꾸짖기 시작하셨습니다. 그것은 이들이 회개를 하지 않았기 때문입니다.

21 "화가 미칠 것이다. 고라신아! 화가 있을 것이다. 벳새다야! 너희에게 베풀었던 기적이 두로와 시돈에서 있었다면, 그곳 사람들은 벌써 베옷을 입고, 재를 뒤집어 쓰며 회개했을 것이다.

22 내가 너희에게 말한다. 심판의 날에 너희가 두로와 시돈보다 더 많은 심판을 받을 것이다.

23 그리고 너 가버나움아, 네가 하늘까지 높아질 줄 아느냐? 오히려 너희는 지옥에 떨어질 것이다. 너희에게 베푼 기적이 소돔에서 일어났다면, 그 도시가 오늘까지 남아 있었을 것이다.

24 내가 너희에게 말한다. 심판의 날에는 너희가 소돔보다 더 큰 심판을 받을 것이다."

저자의 묵상

예수님은 자신의 말씀에 반응을 보이지 않는 당시 사람들을 향하여 말씀하신다. 그러나 어떻게든 핑계를 대며 어떤 말씀에도 반응을 보이지 않는 것은 단지 그 시대 사람들만이 아니다. 오늘날에도 사람들은 아무리 좋고 명분 있는 일에도 온갖 핑계를 대면서 이를 회피하려 든다. 교회가 잘되면 잘되서 비판하고, 안되면 그것 보라고 비판한다. 그러므로 성도는 세상 사람들의 태도에 너무 일희일비하지 않는 것이 좋다.

물론 정당한 비판은 수용해야 한다. 그러나 영적인 전투를 하는 우리로서는, 마귀가 배후에서 조종하는 세상의 반응에 따라 우리가 가는 믿음의 길이 흔들리지 않게 굳건히 할 필요가 있다. 오늘 본문에서 많은 도시들이 예수님이 베푸신 많은 기적 앞에서도 진정한 회개를 보이지 않았다. 이를 통해 복음에 문제가 있어서가 아니라 복음을 받아들이는 인간에게 문제가 있음을 알 수 있다. 그러므로 어떤 상황에서도 믿음을 지키며 복음을 전하는 삶을 살자.

무릎 기도 | 복음에 반응하지 않는 세상을 보며 낙심하지 않게 하소서. 그럼에도 불구하고 예수님처럼 굳건히 말씀으로 행하는 삶을 살기 원합니다.

NLT - Matthew 11

16 "To what can I compare this generation? It is like children playing a game in the public square. They complain to their friends,

17 'We played wedding songs, and you didn't dance, so we played funeral songs, and you didn't mourn.'

18 For John didn't spend his time eating and drinking, and you say, 'He's possessed by a demon.'

19 The Son of Man,* on the other hand, feasts and drinks, and you say, 'He's a glutton and a drunkard, and a friend of tax collectors and other sinners!' But wisdom is shown to be right by its results."

20 Then Jesus began to denounce the towns where he had done so many of his miracles, because they hadn't repented of their sins and turned to God.

21 "What sorrow awaits you, Korazin and Bethsaida! For if the miracles I did in you had been done in wicked Tyre and Sidon, their people would have repented of their sins long ago, clothing themselves in burlap and throwing ashes on their heads to show their remorse.

22 I tell you, Tyre and Sidon will be better off on judgment day than you.

23 "And you people of Capernaum, will you be honored in heaven? No, you will go down to the place of the dead.* For if the miracles I did for you had been done in wicked Sodom, it would still be here today.

24 I tell you, even Sodom will be better off on judgment day than you."

*11:19 "Son of Man" is a title Jesus used for himself.
*11:23 Greek *to Hades*.

16 compare 비유하다 square 광장 complain 불평하다 17 funeral 장례의 mourn 슬퍼하다 18 be possessed by ~ ~에 사로잡히다 19 glutton 대식가, 폭식가 drunkard 술고래 tax collector 세리, 세금 징수원 sinner 죄인 20 denounce 비난하다, 꾸짖다 repent 회개하다 21 wicked 사악한 burlap 올이 굵은 삼베 ash 재 remorse 회개, 후회 22 be better off 형편이 더 좋다 23 go down to ~ ~로 내려가다, 추락하다

44

월 일

쉼으로의 초청

마태복음 11:25-30

새찬송 461장 | 통일 519장

• 먼저 묵상을 위한 기도를 드린 후, 성경 본문을 2번 이상 읽고 묵상하십시오.

본문요약 | 예수님의 구원은 스스로 지혜롭다는 자들이 아니라 어린아이와 같이 순결한 자들에게 주어졌다. 이것은 천지의 주재이신 아버지의 뜻이다. 무겁고 지친 영혼들을 예수님이 쉼으로 초청하신다. 예수님처럼 온유하고 겸손한 마음으로 멍에를 메면 영혼이 쉼을 얻게 된다.

개역개정

25 그때에 예수께서 대답하여 이르시되 천지
의 주재이신 아버지여 이것을 지혜롭고 슬
기 있는 자들에게는 숨기시고 어린아이들
에게는 나타내심을 감사하나이다
26 옳소이다 이렇게 된 것이 아버지의 뜻이
니이다
27 내 아버지께서 모든 것을 내게 주셨으니
아버지 외에는 아들을 아는 자가 없고 아
들과 또 아들의 소원대로 계시를 받는 자
외에는 아버지를 아는 자가 없느니라
28 수고하고 무거운 짐 진 자들아 다 내게로
오라 내가 너희를 쉬게 하리라
29 나는 마음이 온유하고 겸손하니 나의 멍에
를 메고 내게 배우라 그리하면 너희 마음
이 쉼을 얻으리니
30 이는 내 멍에는 쉽고 내 짐은 가벼움이라
하시니라

1. 본문에 나타난 예수님은 어떤 분이십니까?

2. 오늘 하나님께서 나에게 주신 깨달음은 무엇입니까?

3. 말씀을 어떻게 내 삶에 구체적으로 적용해야 합니까?

절별 해설

25 이것을 지혜롭고 슬기 있는 자들에게는 숨기시고 어린아이들에게는 나타내심을 감사하나이다 '이것'은 예수님의 구원 소식을 뜻한다. 구원의 복음은 자칭 지혜롭고 영리하다고 하는 당대의 바리새인이나 서기관들에게는 숨겨졌다. '어린아이'는 순수하고 겸손한 마음으로 하나님을 섬기는 사람들을 가리킨다.

27 아버지 외에는 아들을 아는 자가 없고 아들과 또 아들의 소원대로 계시를 받는 자 외에는 아버지를 아는 자가 없느니라 하나님의 아들이신 예수님 외에는 하나님을 아는 자가 없기 때문에, 예수 그리스도를 거절하는 사람은 당연히 하나님을 알 수 없다. 또한 성도가 믿음을 갖게 되는 것도 자신의 지혜나 능력 때문이 아니라, 예수님이 나타내 주셨기 때문에 아는 것이다.

28 수고하고 무거운 짐 진 자들아 다 내게로 오라 내가 너희를 쉬게 하리라 '수고하고 무거운 짐 진 자'는 당시에 율법 선생이었던 바리새인과 서기관들에 의해 율법의 의무를 질 것을 강요당하는 일반 백성을 뜻한다. 그러나 넓은 의미로는 인생에서 각종 힘든 삶의 무게를 지고 가는 사람들 전반을 일컫는다. 당시 율법 조항은 613개나 되었다고 한다. 한편, 예수님은 '내가' 너희를 쉬게 하겠다고 강조하심으로, 사람에게 진정한 안식은 오직 예수님으로만 가능함을 역설하신다. 인간은 쉼과 안식이 절대적으로 필요하며, 그 때문에 예수님은 사람들을 초청하신다.

29 나는 마음이 온유하고 겸손하니 나의 멍에를 메고 내게 배우라 예수님의 마음으로 예수님의 멍에를 메고 배우라고 하신다. 그럴 때 쉼을 얻게 된다는 말씀이다. 예수님이 메시아로서 힘든 고난의 길을 가실 수 있었던 비결은 온유하고 겸손한 마음에 있었다. 이것은 단순히 인간적인 미덕이나 부드러움이 아니라 하나님의 절대적인 선하심에 근거한 온유와 겸손이다.
너희 마음이 쉼을 얻으리니 예수님은 무겁고 지친 영혼들을 초청하셨으나, 본문 어디에도 짐을 줄여주거나 대신 지시겠다는 표현은 없다. 대신 예수님의 짐을 지고 배울 때 영혼(마음)이 쉼을 얻는다고 하신다. 기독교의 쉼은 마음의 쉼이다. 예수님을 믿어도 외부적 환경의 어려움은 여전히 계속될 수 있다. 그러나 마음에 평안을 얻는다(요 14:27). 그 때문에 세상 풍파 중에도 평안할 수 있는 것이다.

30 '예수님의 멍에와 짐'은 그분의 가르침과 그에 따른 삶을 뜻한다. 그것이 쉽고 가벼운 이유는 예수님과 그분의 가르침을 받아들이면 인간은 구원을 얻게 되며 내적인 평안과 자유를 얻기 때문이다(요 8:32). 그 결과 자신이 져야 하는 인생의 짐이 있더라도 마음의 쉼을 얻게 되므로 인생의 짐도 역시 쉽고 가벼워진다.

쉬운성경

25 그때에 예수님께서 대답하여 말씀하셨습니다. "하늘과 땅의 주인이신 아버지, 이것들을 지혜롭고 영리한 사람에게는 감추시고, 어린아이들에게는 보여주셨으니 감사합니다.

26 그렇습니다. 아버지, 이것이 아버지께서 기뻐하시는 뜻입니다."

27 "나의 아버지께서 내게 모든 것을 주셨다. 아버지 외에는 아들을 아는 이가 없고, 아들과 아들이 나타내 주고자 하는 사람 외에는 아버지를 아는 이가 없다.

28 무거운 짐을 지고 지친 사람은 모두 나에게 오너라. 내가 너희를 쉬게 할 것이다.

29 나는 마음이 온유하고 겸손하니, 나의 멍에를 메고 내게 배워라. 그러면 너희 영혼이 쉼을 얻을 것이다.

30 나의 멍에는 쉽고 나의 짐은 가볍다."

저자의 묵상

기독교는 평안과 안식의 신앙을 강조한다. 인간은 죄 때문에 무겁고 지친 인생을 살아가지만 예수님으로 인해 누구나 쉽고 평안한 인생이 될 수 있다. 사람으로 태어나 기쁘고 평안한 인생을 살 권리를 누리지 못한다면 이것은 매우 불행한 일이다.

본문에서 예수님은 그 평안의 비결을 말씀하신다. 그것은 예수님의 마음으로 예수님의 멍에를 멜 때 가능하다는 것이다. 예수님은 어떤 상황에서도 하나님의 선하심을 믿으셨으므로 온유하고 겸손하셨다. 그분의 마음은 늘 평온하셨다. 우리도 이런 마음의 평안을 추구해야 한다. 비록 삶이 힘들게 할지라도 하나님을 믿고 의지할 때 마음의 평안과 쉼은 계속될 것이다. 마음의 평안을 얻으면 외적인 환경의 어려움도 크게 힘들지 않음을 깨닫게 될 것이다.

무릎 기도 | 주님의 쉼과 안식을 주소서. 온유하고 겸손한 주님의 마음으로 살아가게 하시며 세상이 흔들지 못하는 마음의 안식과 평안을 주소서.

NLT - Matthew 11

25 At that time Jesus prayed this prayer: "O Father,
Lord of heaven and earth, thank you for hiding
these things from those who think themselves
wise and clever, and for revealing them to the
childlike.
26 Yes, Father, it pleased you to do it this way!
27 "My Father has entrusted everything to me. No
one truly knows the Son except the Father, and
no one truly knows the Father except the Son
and those to whom the Son chooses to reveal
him."
28 Then Jesus said, "Come to me, all of you who
are weary and carry heavy burdens, and I will
give you rest.
29 Take my yoke upon you. Let me teach you,
because I am humble and gentle at heart, and
you will find rest for your souls.
30 For my yoke is easy to bear, and the burden I
give you is light."

* 11:26 *Or for so it pleased you well*

25 at that time 그때에 pray 기도하다 hide 숨기다 reveal 계시하다, 드러내다 childlike 어린애 같은 27 entrust 위임하다, 맡기다 28 weary 지친 burden 짐 29 take … upon ~ …를 ~가 떠맡다 yoke 멍에 humble 겸손한 30 be easy to ~ ~하기가 쉽다

45

월 일

안식일의 주인

마태복음 12:1-14

새찬송 46장 | 통일 58장

• 먼저 묵상을 위한 기도를 드린 후, 성경 본문을 2번 이상 읽고 묵상하십시오.

본문요약 | 안식일에 예수님의 제자들이 밀밭 사이로 걸어가다가 시장하여 밀 이삭을 잘라 먹었다. 바리새인들은 이를 지적하며 안식일을 어겼다고 주장했고, 예수님은 다윗과 제사장들의 경우를 들어 자신이 안식일의 주인이시며 제사보다 자비를 원하심을 말씀하신다. 또 회당에서 병자를 고치심으로 안식일의 의미를 가르쳐 주신다.

개역개정

1 그때에 예수께서 안식일에 밀밭 사이로 가실새 제자들이 시장하여 이삭을 잘라 먹으니

2 바리새인들이 보고 예수께 말하되 보시오 당신의 제자들이 안식일에 하지 못할 일을 하나이다

3 예수께서 이르시되 [ㄱ]다윗이 자기와 그 함께한 자들이 시장할 때에 한 일을 읽지 못하였느냐

4 그가 하나님의 전에 들어가서 제사장 외에는 자기나 그 함께한 자들이 먹어서는 안 되는 진설병을 먹지 아니하였느냐

5 [ㄴ]또 안식일에 제사장들이 성전 안에서 안식을 범하여도 죄가 없음을 너희가 율법에서 읽지 못하였느냐

6 내가 너희에게 이르노니 성전보다 더 큰 이가 여기 있느니라

7 [ㄷ]나는 자비를 원하고 제사를 원하지 아니하노라 하신 뜻을 너희가 알았더라면 무죄한 자를 정죄하지 아니하였으리라

8 인자는 안식일의 주인이니라 하시니라

9 거기에서 떠나 그들의 회당에 들어가시니

10 한쪽 손 마른 사람이 있는지라 사람들이 예수를 고발하려 하여 물어 이르되 안식일에 병 고치는 것이 옳으니이까

11 예수께서 이르시되 너희 중에 어떤 사람이 양 한 마리가 있어 안식일에 구덩이에 빠졌으면 끌어내지 않겠느냐

12 사람이 양보다 얼마나 더 귀하냐 그러므로 안식일에 선을 행하는 것이 옳으니라 하시고

ㄱ. 삼상 21:6 ㄴ. 민 28:9,10 ㄷ. 호 6:6

13 이에 그 사람에게 이르시되 손을 내밀라 하시니 그가 내밀매 다른 손과 같이 회복되어 성하더라

14 바리새인들이 나가서 어떻게 하여 예수를 죽일까 의논하거늘

1. 본문에 나타난 예수님은 어떤 분이십니까?

2. 오늘 하나님께서 나에게 주신 깨달음은 무엇입니까?

3. 말씀을 어떻게 내 삶에 구체적으로 적용해야 합니까?

절별 해설

2 안식일에 하지 못할 일 바리새인들이 제자들의 행동을 비난한 근거는 당시 그들이 지키던 '장로들의 유전'이었다. '장로들의 유전'은 구전으로 전해지던 율법에 대한 해설을 담은 내용과 새로운 상황에 맞게 율법을 재해석한 것이다. 이것에 의하면 안식일에 하지 말아야 할 39가지 일이 있었고, 그중 추수하여 탈곡하는 것을 금지하는 규정이 있었다. 그러나 이것은 신명기 말씀(5:12-15)의 안식일 정신을 온전히 담아내는 것이 아니었다.

3-4 이는 사무엘상 21장 1-6절 사건을 배경으로 한다. 다윗은 사울을 피하여 도망하던 중 자신과 함께한 부하들과 '놉' 땅에 들어갔다. 그때 다윗은 제사장 아히멜렉에게 제사장만 먹을 수 있는 진설병을 요구하여 먹었다. 진설병은 누룩을 넣지 않은 떡으로, 성소 안에 12지파를 상징하여 진설병 상을 차려 놓았고, 안식일마다 새것으로 바꾸었다. 또 헌 떡은 제사장만이 먹을 수 있었다(레 24:5-9). 당시 아히멜렉은 종교적 규정보다 사람의 생명을 더 귀하게 여겼던 것이다.

5 제사장들은 안식일에 제사를 드리고 떡을 교체하는 등 여러 가지 일을 했다(레 24:8; 민 28:9-10). 이것도 당시 바리새인들의 유전에 의하면 명백히 일하는 것에 해당하나 누구도 이것을 비난하지 않았다. 왜냐하면 이것은 하나님을 섬기는 일이었기 때문이다. 안식일은 단순히 아무것도 하지 않는 것이 핵심이 아니라, 하나님을 섬기고 예배하는 것에 초점을 두었다. 바리새인들은 규정에만 매여 하나님이 진정으로 원하시는 것에 관심이 없었다.

6 성전보다 더 큰 이 예수 그리스도를 가리킨다. 구약의 성막이나 성전은 하나님이 그 백성 가운데 함께하신다는 의미로 주신 것으로(출 25:8), 우리와 함께하시는 임마누엘 되신 예수 그리스도 자신을 가리키는 것이었다(요 2:19-21).

10 사람들이 예수를 고발하려 하여 물어 이르되 안식일에 병 고치는 것이 옳으니이까 이는 선한 의도의 질문이 아니었다. 더군다나 안식일에 회당 안에 '한쪽 손 마른 사람'이 있었던 것도 바리새인들이 의도적으로 예수님을 책잡기 위해서 만들어 놓은 덫이었다. 그들의 율법 해석에 의하면 안식일에 생명이 위독한 경우를 제외하고 병 고치는 행위를 삼가고 있었다. 그 때문에 예수님이 병 고치는 것이 옳다고 하시면 율법을 어긴 것으로 고발할 수 있었다.

11 너희 중에 어떤 사람이 양 한 마리가 있어 안식일에 구덩이에 빠졌으면 끌어내지 않겠느냐 예수님은 그들의 율법 해석과

쉬운성경

1 그 무렵, 안식일에 예수님께서 밀밭 사이를 걸어가셨습니다. 제자들이 너무 배가 고파서 밀 이삭을 잘라 먹기 시작했습니다.

2 바리새파 사람들이 이것을 보고 예수님께 말했습니다. "보시오! 당신의 제자들이 안식일에 금지된 일을 하고 있습니다."

3 예수님께서 대답하셨습니다. "너희는 다윗과 그 군사들이 굶주렸을 때에 했던 일을 읽어 보지 못하였느냐?

4 다윗은 하나님의 전에 들어가 자신도 먹을 수 없고 그 부하들도 먹을 수 없으며, 오직 제사장만이 먹을 수 있는 진설병을 먹었다.

5 너희가 또한 안식일에 성전 안에서 만큼은 제사장들이 안식일을 어겨도 죄가 되지 않는다는 것을 율법에서 읽어 보지 못하였느냐?

6 내가 너희에게 말한다. 성전보다 더 큰 이가 여기 있다.

7 '나는 희생 제물보다 자비를 원한다' 라고 하신 말씀이 무슨 뜻인지 너희가 알았더라면, 죄 없는 사람들을 죄인으로 단정하지 않았을 것이다.

8 인자는 안식일의 주인이다."

9 예수님께서 그곳을 떠나 유대인의 회당으로 들어가셨습니다.

10 회당 안에 손이 오그라진 사람이 있었습니다. 사람들이 예수님을 고발하려고, "안식일에 병을 고치는 것이 옳습니까?" 하고 예수님께 여쭈었습니다.

11 예수님께서 그들에게 대답하셨습니다. "만일 너희 중에서 어떤 사람이 양

적용이 가진 허점을 드러내신다. 짐승이라 할지라도 위험에 처하면 재산상의 손해를 입지 않기 위해 안식일에도 구해내는 것이 당연하다. 그렇다면 사람을 도와주는 일은 비교할 수 없이 중요한 일이 아니겠냐고 말씀하시는 것이다.

12 안식일에 선을 행하는 것이 옳으니라 유대인들은 안식일을 아무 일도 하지 않는 날로만 생각했다. 이는 구약의 율법을 따른 행위였다(렘 17:22). 그러나 율법의 진정한 의미는 아무 일도 하지 않는 것이 아니라, 오히려 하나님께 영광이 되는 선한 일을 더욱 열심히 하는 것에 있었다. 원래 안식일은 창조의 섭리와(창 2:1-3) 하나님이 이스라엘을 애굽에서 구원하심을 기념하는 두 가지 의미로 쉬었으며(신 5:14-15), 개인적인 일은 삼가고(사 58:13) 선한 일에는 힘쓰는 날이다.

한 마리를 가지고 있는데, 그 양이 안
식일에 구덩이에 빠지면 그것을 끌어
내지 않겠느냐?

12 하물며 사람은 양보다 얼마나 더
귀중하냐! 그러므로 안식일에 선한
일을 하는 것이 옳다."

13 그리고 나서 예수님께서 손이 오
그라진 사람에게 말씀하셨습니다.
"손을 펴 보아라." 그 사람이 손을 펴
자, 그 손이 다른 손처럼 회복되었습
니다.

14 바리새파 사람들은 가서, 예수님
을 어떻게 없앨지 모의를 하였습니
다.

저자의 묵상

바리새인들은 어떻게든 예수님을 책잡으려는 생각 때문에 율법을 올바르게 적용하지 못했다. 그들은 신명기의 말씀보다 자신들의 유전을 더 높이려는 잘못된 우를 범한 것이다. 잘못된 의도는 말씀에 대한 잘못된 해석을 낳는다. 어떤 눈으로 말씀을 들여다보는지가 얼마나 중요한지를 보여주는 예다. 그러므로 하나님을 사랑하고 사람을 사랑하는 긍정적인 태도로 말씀을 대해야 한다. 자신의 잘못된 입장을 변호하거나 남을 정죄하려는 목적으로 성경을 대해서는 안 된다. 예수님은 규율의 준수 여부보다 사람을 사랑하고 자비를 베푸는 것을 귀히 여기셨다.

예수님은 안식일은 아무것도 하지 않는 날이 아니라 하나님께 영광을 돌리며 선한 일을 하는 날임을 가르쳐 주셨다. 이처럼 오늘 우리가 지키는 주일은 세상일은 멈추되 하나님의 일은 더욱 열심히 감당하는 날이 되어야 함을 잊지 말자.

무릎 기도 주일이 저를 기쁘게 하는 날로 사용되지 않고 하나님이 기뻐하시는 선한 일을 행하며 복음을 전하는 날이 되게 하소서. 참된 안식일의 뜻을 깨닫고 지키기 원합니다.

NLT - Matthew 12

1 At about that time Jesus was walking through some grainfields on the Sabbath. His disciples were hungry, so they began breaking off some heads of grain and eating them.

2 But some Pharisees saw them do it and protested, "Look, your disciples are breaking the law by harvesting grain on the Sabbath."

3 Jesus said to them, "Haven't you read in the Scriptures what David did when he and his companions were hungry?

4 He went into the house of God, and he and his companions broke the law by eating the sacred loaves of bread that only the priests are allowed to eat.

5 And haven't you read in the law of Moses that the priests on duty in the Temple may work on the Sabbath?

6 I tell you, there is one here who is even greater than the Temple!

7 But you would not have condemned my innocent disciples if you knew the meaning of this Scripture: 'I want you to show mercy, not offer sacrifices.'*

8 For the Son of Man* is Lord, even over the Sabbath!"

9 Then Jesus went over to their synagogue,

10 where he noticed a man with a deformed hand. The Pharisees asked Jesus, "Does the law permit a person to work by healing on the Sabbath?" (They were hoping he would say yes, so they could bring charges against him.)

11 And he answered, "If you had a sheep that fell into a well on the Sabbath, wouldn't you work to pull it out? Of course you would.

12 And how much more valuable is a person than a sheep! Yes, the law permits a person to do good on the Sabbath."

13 Then he said to the man, "Hold out your hand." So the man held out his hand, and it was restored, just like the other one!

14 Then the Pharisees called a meeting to plot how to kill Jesus.

*12:7 Hos 6:6 (Greek version).
*12:8 "Son of Man" is a title Jesus used for himself.

1 walk through 지나가다, 통과하다 grainfield 곡식밭 Sabbath 안식일 disciple 제자, 사도 break off 꺾어버리다, 끊다 2 protest 항의하다 3 Scripture 성경, 성서 companion 동료 4 sacred 신성한 priest 제사장 5 on duty 당번인 7 condemn 정죄하다 innocent 깨끗한, 흠 없는 9 synagogue 회당 10 deformed 불구의 bring charge against ~ ~를 고발하다 11 fall into ~ ~에 빠지다 well 우물, 구덩이 pull ~ out ~을 빼내다 12 valuable 귀중한 do good 선을 행하다 13 hold out (손 따위를) 내밀다, 뻗다 restore 회복시키다

• MEMO •

46 자신을 나타내지 않으시는 예수님

월 일

마태복음 12:15-21

새찬송 463장 | 통일 518장

• 먼저 묵상을 위한 기도를 드린 후, 성경 본문을 2번 이상 읽고 묵상하십시오.

본문요약 | 예수님이 바리새인들이 모의한 사실을 아시고 그들을 떠나신다. 또 병자들을 고쳐 주신 예수님은 그들에게 자신을 나타내지 말라고 당부하신다. 이는 이사야 예언의 성취로, 이사야는 하나님의 종 메시아가 정의를 선포하고 조용히 일하실 것이며 연약한 자들을 끝까지 보살피신다고 예언했다.

개역개정

15 예수께서 아시고 거기를 떠나가시니 많은 사람이 따르는지라 예수께서 그들의 병을 다 고치시고
16 자기를 나타내지 말라 경고하셨으니
17 이는 선지자 이사야를 통하여 말씀하신 바
18 ㄱ보라 내가 택한 종 곧 내 마음에 기뻐하는 바 내가 사랑하는 자로다 내가 내 영을 그에게 줄 터이니 그가 심판을 이방에 알게 하리라
19 그는 다투지도 아니하며 들레지도 아니하리니 아무도 길에서 그 소리를 듣지 못하리라
20 상한 갈대를 꺾지 아니하며 [1]꺼져 가는 심지를 끄지 아니하기를 심판하여 이길 때까지 하리니
21 또한 이방들이 그의 이름을 바라리라 함을 이루려 하심이니라

1) 또는 연기나는 삼대를 ㄱ. 사 42:1 이하

1. 본문에 나타난 예수님은 어떤 분이십니까?

2. 오늘 하나님께서 나에게 주신 깨달음은 무엇입니까?

3. 말씀을 어떻게 내 삶에 구체적으로 적용해야 합니까?

절별 해설

15 예수께서 아시고 거기를 떠나가시니 안식일을 어겼다며 예수님을 죽이려고 모의하는 바리새인들의 음모를 간파하신 예수님은 그들과 맞서지 않고 그곳을 떠나가셨다. 물론 예수님의 생각과 말씀이 옳고 저들이 틀렸지만, 아직은 이루어야 할 메시아의 사역이 남아 있기에 불필요한 충돌을 피하신 것이다. 사명에 집중하시는 예수님의 모습을 볼 수 있다.
예수께서 그들의 병을 다 고치시고 예수님은 그 와중에도 병 고침을 바라고 찾아온 사람들의 필요를 채워 주셨다. 병을 고쳐 주는 일이 바리새인들을 더 자극하여 상황을 더욱 어렵게 만들 것을 뻔히 아시면서도 예수님은 병든 자들을 불쌍히 여기신 것이다.

16 자기를 나타내지 말라 경고하셨으니 왜 예수님은 자신을 드러내는 것을 극도로 자제하셨을까? 그것은 첫째, 사람들이 예수님을 단지 기적이나 베푸는 사람으로 인식하지 않길 바라셨기 때문이다. 예수님은 단지 인간의 현실적인 문제의 해결만을 위해 오지는 않으셨기에 이를 피하신 것이다. 둘째, 남아 있는 메시아의 사역에 충실하시기 위해서다. 많은 주목을 받을 경우에 남아 있는 여러 사역을 이루는 데 방해가 되기 때문이다.

18 보라 내가 택한 종 '택한 종'은 메시아이신 예수님을 가리킨다. 그분은 성령을 받아 이방에 정의(심판)을 선포하신다. 예수님의 사역을 통해 무엇이 인생에 진정으로 필요한 것인지를 알게 된다는 말씀이다. 사람들에게 진정으로 필요한 것은 물질이나 명예가 아니라 예수 그리스도를 믿고 천국을 준비하는 것이다.

20 상한 갈대를 꺾지 아니하며 꺼져 가는 심지를 끄지 아니하기를 '상한 갈대'나 '꺼져 가는 심지'는 모두 연약하고 부족한 인간을 나타내는 표현이다. 예수님은 그들에 대한 사랑과 관심을 결코 거두지 않으실 것이며, 이를 마지막 때에 심판하여 정의가 바로 설 때까지 멈추지 않으실 것이다. 이런 이유 때문에 모든 이방 사람들이 주님의 이름에 소망을 걸게 된다(21절). 주님은 모든 연약한 자의 희망이 되신다.

쉬운성경

15 예수님께서 이것을 아시고, 그곳을 떠나셨습니다. 많은 사람들이 예수님을 따라왔고, 예수님께서는 병든 사람들을 모두 고쳐 주셨습니다.

16 그러나 예수님께서는 자신에 대해 이야기하지 말라고 이르셨습니다.

17 이것은 예언자 이사야의 말을 이루려는 것입니다.

18 "내가 선택한 종을 보아라. 내가 그를 사랑하고 기뻐한다. 내 영을 그에게 줄 터인데, 그가 이방 사람들에게 정의를 선포할 것이다.

19 그는 다투지도 않고, 울부짖지도 않을 것이다. 거리에서 아무도 그의 소리를 들을 수 없을 것이다.

20 그는 상한 갈대도 꺾지 않을 것이고 꺼져 가는 불꽃도 끄지 않을 것이다. 그래서 그는 결국 정의가 이기게 할 것이다.

21 모든 이방 사람들이 그 이름에 소망을 걸 것이다."*

*12:18–21 사 42:1–4에 기록되어 있다.

저자의 묵상

예수님은 메시아로 이 땅에 오셨지만, 당시 사람들의 기대와는 달리 자신을 나타내지 않으셨으며, 드러내 놓고 영광을 취하지도 않으셨다. 그 모든 것이 메시아로서의 사명을 감당하는 데 방해가 되기 때문이다. 그러면서도 예수님은 연약하고 병든 사람들의 필요는 모두 채워 주셨다. 여기에 진정한 사역자가 보여야 할 모범이 있다.

이처럼 사명자는 사명을 이루는 것이 목적이 되어야지 영광을 취하고 명예를 드높이는 일에 심취해서는 안 된다. 부수적인 것들에 마음을 빼앗기면 정작 중요한 사명을 이루지 못하게 되기 때문이다. 또한 사명을 뒤로 한 채 영광이나 취하려 한다면 사람들에게 진정한 하나님 나라의 모습과 영적인 일의 중요성을 소개할 수 없다. 만약 그렇게 된다면 사람들은 복음이 아니라 그들이 누리고 있는 부와 명예에 관심을 가지고 몰려들 것이다. 언제 어디서나 영광 받으실 분은 오직 하나님 한 분임을 잊지 말자.

무릎 기도 메시아로서의 사명을 위해 묵묵히 사역에 집중하시는 예수님의 아름다운 모습이 제 삶에 조금이라도 나타나기를 기도합니다. 진정한 사명자의 삶을 살아서 주님만 영광 받게 하소서.

NLT - Matthew 12

15 But Jesus knew what they were planning. So he
left that area, and many people followed him.
He healed all the sick among them,
16 but he warned them not to reveal who he was.
17 This fulfilled the prophecy of Isaiah concerning
him:
18 "Look at my Servant, whom I have chosen. He is
my Beloved, who pleases me. I will put my
Spirit upon him, and he will proclaim justice to
the nations.
19 He will not fight or shout or raise his voice in
public.
20 He will not crush the weakest reed or put out a
flickering candle. Finally he will cause justice to
be victorious.
21 And his name will be the hope of all the
world."*

*12:18–21 Isa 42:1–4 (Greek version for 42:4).

16 warn 경고하다 reveal 계시하다, 드러내다 17 fulfill 성취하다 prophecy 예언 concerning ~에 관하여 18 put … upon ~ …를 ~에게 주다 justice 정의 19 raise one's voice 소리 지르다 in public 공개적으로 20 flickering 꺼져 가는 candle 양초

47

월 일

바알세불 논쟁

마태복음 12:22-32

새찬송 460장 | 통일 515장

• 먼저 묵상을 위한 기도를 드린 후, 성경 본문을 2번 이상 읽고 묵상하십시오.

본문요약 | 예수님이 귀신 들려 보지 못하고 말 못하는 사람을 고쳐 주시자, 바리새인들은 예수님이 귀신의 왕 바알세불을 힘입은 것이라고 모함한다. 그러나 예수님은 사탄이 사탄을 대적할 수 없다고 하시며, 이 일은 성령으로 이루어진 일로써 하나님 나라가 그들 중에 이미 임했다고 말씀하신다. 또 성령을 모독하는 죄는 용서받지 못함을 말씀하신다.

개역개정

22 그때에 귀신 들려 눈 멀고 말 못하는 사람을 데리고 왔거늘 예수께서 고쳐 주시매 그 말 못하는 사람이 말하며 보게 된지라

23 무리가 다 놀라 이르되 이는 다윗의 자손이 아니냐 하니

24 바리새인들은 듣고 이르되 이가 귀신의 왕 바알세불을 힘입지 않고는 귀신을 쫓아내지 못하느니라 하거늘

25 예수께서 그들의 생각을 아시고 이르시되 스스로 분쟁하는 나라마다 황폐하여질 것이요 스스로 분쟁하는 동네나 집마다 서지 못하리라

26 만일 사탄이 사탄을 쫓아내면 스스로 분쟁하는 것이니 그리하고야 어떻게 그의 나라가 서겠느냐

27 또 내가 바알세불을 힘입어 귀신을 쫓아내면 너희의 아들들은 누구를 힘입어 쫓아내느냐 그러므로 그들이 너희의 재판관이 되리라

28 그러나 내가 하나님의 성령을 힘입어 귀신을 쫓아내는 것이면 하나님의 나라가 이미 너희에게 임하였느니라

29 사람이 먼저 강한 자를 결박하지 않고서야 어떻게 그 강한 자의 집에 들어가 그 세간을 강탈하겠느냐 결박한 후에야 그 집을 강탈하리라

30 나와 함께 아니하는 자는 나를 반대하는 자요 나와 함께 모으지 아니하는 자는 헤치는 자니라

31 그러므로 내가 너희에게 이르노니 사람에 대한 모든 죄와 모독은 사하심을 얻되 성령을 모독하는 것은 사하심을 얻지 못하겠고

32 또 누구든지 말로 인자를 거역하면 사하심을 얻되 누구든지 말로 성령을 거역하면 이 세상과 오는 세상에서도 사하심을 얻지 못하리라

1. 본문에 나타난 예수님은 어떤 분이십니까?

2. 오늘 하나님께서 나에게 주신 깨달음은 무엇입니까?

3. 말씀을 어떻게 내 삶에 구체적으로 적용해야 합니까?

절별 해설

23 이는 다윗의 자손이 아니냐 하니 헬라 원문을 보면 긍정보다는 부정적 답변을 기대한 문장임을 알 수 있다. 예수님의 기적을 본 사람들은 예수님을 메시아로 추정하면서도 여전히 의심했다. 한편, '다윗의 자손'은 구약에서 메시아를 가리키는 다른 말로, 다윗의 왕권을 계승할 분을 일컫는다(사 11:10).

24 바알세불 '바알세불'은 귀신들이 거하는 집의 왕이란 뜻으로, 당시 흔히 귀신들의 우두머리로 생각된 존재다. 유대 종교인들은 대중의 마음이 예수님께로 향하기 시작하자 온갖 중상모략을 다 해서 예수님의 기적을 헐뜯기 시작한 것이다.

25-26 예수님은 이들의 주장이 가진 모순을 날카롭게 지적하신다. 사탄이 사탄을 쫓아내면 집안 싸움을 하는 것과 같은 것인데, 이래서 그 나라가 어찌 서겠냐는 말씀이다. 즉, 사탄이 자기들끼리 분쟁할 이유가 없음을 들어 바리새인들의 주장이 단지 예수님을 모략하려는 것임을 드러내신다.

27 너희의 아들들은 누구를 힘입어 쫓아내느냐 그러므로 그들이 너희의 재판관이 되리라 당시 바리새인들 중에도 오늘날처럼 귀신을 쫓아내는 일종의 퇴마사들이 있었다고 한다. 그들은 나름의 주문이나 주술행위를 통해 이런 일을 행하였으며, 바리새인들도 이를 인정하였다. 예수님은 이것을 예로 들며 그 퇴마사들이 바리새인들의 주장에 대한 평가 기준(재판관)이 된다고 하신다. 귀신 축출 행위가 바리새인들의 주장처럼 귀신의 왕의 힘을 빌렸다면 그들의 아들들도 그런 것임을 인정하는 꼴이 되며, 아니라고 하면 예수님께만 이것을 적용한다는 비난을 받을 수밖에 없다.

28-29 예수님은 성령으로 이 일을 행했음을 말씀하시며 하나님의 나라가 이미 임했다고 하신다. 여기서 하나님 나라는 지역적 개념이라기보다는 통치권을 의미한다. 하나님의 통치가 미치는 곳은 모두 하나님 나라다. 예수님은 귀신보다 더 강력한 하나님의 통치가 그들 중에 임하고 있음을 귀신이 쫓겨나는 것을 통해 보이신다.

31 성령을 모독하는 것은 사하심을 얻지 못하겠고 하나님 앞에서 용서받지 못할 죄는 없다. 하나님은 의롭고 자비로우셔서 예수 그리스도 안에서 우리의 모든 죄를 사해 주신다. 그러나 다만 성령을 모독하는 죄는 용서받지 못한다. '성령을 모독하는 죄'는 앞의 사건에서 보듯이(22-30절), 명백한 증거를 보았음에도 그것을 사탄의 역사로 간주하여 끝까지 거절하는 죄를 뜻한다(참고. 막 3:29-30). 특별히 예수님이 성령을 거역하는 말에 대해 엄하게 말씀하신 이유는 그것이 분명한 증거를 전제로 한 것이기 때문이다.

쉬운성경

22 그때, 사람들이 귀신이 들려서 보지 못하고, 말하지 못하는 사람을 예수님께 데리고 왔습니다. 예수님께서 이 사람을 고쳐 주시자, 그 사람이 말도 하고 볼 수 있게 되었습니다.

23 사람들이 놀라 말했습니다. "이 사람이 혹시 다윗의 후손 메시아가 아닐까?"

24 바리새파 사람들이 이 말을 듣고 말했습니다. "이 사람이 귀신의 우두머리인 바알세불의 힘을 빌려 귀신을 내쫓는다."

25 예수님께서 바리새파 사람들의 생각을 아시고, 그들에게 말씀하셨습니다. "어느 나라든지 자기들끼리 나뉘어 싸우면 망할 것이다. 어느 도시나 가정도 나뉘면, 제대로 서지 못할 것이다.

26 마찬가지로 사탄이 사탄을 내쫓는다면, 사탄이 자신을 대적한다는 말인데, 그렇다면 어떻게 사탄의 나라가 설 수 있겠느냐?

27 내가 바알세불의 힘을 빌어 귀신을 내쫓는다고 하는데, 그렇다면 너희 아들들은 누구의 힘을 빌어 귀신을 내쫓느냐? 그러므로 그들이 너희의 재판관이 될 것이다.

28 내가 만일 하나님의 영으로 귀신을 내쫓는다면, 하나님의 나라가 이미 너희에게 온 것이다.

29 또한 누구든지 힘센 사람을 먼저 묶어 놓지 않으면, 어떻게 힘센 사람의 집에 들어가 물건을 빼앗을 수 있겠느냐? 묶어 놓은 뒤에야 그 집을 약탈할 것이다.

30 누구든지 나와 함께하지 않으면, 나를 반대하는 것이다. 나와 함께 모으지 않는 사람은 흩트리는 것이다.

31 그러므로 내가 너희에게 말한다. 어떠한 죄나 신성 모독의 말은 다 용서를 받겠지만, 성령을 모독하는 죄는 용서받을 수 없다.

32 인자를 거역하는 말을 하는 사람은 용서받을 수 있다. 그러나 성령을 거역하는 말을 하면, 이 세상에서도, 오는 세상에서도 용서받지 못할 것이다."

저자의 묵상

바리새인들은 대중이 예수님이 행하신 기적에 마음이 흔들리고 그분을 메시아로 인정하려는 분위기가 돌자 이 분위기를 깨기 위해서 예수님이 귀신의 왕을 힘입어 기적을 행한다고 중상모략했다. 그러나 예수님의 지적처럼 사탄이 사탄을 쫓아내는 것은 논리적으로 불가능한 일이었다. 바리새인들은 명백한 명분이 있어서 예수님을 반대했던 것이 아니다. 그들은 자신들의 기득권을 지키기 위해 무조건 예수님을 반대하려고 괴상한 논리를 폈던 것이다.

이처럼 오늘날에도 사탄은 모든 세상 문화를 배경으로 기독교를 비난한다. 그러나 저들의 주장을 자세히 들여다보면 정확한 명분이 있어서인 경우는 드물다. 오직 기독교를 시기하고 미워하기 때문에 온갖 모함과 비방을 일삼는다. 이러한 시대를 사는 우리는 이 세상과 신앙에는 중립지대가 없음을 기억하며, 이를 잘 구분해야 한다.

무릎 기도 기독교를 향한 온갖 비방을 무조건 수용하지 않게 하소서. 잘 살펴보고 옳지 않은 것에는 올바로 대응할 수 있는 지혜와 말을 허락하소서.

NLT - Matthew 12

22 Then a demon-possessed man, who was blind and couldn't speak, was brought to Jesus. He healed the man so that he could both speak and see.
23 The crowd was amazed and asked, "Could it be that Jesus is the Son of David, the Messiah?"
24 But when the Pharisees heard about the miracle, they said, "No wonder he can cast out demons. He gets his power from Satan,* the prince of demons."
25 Jesus knew their thoughts and replied, "Any kingdom divided by civil war is doomed. A town or family splintered by feuding will fall apart.
26 And if Satan is casting out Satan, he is divided and fighting against himself. His own kingdom will not survive.
27 And if I am empowered by Satan, what about your own exorcists? They cast out demons, too, so they will condemn you for what you have said.
28 But if I am casting out demons by the Spirit of God, then the Kingdom of God has arrived among you.
29 For who is powerful enough to enter the house of a strong man like Satan and plunder his goods? Only someone even stronger—someone who could tie him up and then plunder his house.
30 "Anyone who isn't with me opposes me, and anyone who isn't working with me is actually working against me.
31 "So I tell you, every sin and blasphemy can be forgiven—except blasphemy against the Holy Spirit, which will never be forgiven.
32 Anyone who speaks against the Son of Man can be forgiven, but anyone who speaks against the Holy Spirit will never be forgiven, either in this world or in the world to come.

*12:24 Greek *Beelzeboul;* also in 12:27. Other manuscripts read *Beezeboul;* Latin version reads *Beelzebub.*

22 demon-possessed man 귀신 들린 자 23 amaze 놀라게 하다 24 cast out 내쫓다 25 doomed 망한 splinter 쪼개지다, 분열되다 feud 서로 다투다 26 fight against ~ ~을 적으로 하여 싸우다 survive 살아남다 27 empower ~할 능력을 주다 exorcist 귀신을 쫓아내는 사람 condemn 정죄하다 29 plunder 강탈하다, 빼앗다 tie ~ up ~을 단단히 묶다 30 oppose 반대하다 work against ~ ~에 반대하다 31 blasphemy 신성모독 32 speak against ~ ~에 반대하다

48

월 일

표적을 구하는 악한 세대

마태복음 12:33-45

새찬송 540장 | 통일 219장

• 먼저 묵상을 위한 기도를 드린 후, 성경 본문을 2번 이상 읽고 묵상하십시오.

본문요약 | 예수님은 열매를 보면 그 나무를 알 수 있듯이 선한 마음에서 선을 내는 것이며, 악한 말은 작은 것이라도 심판 날에 심판을 받음을 말씀하신다. 한편, 당시 종교인들 중 몇몇이 예수님께 나아와 메시아이신 증거를 구한다. 예수님은 믿음이 없는 악한 세대가 증거를 구한다고 하시면서 요나의 증거 외에는 보일 것이 없다고 하신다.

개역개정

33 나무도 좋고 열매도 좋다 하든지 나무도
좋지 않고 열매도 좋지 않다 하든지 하라
그 열매로 나무를 아느니라
34 독사의 자식들아 너희는 악하니 어떻게 선
한 말을 할 수 있느냐 이는 마음에 가득한
것을 입으로 말함이라
35 선한 사람은 그 쌓은 선에서 선한 것을 내
고 악한 사람은 그 쌓은 악에서 악한 것
을 내느니라
36 내가 너희에게 이르노니 사람이 무슨 무익
한 말을 하든지 심판 날에 이에 대하여 심
문을 받으리니
37 네 말로 의롭다 함을 받고 네 말로 정죄함
을 받으리라
38 그때에 서기관과 바리새인 중 몇 사람이
말하되 선생님이여 우리에게 표적 보여주
시기를 원하나이다
39 예수께서 대답하여 이르시되 악하고 음란
한 세대가 표적을 구하나 선지자 요나의
표적밖에는 보일 표적이 없느니라
40 요나가 밤낮 사흘 동안 큰 물고기 뱃속에
있었던 것같이 인자도 밤낮 사흘 동안 땅
속에 있으리라
41 심판 때에 니느웨 사람들이 일어나 이 세
대 사람을 정죄하리니 이는 그들이 요나
의 전도를 듣고 회개하였음이거니와 요나
보다 더 큰 이가 여기 있으며
42 심판 때에 남방 여왕이 일어나 이 세대 사
람을 정죄하리니 이는 그가 솔로몬의 지혜
로운 말을 들으려고 땅끝에서 왔음이거니
와 솔로몬보다 더 큰 이가 여기 있느니라
43 더러운 귀신이 사람에게서 나갔을 때에 물
없는 곳으로 다니며 쉬기를 구하되 쉴 곳
을 얻지 못하고
44 이에 이르되 내가 나온 내 집으로 돌아가
리라 하고 와 보니 그 집이 비고 청소되고
수리되었거늘
45 이에 가서 저보다 더 악한 귀신 일곱을 데
리고 들어가서 거하니 그 사람의 나중 형
편이 전보다 더욱 심하게 되느니라 이 악
한 세대가 또한 이렇게 되리라

1. 본문에 나타난 예수님은 어떤 분이십니까?

2. 오늘 하나님께서 나에게 주신 깨달음은 무엇입니까?

3. 말씀을 어떻게 내 삶에 구체적으로 적용해야 합니까?

절별 해설

33 그 열매로 나무를 아느니라 이는 자연의 법칙이다. 열매가 좋다면 당연히 그 나무도 좋아야 한다. 이 법칙은 영적인 일에도 예외가 아니다. 예수님이 귀신을 쫓아내는 선한 열매를 맺으셨다면 당연히 그 일을 행하시는 예수님도 선한 분으로 알아야 한다는 말씀이다(참고. 7:16-20).

36-37 사람은 자신이 한 말에 대해서도 심판 날에 책임을 져야 한다. '무익한 말'은 선한 일에 전혀 도움이 되지 않는 말을 뜻한다. 언어 사용은 그 사람 안에 있는 신앙을 보여주는 척도가 된다.

38 선생님이여 우리에게 표적 보여주시기를 원하나이다 이는 예수님이 메시아 된 초자연적인 증거(표적)를 요구한 것이다. 이들의 요구가 잘못된 것은 예수님이 이미 그분의 메시아 되신 수많은 초월적인 기적과 증거를 보이셨기 때문이다(12:9-13). 또 그들이 이미 보여주신 증거를 믿지 않으면서 계속해서 증거를 요구한 이유는 예수님을 모함할 확실한 증거를 얻기 위해서다.

39-40 악하고 음란한 세대가 표적을 구하나 예수님은 그들이 악한 의도로 표적을 구하는 것을 간파하셨다. 사람들이 인간적인 목적이나 호기심을 채우기 위해 기적을 추구하는 경우가 많으나, 이것은 오히려 그들이 믿음이 없고 악하다는 것을 증명해 줄 뿐이다.

선지자 요나의 표적밖에는 보일 표적이 없느니라 이는 예수님이 더는 기적을 베풀지 않겠다는 뜻으로 말씀하신 것이 아니다. 그들의 호기심을 충족시킬 목적으로는 기적을 행하지 않겠다는 것이다. 더 나아가 예수님은 메시아 된 결정적인 증거로 사흘 만에 부활하실 것을 예언적으로 언급하신다.

41 유대인들이 혐오하던 이방인인 니느웨 사람들은 요나가 하나님의 심판의 말씀을 전하자 모두 회개하였다. 그들은 오직 요나가 전하는 말씀만 듣고 회개하였다. 반면에 예수님이 큰 능력을 보이시며 회개를 촉구하셨음에도 유대인들은 믿지도 회개하지도 않았다. 이는 이방인보다 더 못한 행동이며 요나보다 더 큰 예수님을 거절한 것이 된다.

쉬운성경

33 "나무도 좋고 열매도 좋다고 하든지, 나무도 나쁘고 열매도 나쁘다고 해야 한다. 나무는 그 열매를 보고 알 수 있다.

34 독사의 자식들아! 너희가 악하면서 어떻게 선한 것을 말할 수 있겠느냐? 입은 그 마음속에 가득 찬 것을 말하는 것이다.

35 선한 사람은 선한 것을 쌓았다가 선한 것을 내고, 악한 사람은 악한 것을 쌓았다가 악한 것을 낸다.

36 내가 너희에게 말한다. 사람이 무심코 내뱉은 사소한 말이라도 심판의 날에는 책임을 져야 한다.

37 네 말에 근거하여 네가 의롭다고 판정을 받을 수도 있고, 죄가 있다고 판정을 받을 수도 있다."

38 그때, 몇몇 율법학자들과 바리새파 사람들이 예수님께 말했습니다. "선생님, 우리에게 증거를 보여 주십시오."

39 예수님께서 대답하셨습니다. "악하고 죄 많은 이 세대가 증거를 보여 달라고 한다. 그러나 예언자 요나의 증거 외에는 보여 줄 것이 없다.

40 요나가 삼 일 낮, 삼 일 밤 동안 꼬박 커다란 물고기 배 속에 있었듯이, 인자도 삼 일 낮, 삼 일 밤 동안 땅 속에 있을 것이다.

41 심판의 날에 니느웨 사람들이 이 세대와 함께 일어서서 이 세대를 심판할 것이다. 왜냐하면 그들은 요나의 전도를 듣고 회개했기 때문이다. 보아라, 요나보다 더 큰 이가 여기 있다!

42 심판의 날에 남쪽 나라의 여왕이 이 세대와 함께 일어서서 이 세대를 심판할 것이다. 왜냐하면 그 여왕은 솔로몬에게 지혜를 들으려고 땅 끝에서부터

42 남방 여왕 스바의 여왕으로 지금의 예멘 지역의 여왕이었다. 그녀는 솔로몬이 지혜 있다는 말을 듣고 멀리서 찾아와 겸손히 지혜를 배우려 했고(왕상 10:1-13), 결국 많은 것을 배우고 얻어서 본국으로 돌아갔다. 유대 종교인들이 예수님을 받아들였다면 실제로 더 많은 것을 얻을 수 있었음을 비유하신 말씀이다.

45 그 사람의 나중 형편이 전보다 더욱 심하게 되느니라 이 악한 세대가 또한 이렇게 되리라 예수님은 더러운 귀신에 대한 말씀을 통해 믿음 없는 유대인들을 꾸짖으신다. 그들은 이전에 하나님의 은혜를 입은 깨끗한 백성이었지만, 지금은 예수님을 받아들이지 않고 믿지 않으니 더 악한 귀신이 그들 속에 들어가서 상태가 더 심각해질 것이라는 말씀이다.

왔기 때문이다. 보아라, 솔로몬보다 더 큰 이가 여기 있다!"

43 "더러운 영이 어떤 사람에게서 나와, 쉴 곳을 찾아 물이 없는 곳에서 헤맸으나 찾지 못하고,

44 이렇게 말했다. '내가 나왔던 집으로 다시 돌아가야겠다.' 돌아와보니 그 집이 여전히 비어 있을 뿐만 아니라, 깨끗이 청소되고 정리되어 있는 것을 알았다.

45 그때, 그 더러운 영이 나가서 자기보다 훨씬 더 악한 일곱 영을 데리고 왔다. 그 영들 모두 그 사람에게 들어가 살게 되어, 그 사람의 나중 상태가 처음보다 훨씬 더 나쁘게 되었다. 이 악한 세대도 이렇게 될 것이다."

저자의 묵상

예수님은 악하고 죄 많은 세대가 증거를 요구한다고 하셨다. 유대인들이 그랬듯이 오늘날도 믿으려고 증거를 구하는 것이 아니라 부정적인 마음으로 증거를 확인하려는 사람들이 있다. 그러나 그들에게는 기적을 보여주어도 또 다른 핑계를 대며 주님을 믿지 않을 것이다. 구약시대에 이스라엘 백성은 광야에서 매일 하나님이 내려주신 기적의 음식인 만나를 먹으면서도 하나님을 믿지 않고 계속해서 불신앙의 모습을 보였다. 그것은 기적적인 사건의 수가 부족해서가 아니라 그들에게 근본적인 믿음이 부족했기 때문에 일어난 현상이었다. 진정한 믿음이 있으면 보지 않고도 믿게 된다(요 20:29).

그러므로 우리는 하나님께 증거를 요구하기보다는 믿음을 구해야 한다. 증거는 성경에 기록된 것으로 충분하다. 그 모든 말씀이 우리 마음에서 믿어지도록 주님께 진정한 믿음을 구하는 삶을 살아가자.

무릎 기도 진정한 믿음을 갖길 원합니다. 주님의 말씀이 진리임을 확신할 수 있는 믿음을 주시고, 죄 많은 세상에서 오염되어 하나님 말씀을 의심하지 않게 지켜 주소서.

33 "A tree is identified by its fruit. If a tree is good, its fruit will be good. If a tree is bad, its fruit will be bad.
34 You brood of snakes! How could evil men like you speak what is good and right? For whatever is in your heart determines what you say.
35 A good person produces good things from the treasury of a good heart, and an evil person produces evil things from the treasury of an evil heart.
36 And I tell you this, you must give an account on judgment day for every idle word you speak.
37 The words you say will either acquit you or condemn you."
38 One day some teachers of religious law and Pharisees came to Jesus and said, "Teacher, we want you to show us a miraculous sign to prove your authority."
39 But Jesus replied, "Only an evil, adulterous generation would demand a miraculous sign; but the only sign I will give them is the sign of the prophet Jonah.
40 For as Jonah was in the belly of the great fish for three days and three nights, so will the Son of Man be in the heart of the earth for three days and three nights.
41 "The people of Nineveh will stand up against this generation on judgment day and condemn it, for they repented of their sins at the preaching of Jonah. Now someone greater than Jonah is here—but you refuse to repent.
42 The queen of Sheba* will also stand up against this generation on judgment day and condemn it, for she came from a distant land to hear the wisdom of Solomon. Now someone greater than Solomon is here—but you refuse to listen.
43 "When an evil* spirit leaves a person, it goes into the desert, seeking rest but finding none.
44 Then it says, 'I will return to the person I came from.' So it returns and finds its former home empty, swept, and in order.
45 Then the spirit finds seven other spirits more evil than itself, and they all enter the person and live there. And so that person is worse off than before. That will be the experience of this evil generation."

*12:42 Greek *The queen of the south.*
*12:43 Greek *unclean.*

33 be identified by ~ ~에 의해 확인되다 34 brood 한 배의 새끼 determine 결정하다 36 give an account on ~ ~에 대해 설명(해명)하다 idle 무익한, 쓸데없는 37 acquit 무죄로 하다 condemn 정죄하다 38 miraculous 기적적인 authority 권능, 권세 39 adulterous 음란한 generation 세대 40 belly 배, 위 41 condemn 정죄하다 repent 회개하다, 뉘우치다 preaching 전도, 설교 refuse to ~ ~하기를 거절하다 43 seek 찾다, 구하다 44 empty 빈, 비어 있는 sweep 청소하다 45 be worse off 형편이 나쁘다 experience 경험

• MEMO •

49

월 일

영적 가족관계

마태복음 12:46-50

새찬송 208장 | 통일 246장

• 먼저 묵상을 위한 기도를 드린 후, 성경 본문을 2번 이상 읽고 묵상하십시오.

본문요약 | 예수님의 어머니와 형제들이 예수님을 찾아와 뵙기를 청하자, 예수님은 누가 나의 가족이냐고 물으신다. 이어서 자신과 함께한 제자들을 가리키며 그들이 가족이라고 밝히시고, 누구든지 하나님의 뜻을 따르는 자가 예수님의 가족이라고 말씀하신다.

개역개정

46 예수께서 무리에게 말씀하실 때에 그의 어머니와 [1]동생들이 예수께 말하려고 밖에 섰더니
47 한 사람이 예수께 여짜오되 보소서 당신의 어머니와 [1]동생들이 당신께 말하려고 밖에 서 있나이다 하니
48 말하던 사람에게 대답하여 이르시되 누가 내 어머니이며 내 [1]동생들이냐 하시고
49 손을 내밀어 제자들을 가리켜 이르시되 나의 어머니와 나의 [1]동생들을 보라
50 누구든지 하늘에 계신 내 아버지의 뜻대로 하는 자가 내 형제요 자매요 어머니이니라 하시더라

1) 또는 형제들

1. 본문에 나타난 예수님은 어떤 분이십니까?

2. 오늘 하나님께서 나에게 주신 깨달음은 무엇입니까?

3. 말씀을 어떻게 내 삶에 구체적으로 적용해야 합니까?

46 예수님의 아버지는 목수 요셉이고 어머니는 마리아, 그의 동생들은 야고보, 요셉, 시몬, 유다 외에 여동생들이다(13:55-56). 그중에 어머니와 동생들이 예수님을 찾아왔다. 그들은 예수님이 귀신에 들려 기적을 행하며 식사할 겨를도 없이 지낼 정도로 미쳐 있다는 소문을 들었기에 붙들러 온 것이다(막 3:20-22). 예수님은 고향 사람들뿐만 아니라(막 6:1-6) 형제들의 믿음도 받지 못하셨다(요 7:5). 그러나 나중에 형제들도 예수님을 믿게 되고, 야고보는 예루살렘 교회의 지도자가 된다(행 15:13).

47 보소서 당신의 어머니와 동생들이 당신께 말하려고 밖에 서 있나이다 예수님의 육신의 가족들이 예수님 앞에 나오지 못하고 사람을 통하여 전갈을 넣은 이유는 그곳에 사람들이 많아서 들어가기 어려웠기 때문이다(막 3:20). 그 때문에 그들은 사람을 통해 예수님을 밖으로 불러내어 소문을 확인하려 한 것이다. 물론 마리아는 예수님의 탄생과 양육 과정에서 예수님의 비범함을 알고 있었지만(눅 2:51), 아직 예수님의 사역과 삶에 대해 완전히 알지는 못했었다. 예수님의 사역은 가까운 가족마저 이해해 주지 못하는 외로운 사역이었다.

48 누가 내 어머니이며 내 동생들이냐 예수님의 말씀은 자칫 부모와 형제자매를 무시하는 말처럼 들릴 수 있다. 그러나 전혀 그런 의도로 말씀하신 것이 아니라 누가 진정한 하나님 나라의 가족인지를 깨우치게 하려는 반문이었다. 그 증거로 예수님이 십자가에서 돌아가실 때 요한에게 어머니 마리아를 부탁하시는 모습은 가족에 대한 사랑을 보여준다(요 19:26-27). 예수님은 부모와 처자와 형제와 심지어 자기 목숨까지 미워하지 않으면 제자가 될 수 없다고 하셨다(눅 14:26). 참 제자는 인간관계보다 하나님과의 관계를 우선해야 함을 밝히신 것이다.

49 예수님은 친히 손을 내밀어 제자들을 가리키는 동작까지 취하시면서 제자들이야말로 자신의 진정한 가족이라고 언급하신다. 예수님의 이러한 자세한 태도와 말은 제자들에게 틀림없이 큰 힘과 위로가 되었을 것이다. 사실 제자들은 자신의 가족과 직업, 즉 모든 것을 버려두고 예수님을 따르고 있었다(4:22). 예수님은 그런 제자들을 가족으로 대하시며 사랑하셨음을 알 수 있다.

50 누구든지 하늘에 계신 내 아버지의 뜻대로 하는 자가 내 형제요 자매요 어머니이니라 예수님은 '누구든지' 하나님의 뜻을 행하는 사람이 진정한 영적 가족임을 밝히시면서 영적 가족관계를 언급하신다. 교회는 혈연이나 지연과 같은 인간적인 모든 조건을 뛰어넘어 모두가 한 가족이 되는 장소다. 그러므로 믿음 안에서 형제자매처럼 매우 친밀한 관계로 지내야 한다.

쉬운성경

46 예수님께서 사람들에게 말씀하고 계실 때에 예수님의 어머니와 형제들이 예수님에게 할 말이 있다면서 밖에 서 있었습니다.

47 어떤 사람이 예수님께 말씀드렸습니다. "보십시오. 선생님의 어머니와 형제들이 선생님께 말을 하려고 밖에 서 있습니다."

48 예수님께서 그 말을 전해 준 사람에게 대답하셨습니다. "누가 나의 어머니이고, 누가 나의 형제들이냐?"

49 그리고 나서 제자들을 가리키면서 말씀하셨습니다. "보아라! 내 어머니와 내 형제들이다.

50 누구든지 하늘에 계신 나의 아버지의 뜻을 행하는 사람이 내 형제요, 자매요, 어머니이다."

저자의 묵상

예수님은 모든 것을 버리고 자신을 따르는 제자들을 향하여 그들이 진정한 가족이라고 말씀하셨다. 당시 제자들이 예수님을 따르는 과정은 쉽지 않았을 것이다. 때로는 힘들고 지쳤을 것이고, 아무런 대가나 보수도 없기에 가족들을 돌보지 못하는 상황이었다. 그러나 그들에게 힘든 일만 있었던 것은 아니다. 하나님의 아들이신 예수님이 그들을 가족으로 대우하고 계셨고, 이것이 그들에게 가장 큰 힘이 되었을 것이다.

이처럼 주님은 우리를 가족으로 대하신다. 나의 조건과 상황과 환경과 관계없이 우리가 하나님의 뜻을 따라 살기로 결심하고 그 길로 행하면 주님은 누구보다도 우리를 지지하고 사랑해 주신다. 그래서 신앙의 길은 외롭지 않다. 세상 사람들이 다 이해하지 못해도 주님이 우리를 이해해 주시기 때문이다.

무릎기도 | 주님의 이름으로 새로운 영적 가족관계인 교회를 이루어 주시니 감사합니다. 교회에서 더욱 친밀한 교제를 나눔으로 영적 가족관계의 기쁨을 누리게 하소서.

NLT - Matthew 12

46 As Jesus was speaking to the crowd, his mother and brothers stood outside, asking to speak to him.

47 Someone told Jesus, "Your mother and your brothers are outside, and they want to speak to you."*

48 Jesus asked, "Who is my mother? Who are my brothers?"

49 Then he pointed to his disciples and said, "Look, these are my mother and brothers.

50 Anyone who does the will of my Father in heaven is my brother and sister and mother!"

*12:47 Some manuscripts do not include verse 47. Compare Mark 3:32 and Luke 8:20.

46 speak to ~ ~에게 말하다 crowd 군중 stand outside 바깥에 있다 ask to ~ ~을 요청하다 49 point to ~ ~을 가리키다 disciple 제자 50 in heaven 하늘에 계신

50

월 일

씨 뿌리는 비유

마태복음 13:1-9

새찬송 429장 | 통일 489장

• 먼저 묵상을 위한 기도를 드린 후, 성경 본문을 2번 이상 읽고 묵상하십시오.

본문요약 | 예수님이 바닷가에서 배에 올라 사람들을 가르치신다. 특히 많은 것을 비유로 가르치셨는데 본문에는 '씨 뿌리는 비유'가 등장한다. 농부가 씨를 뿌렸고 이것이 각각 길가, 돌밭, 가시떨기, 좋은 땅에 떨어진다. 그런데 좋은 땅에 떨어진 씨만 풍성한 열매를 맺는다.

개역개정

1 그날 예수께서 집에서 나가사 바닷가에 앉으시매
2 큰 무리가 그에게로 모여들거늘 예수께서 배에 올라가 앉으시고 온 무리는 해변에 서 있더니
3 예수께서 비유로 여러 가지를 그들에게 말씀하여 이르시되 씨를 뿌리는 자가 뿌리러 나가서
4 뿌릴새 더러는 길가에 떨어지매 새들이 와서 먹어 버렸고
5 더러는 흙이 얕은 돌밭에 떨어지매 흙이 깊지 아니하므로 곧 싹이 나오나
6 해가 돋은 후에 타서 뿌리가 없으므로 말랐고
7 더러는 가시떨기 위에 떨어지매 가시가 자라서 기운을 막았고
8 더러는 좋은 땅에 떨어지매 어떤 것은 백 배, 어떤 것은 육십 배, 어떤 것은 삼십 배의 결실을 하였느니라
9 귀 있는 자는 들으라 하시니라

1. 본문에 나타난 예수님은 어떤 분이십니까?

2. 오늘 하나님께서 나에게 주신 깨달음은 무엇입니까?

3. 말씀을 어떻게 내 삶에 구체적으로 적용해야 합니까?

절별 해설

2 큰 무리 '무리'는 당시에 주로 천한 신분의 사람들을 일컫는 말이었다. 바리새인들이나 서기관들은 이런 사람들을 무시하였으나 예수님은 이들을 마다하지 않으시고 말씀을 가르치셨다. 나아가 예수님은 그들을 목자 없는 양같이 보고 불쌍히 여기셨다(막 6:34). 복음은 대상을 가리지 않는다.

3 비유 비유는 '옆에 놓다'라는 뜻을 갖는 단어다. 즉, 설명하고자 하는 어떤 대상이나 사상을 그와 비슷한 것을 옆에 두고 설명함으로써 대중을 이해시키는 방법이다. 또한 경우에 따라서는 예수님을 책잡고 비난하려는 사람들에게 비유가 가지고 있는 간접성으로 혼란을 주어 충돌을 피하며 대중을 지혜롭게 가르치시는 방법이기도 했다(11–13절 참조). 예수님은 당시 흔히 발견할 수 있는 소재를 비유로 사용하심으로써 사람들의 이해를 도우셨다.

4 길가 밭과 밭 사이의 농부가 걸어 다니는 길을 말한다. 이곳은 밭 옆에 있지만 사람들이 지나다녔기 때문에 단단하게 굳은 땅이었다. 그래서 씨가 그곳에 실수로 뿌려져도 싹을 내지 못하고 새가 날아와 먹어 버리곤 했다. 여기서 '씨'는 하나님 나라의 복음을 가리키고, '밭'은 복음을 듣는 자의 마음 상태를 가리킨다. '길가'는 굳은 마음을 가진 사람을 뜻하며, 시작도 하지 못하고 복음을 거절하는 사람을 말한다.

5 돌밭 팔레스타인 땅은 돌이 많은 지형이다. 그 때문에 흙이 얕고 그 밑에 돌이 있는 곳에 씨앗이 떨어지는 경우도 있었다. 이 경우 싹이 나기는 하지만 해가 나서 날씨가 더워지면 곧 말라버렸다. '돌밭'은 복음을 듣고 신앙을 시작하기는 하지만 이내 완악한 마음이 드러나 복음을 거절하는 사람의 마음 상태를 뜻한다.

7 가시떨기 당시 이스라엘 땅에는 가시가 있는 잡초가 자랐다고 한다. 농부가 씨를 뿌리면 이런 잡초가 있는 곳에 뿌려지는 경우가 있었다. 그럼에도 싹이 나고 어느 정도까지는 자라나 결국은 잡초에 막혀 더는 자라지 못하고 열매 맺지 못했다. '가시떨기'는 외부 환경적 요인에 막혀 결실하지 못하는 마음의 상태를 가리킨다.

8 좋은 땅 좋은 땅에 뿌려진 씨는 좋은 열매를 맺는다. 작게는 삼십 배부터 크게는 백 배까지 열매를 맺는다. 복음을 잘 받아들인 인생은 처음과는 비교할 수 없는 풍성한 결실을 얻는다는 것이 본절의 핵심이다(욥 8:7).

쉬운성경

1 그날, 예수님께서 집에서 나와 호숫가에 앉으셨습니다.

2 많은 사람들이 예수님의 주위에 몰려들었습니다. 그래서 예수님께서는 배에 올라가 앉으셨고, 사람들은 호숫가에 그대로 서 있었습니다.

3 예수님께서 사람들에게 많은 것을 비유로 말씀하셨습니다. "농부가 씨를 뿌리러 나가

4 씨를 뿌리는데, 어떤 씨는 길가에 떨어졌다. 그러자 새들이 날아와 씨를 모두 먹어 버렸다.

5 어떤 씨는 흙이 별로 없고, 돌이 많은 곳에 떨어졌다. 곧 싹이 났지만, 흙이 깊지 않아서

6 해가 뜨자 시들어 버렸고, 뿌리가 없어서 곧 말라 버렸다.

7 어떤 씨는 가시덤불에 떨어졌다. 가시덤불이 자라서 그 씨를 자라지 못하게 하였다.

8 어떤 씨는 좋은 땅에 떨어졌다. 열매를 맺었는데, 어떤 것은 백 배, 어떤 것은 육십 배, 또 어떤 것은 삼십 배의 열매를 맺었다.

9 귀 있는 사람은 들어라!"

저자의 묵상

예수님은 '씨 뿌리는 비유'를 말씀하시고 '귀 있는 자는 들으라'고 하셨다. 다시 말해서 이 비유를 통해 자기 마음을 점검하라는 말씀이다. 하나님의 복음을 듣는 인생은 다양한 반응을 보이게 마련이다. 아예 복음을 무시하거나(길가), 더러는 듣는 것 같지만 자라지 못하여 결실하지 못하는 경우도 있고(돌밭, 가시떨기), 좋은 땅처럼 복음을 잘 받아들일 수 있는 마음 상태로 인해 풍성한 열매를 맺기도 한다. 여기서 중요한 것은 모든 경우가 씨에 문제가 있어서가 아니라 밭에 문제가 있어서 생기는 현상이다.

하나님의 말씀은 언제나 누구에게나 유효하고 능력 있는 씨앗과 같은 말씀이지만, 이것을 받아들이는 사람의 마음 상태에 따라 그 결과는 크게 달라진다. 나의 생각을 내려놓고 겸손히 하나님의 말씀을 받아들이면 생각지도 못한 큰 결실을 맺는 인생이 될 것이다.

무릎기도 하나님 말씀을 통해 주님의 말씀이 문제가 아니라 저의 마음 상태가 문제인 것을 깨닫습니다. 제 마음을 부드럽게 하셔서 복음이 결실하는 신앙이 되게 하소서.

NLT - Matthew 13

1 Later that same day Jesus left the house and sat
beside the lake.
2 A large crowd soon gathered around him, so he
got into a boat. Then he sat there and taught as
the people stood on the shore.
3 He told many stories in the form of parables,
such as this one: "Listen! A farmer went out to
plant some seeds.
4 As he scattered them across his field, some
seeds fell on a footpath, and the birds came and
ate them.
5 Other seeds fell on shallow soil with underlying
rock. The seeds sprouted quickly because the
soil was shallow.
6 But the plants soon wilted under the hot sun,
and since they didn't have deep roots, they
died.
7 Other seeds fell among thorns that grew up and
choked out the tender plants.
8 Still other seeds fell on fertile soil, and they
produced a crop that was thirty, sixty, and even a
hundred times as much as had been planted!
9 Anyone with ears to hear should listen and
understand."

2 gather around ~ ~ 주위로 모이다 3 parable 비유 seed 씨 4 scatter 흩뿌리다 fall on ~ ~에 떨어지다 footpath 보도 5 shallow 얕은 soil 흙, 토양 underlying 밑에 있는 sprout 싹트다 6 wilt 시들다 7 fall among ~ 우연히 ~의 속에 들다 choke out 성장을 저지하다, 누르다 8 fertile 비옥한

51

월 일

비유로 말씀하신 이유

마태복음 13:10-17

새찬송 521장 | 통일 253장

• 먼저 묵상을 위한 기도를 드린 후, 성경 본문을 2번 이상 읽고 묵상하십시오.

본문요약 | 제자들이 예수님께 왜 비유로 가르치시는지를 묻자 예수님은 천국의 비밀을 아는 것이 제자들에게만 허락되었으며, 마음이 완악한 사람은 보아도 깨닫지 못한다고 말씀하신다. 당시 사람들은 구약의 선지자들이 언급한 예수님을 직접 보면서도 깨닫지 못하고 있었다.

개역개정

10 제자들이 예수께 나아와 이르되 어찌하여
그들에게 비유로 말씀하시나이까
11 대답하여 이르시되 천국의 비밀을 아는 것
이 너희에게는 허락되었으나 그들에게는
아니 되었나니
12 무릇 있는 자는 받아 넉넉하게 되되 없는
자는 그 있는 것도 빼앗기리라
13 그러므로 내가 그들에게 비유로 말하는 것
은 그들이 보아도 보지 못하며 들어도 듣
지 못하며 깨닫지 못함이니라
14 이사야의 예언이 그들에게 이루어졌으니
일렀으되
ㄱ너희가 듣기는 들어도 깨닫지 못할 것
이요 보기는 보아도 알지 못하리라
15 이 백성들의 마음이 완악하여져서 그 귀
는 듣기에 둔하고 눈은 감았으니 이는
눈으로 보고 귀로 듣고 마음으로 깨달
아 돌이켜 내게 고침을 받을까 두려워
함이라
하였느니라
16 그러나 너희 눈은 봄으로, 너희 귀는 들음
으로 복이 있도다
17 내가 진실로 너희에게 이르노니 많은 선지
자와 의인이 너희가 보는 것들을 보고자
하여도 보지 못하였고 너희가 듣는 것들을
듣고자 하여도 듣지 못하였느니라

ㄱ. 사 6:9, 10

1. 본문에 나타난 예수님은 어떤 분이십니까?

2. 오늘 하나님께서 나에게 주신 깨달음은 무엇입니까?

3. 말씀을 어떻게 내 삶에 구체적으로 적용해야 합니까?

절별 해설

11 천국의 비밀을 아는 것이 너희에게는 허락되었으나 그들에게는 아니 되었나니 여기서 '비밀'은 감추어졌던 것인데 예수님에 의해 드러나는 복음의 계시를 뜻한다. 복음을 듣고 깨닫는 것은 궁극적으로 하나님의 은혜에 달려 있다(16:17). 그러나 이것은 동시에 사람의 책임이기도 하다. 왜냐하면 완악함으로 복음을 받아들이지 않아서 그 비밀을 깨닫지 못하기 때문이다.

12 '있는 자'는 복음의 계시를 듣고 깨닫는 사람을 뜻하며, '없는 자'는 마음이 완고해서 깨닫지 못하는 사람을 말한다. 복음을 듣고 깨닫는 사람은 더 많은 영적인 지식의 풍요를 누리나, 깨닫지 못하는 사람과 거절하는 사람은 영적인 지식에 있어서 갈수록 더 우매해진다는 뜻의 말씀이다. 충성하는 자에게는 더 주어지지만 거절하는 자는 있는 것도 빼앗긴다(25:28–29).

13 그들이 보아도 보지 못하며 들어도 듣지 못하며 깨닫지 못함이니라 예수님이 비유를 사용하시는 이유다. 예수님은 일상적인 소재를 비유에 사용해 사람들에게 영적인 진리를 더 쉽게 설명하셨다. 그러나 본절에 '그들'로 소개된 당시 유대 종교 지도자들은 아예 예수님에 대해 마음을 닫아 버리고 어떻게든 죽일 구실만 찾고 있었다. 그러니 예수님의 말씀을 깨달을 수 없었고, 그 비유가 더 모호하게만 들렸을 것이다. 이처럼 비유는 깨닫는 자에게는 더 큰 유익을 주지만, 완악하고 트집을 잡으려는 자에게는 빌미를 주지 않는다. 비유는 예수님의 놀라운 지혜의 한 방편이었다.

14 이 예언은 이사야 때에 하나님의 말씀을 듣고도 깨닫지 못하는 백성에게 주어진 말씀이었지만, 여전히 예수님 시대의 사람들에게도 적용되고 있었다. 이를 통해 시대가 흘러가도 인간의 본성은 변하지 않음을 알 수 있다. 자신의 생각과 경험한 것에 갇히면 하나님의 말씀을 들어도 깨닫지 못하기 쉽다.

15 내게 고침을 받을까 두려워함이라 이 말씀은 예수님이 그들의 회개를 원치 않으시거나 그들을 고치지 않으시려고 일부러 깨닫지 못하게 하셨다는 말씀이 아니다. 실상은 그들의 마음이 완악하고 완고해서 말씀을 거절했기에 예수님의 치유를 경험하지 못하는 것이다. 이 부분에 관하여 바울은 하나님이 그들을 죄에 내버려 두셨다고 표현했다(롬 1:28).

17 구약의 선지자들은 예수님에 대해 부분적으로 알고 예언했으나 예수님을 만나지 못했다. 그러나 제자들은 그 약속의 실체를 만나는 영광을 누리고 있었다.

쉬운성경

10 제자들이 예수님께 와서 물었습니다. "왜 사람들에게 비유로 가르치십니까?"

11 예수님께서 대답하셨습니다. "너희들에게는 하늘나라의 비밀을 아는 것이 허락되었으나, 다른 사람들에게는 그렇지 않다.

12 가진 사람은 더 많은 것이 주어져 풍부해질 것이다. 그러나 가진 것이 없는 사람은 있는 것마저 빼앗길 것이다.

13 그래서 내가 비유로 사람들에게 말한다. 그들은 보아도 보지 못하고, 들어도 듣지 못하고, 이해하지도 못한다.

14 따라서 이사야의 예언이 이 사람들에게 이루어지는 것이다.

'너희는 들어도 깨닫지 못할 것이고, 보아도 알아보지 못할 것이다.

15 이 백성들의 마음이 둔해졌고, 귀는 듣지 못하고, 눈은 감겨 있다. 그들이 눈으로 보고, 귀로 듣고, 마음으로 깨닫고 돌아와, 내가 그들을 고치는 일이 없게 하려 함이다.'*

16 그러나 너희 눈은 보고 있으니 복되다. 너희 귀는 듣고 있으니 복되다.

17 내가 너희에게 진정으로 말한다. 많은 예언자들과 의인들이 너희가 지금 보는 것을 보고 싶어했지만 보지 못했다. 너희가 듣는 것을 듣고 싶어했지만 듣지 못했다."

*13:14–15 사 6:9–10에 기록되어 있다.

저자의 묵상

예수님은 일상생활에서 사용되는 소재를 이용한 비유를 사용하셔서 사람들을 가르치셨는데, 비유는 이중적인 성격으로 사용되었다. 비유를 통해 제자들은 하늘나라의 영적인 비밀을 더 쉽게 이해할 수 있었다. 그러나 예수님에 대해 악감정을 가진 자들에게는 비유가 더욱 모호하게 들렸을 것이고, 예수님을 더 트집 잡기 어렵게 만들었을 것이다. 그래서 예수님의 말씀은 그의 제자들에게는 지혜를, 예수님을 반대하는 자들에게는 혼란을 주었다. 누구나 진리를 이해하는 것은 아니다. 마음이 닫혀 있는 자에게 진리는 더욱 혼란을 가져다줄 뿐이다.

그러므로 세상이 하나님의 말씀을 받지 않는 것을 이상하게 여길 필요가 없다. 자신의 욕심으로 그들의 마음이 닫혀 있기 때문이다. 따라서 우리는 진리에 눈을 뜨게 해 주신 주님께 감사하며 더 풍성한 은혜가 우리에게 주어질 것을 기대해야 한다.

무릎 기도 주님의 진리를 믿을 수 있게 해 주시니 감사합니다. 더 많은 진리를 깨닫게 해 주시겠다는 예수님의 약속을 의지하오니 종의 눈을 더욱 열어 주소서.

NLT - Matthew 13

10 His disciples came and asked him, "Why do you use parables when you talk to the people?"
11 He replied, "You are permitted to understand the secrets* of the Kingdom of Heaven, but others are not.
12 To those who listen to my teaching, more understanding will be given, and they will have an abundance of knowledge. But for those who are not listening, even what little understanding they have will be taken away from them.
13 That is why I use these parables, For they look, but they don't really see. They hear, but they don't really listen or understand.
14 This fulfills the prophecy of Isaiah that says, 'When you hear what I say, you will not understand. When you see what I do, you will not comprehend.
15 For the hearts of these people are hardened, and their ears cannot hear, and they have closed their eyes— so their eyes cannot see, and their ears cannot hear, and their hearts cannot understand, and they cannot turn to me and let me heal them.'*
16 "But blessed are your eyes, because they see; and your ears, because they hear.
17 I tell you the truth, many prophets and righteous people longed to see what you see, but they didn't see it. And they longed to hear what you hear, but they didn't hear it.

*13:11 Greek *the mysteries*.
*13:14–15 Isa 6:9–10 (Greek version).

10 disciple 제자, 사도 parable 비유 11 permit 허락하다 12 an abundance of ~ ~이 많은, 풍부한 be taken away from ~ ~로부터 빼앗기다 13 that is why 그런 이유로 14 fulfill 성취하다 prophecy 예언 comprehend 알다, 이해하다 15 harden 단단해지다, 굳어지다 16 bless 축복하다 17 righteous people 의인들 long to ~ ~을 열망하다, 애타게 바라다

52

월 일

씨 뿌리는 비유 설명과 가라지 비유

마태복음 13:18-30

새찬송 354장 | 통일 394장

• 먼저 묵상을 위한 기도를 드린 후, 성경 본문을 2번 이상 읽고 묵상하십시오.

본문요약 | 예수님은 제자들에게 '씨 뿌리는 비유'에 대해 설명해 주신다. 또 천국을 마치 자기 밭에 좋은 씨를 뿌린 사람 같다는 비유로 말씀하신다. 밭의 주인이 잘 때에 원수가 가라지를 덧뿌리고 가서 종들이 결실할 때 곡식과 함께 가라지가 보이자 뽑기를 청한다. 그러나 주인은 가라지를 뽑다가 곡식까지 뽑을 수 있기에 추수 때까지 함께 자라게 두라고 한다.

개역개정

18 그런즉 씨 뿌리는 비유를 들으라
19 아무나 [1]천국 말씀을 듣고 깨닫지 못할 때는 악한 자가 와서 그 마음에 뿌려진 것을 빼앗나니 이는 곧 길가에 뿌려진 자요
20 돌밭에 뿌려졌다는 것은 말씀을 듣고 즉시 기쁨으로 받되
21 그 속에 뿌리가 없어 잠시 견디다가 말씀으로 말미암아 환난이나 박해가 일어날 때에는 곧 넘어지는 자요
22 가시떨기에 뿌려졌다는 것은 말씀을 들으나 세상의 염려와 재물의 유혹에 말씀이 막혀 결실하지 못하는 자요
23 좋은 땅에 뿌려졌다는 것은 말씀을 듣고 깨닫는 자니 결실하여 어떤 것은 백 배, 어떤 것은 육십 배, 어떤 것은 삼십 배가 되느니라 하시더라
24 예수께서 그들 앞에 또 비유를 들어 이르시되 천국은 좋은 씨를 제 밭에 뿌린 사람과 같으니
25 사람들이 잘 때에 그 원수가 와서 곡식 가운데 가라지를 덧뿌리고 갔더니
26 싹이 나고 결실할 때에 가라지도 보이거늘
27 집주인의 종들이 와서 말하되 주여 밭에 좋은 씨를 뿌리지 아니하였나이까 그런데 가라지가 어디서 생겼나이까
28 주인이 이르되 원수가 이렇게 하였구나 종들이 말하되 그러면 우리가 가서 이것을 뽑기를 원하시나이까
29 주인이 이르되 가만두라 가라지를 뽑다가 곡식까지 뽑을까 염려하노라
30 둘 다 추수 때까지 함께 자라게 두라 추수 때에 내가 추수꾼들에게 말하기를 가라지는 먼저 거두어 불사르게 단으로 묶고 곡식은 모아 내 곳간에 넣으라 하리라

1) 헬, 그 나라의 말씀을

1. 본문에 나타난 예수님은 어떤 분이십니까?

2. 오늘 하나님께서 나에게 주신 깨달음은 무엇입니까?

3. 말씀을 어떻게 내 삶에 구체적으로 적용해야 합니까?

19 악한 자가 와서 그 마음에 뿌려진 것을 빼앗나니 이는 곧 길가에 뿌려진 자요 '마음에 뿌려진 것'은 천국 말씀이며 '악한 자'는 사탄이다. '길가에 뿌려진 자'는 말씀을 듣고도 전혀 깨닫지 못하여 반응하지 않는 사람을 가리킨다.

20-21 즉시 기쁨으로 받되 그 속에 뿌리가 없어 잠시 견디다가 말씀으로 말미암아 환난이나 박해가 일어날 때에는 곧 넘어지는 자요 돌밭에 뿌려진 씨와 같은 사람도 두 가지 좋은 점을 가지고 있다. 그것은 말씀에 즉시 반응하고, 또한 기쁨으로 받아들인다는 점이다. 그러나 그는 어려움에 처하면 그 믿음이 연약해지고 신앙을 저버린다. 여기서 어려움이나 박해는 말씀 때문에 생기는 것이다.

22 세상의 염려와 재물의 유혹에 말씀이 막혀 결실하지 못하는 자요 가시떨기에 뿌려진 씨와 같은 사람은 세상 염려와 재물의 유혹이 문제가 된다. 이것은 환난이나 박해보다 더 은밀하고 지독하게 결실하지 못하게 방해한다. 사탄은 눈에 드러나는 방법과 함께 은밀하게 영혼을 좀먹게 만드는 방법을 사용한다.

23 듣고 깨닫는 자 좋은 땅에 뿌려진 씨와 같은 사람은 말씀을 듣고 깨닫는 사람이다. 듣는 것과 깨닫는 것의 차이는 삶으로까지 연결되어 결실하는 것의 차이다.

24 천국은 좋은 씨를 제 밭에 뿌린 사람과 같으니 이는 천국의 현재성에 관한 비유다. 천국은 미래에 완성될 영원한 나라이지만 현재에도 나타나 있다. 밭에 좋은 씨를 뿌린 사람처럼 천국은 점점 자라며, 이 땅의 교회를 거쳐 영원한 하나님 나라로 완성된다.

25 원수가 와서 곡식 가운데 가라지를 덧뿌리고 갔더니 당시에는 실제로 원한 관계에 있는 사람의 밭에 몰래 가라지를 뿌리고 가는 경우가 있었으며, 이런 사람을 위한 처벌법도 존재했다고 한다. 특히 사람들이 잠든 밤에 이런 일이 행해졌다. 이는 영적으로도 사탄이 말씀을 받은 성도들에게 세상의 헛되고 나쁜 사상을 뿌려 미혹하며, 특히 이런 일들이 영적으로 평안할 때 이루어짐을 보여준다.
가라지 밀과 비슷하게 생겼고 일명 '독보리'라고 불린다. 그 모양이 밀과 비슷해서 상당 시간이 흐를 때까지는 밀과의 구분이 어렵다고 한다.

27 주여 밭에 좋은 씨를 뿌리지 아니하였나이까 그런데 가라지가 어디서 생겼나이까 여기서 '종'은 하나님의 복음 전도자나 사역자를 뜻한다. 이 땅의 교회는 완전하지 않으며, 하나님 나

18 "씨 뿌리는 사람의 비유를 들어라.

19 누구든지 하늘나라의 말씀을 듣고도 깨닫지 못하면, 악한 자가 와서 마음속에 뿌려진 것을 빼앗아 가 버린다. 이런 사람은 길가에 뿌려진 씨와 같은 사람이다.

20 돌무더기에 뿌려진 씨와 같은 사람은 말씀을 들을 때, 기쁘게 얼른 받아들이는 사람이다.

21 그러나 뿌리가 없어 오래가지 못한다. 말씀 때문에 어려움이 생기고 박해를 당하면, 곧 넘어진다.

22 가시덤불에 떨어진 씨와 같은 사람은 말씀을 들으나, 세상 염려와 재물의 유혹이 말씀을 가로막아 결국 열매를 맺지 못한다.

23 좋은 땅에 떨어진 씨와 같은 사람은 말씀을 듣고 깨닫는 사람이다. 이런 사람은 열매를 맺는데, 어떤 사람은 백 배, 어떤 사람은 육십 배, 어떤 사람은 삼십 배의 열매를 맺는다."

24 예수님께서 그들에게 또 다른 비유로 말씀하셨습니다. "하늘나라는 자기 밭에 좋은 씨를 심은 사람에 빗댈 수 있다.

25 사람들이 잠들었을 때, 원수가 와서 밀 사이에 가라지를 뿌리고 갔다.

26 밀이 자라서 낟알이 익을 때에 가라지도 보였다.

27 주인의 종들이 와서 말했다. '주인님, 밭에 좋은 씨를 뿌리지 않았습니까? 그런데 어디서 이런 가라지가 나왔을까요?'

라의 현재 모습에는 선과 악이 뒤섞여 있다. 사탄이 활동하고 있기 때문이다. 그래서 의도와는 관계없이 낙심되는 상황과 갈등 그리고 좋지 않은 결과가 나타날 수도 있다.

29 가만두라 가라지를 뽑다가 곡식까지 뽑을까 염려하노라
보통 가라지는 뿌리가 튼튼하여 깊게 박혀 있었고, 추수 때는 이미 한참 자란 상태이므로 이를 제거하다가 오히려 밀이 뽑히는 경우가 허다했다. 그 때문에 밀을 보호하기 위해서라도 가라지를 그냥 두어야 했다. 악을 제거하려다 잘못하면 선한 일까지도 방해받을 수 있음을 의미한다. 또한 종들에게는 (씨를) 심는 사역만 주어질 뿐 (가라지를) 심판하고 제거할 권한은 예수님께만 있음을 보여준다.

30 본절은 예수님이 심판하실 것을 보여주는 구절이다. 가라지는 반드시 심판을 받는다. 그것도 먼저 가라지부터 불사르고 곡식은 거두어들이겠다고 예수님은 말씀하신다. 이것은 예수님의 재림 때에 완성될 천국에서 이루어질 일이다.

쉬운성경

28 주인이 대답했다. '원수가 그랬구나.' 종들이 주인에게 물었다. '저희가 가서 가라지를 다 뽑아 버릴까요?'

29 주인이 대답했다. '아니다. 너희가 가라지를 뽑을 때에 밀도 함께 뽑힐라.

30 추수할 때까지 함께 자라게 놔 두어라. 추수할 때, 내가 일꾼들에게 먼저 가라지를 거두어 묶어서 불에 태우고, 밀은 거두어 곳간에 쌓으라고 하겠다.'"

저자의 묵상

'씨 뿌리는 비유'에는 네 종류의 밭이 예시로 나오지만, 결국엔 두 가지로 나눌 수 있다. 하나는 말씀을 듣고 열매를 맺는 것이고, 나머지는 열매를 맺지 못하는 경우다. 아예 말씀을 받아들이지 않는 사람과 어느 정도 말씀을 듣다가 열매를 맺지 못하는 사람 모두 같은 부류라고 할 수 있다. 믿음을 갖게 되는 것도 중요하지만, 끝까지 지키는 것은 더 중요하다. 신앙생활은 영생을 얻는 것이기에 더욱 그러하다.

가라지 비유는 하늘나라의 현재와 미래에 관해 우리에게 교훈한다. 하늘나라는 미래에 완성되나, 현재적으로도 이 땅에서 이미 교회의 모습으로 실현되고 있다. 물론 그 모습은 아직은 완전하지 않으며, 악이 선과 함께 뒤섞여 있기 때문에 우리는 스스로 악을 정죄하고 제거하려는 오류에 빠지기 쉽다. 그러나 그것은 우리의 권한이 아니다. 교회의 개혁이 필요 없다는 말이 아니라 궁극적으로 정죄하고 처벌하는 권위는 오늘 말씀처럼 주님께 있기 때문이다.

무릎 기도 신앙생활에서 어려움을 잘 이기며 유혹에는 단호하게 하소서. 끝까지 견디고 이겨서 영원한 천국에서 주님과 함께할 수 있기를 기도합니다. 삶으로 말씀을 증명하는 인생이 되게 하소서.

NLT - Matthew 13

18 "Now listen to the explanation of the parable
about the farmer planting seeds:
19 The seed that fell on the footpath represents
those who hear the message about the
Kingdom and don't understand it. Then the evil
one comes and snatches away the seed that
was planted in their hearts.
20 The seed on the rocky soil represents those who
hear the message and immediately receive it
with joy.
21 But since they don't have deep roots, they don't
last long. They fall away as soon as they have
problems or are persecuted for believing God's
word.
22 The seed that fell among the thorns represents
those who hear God's word, but all too quickly
the message is crowded out by the worries of
this life and the lure of wealth, so no fruit is
produced.
23 The seed that fell on good soil represents those
who truly hear and understand God's word and
produce a harvest of thirty, sixty, or even a
hundred times as much as had been planted!"
24 Here is another story Jesus told: "The Kingdom
of Heaven is like a farmer who planted good
seed in his field.
25 But that night as the workers slept, his enemy
came and planted weeds among the wheat,
then slipped away.
26 When the crop began to grow and produce
grain, the weeds also grew.
27 "The farmer's workers went to him and said, 'Sir,
the field where you planted that good seed is
full of weeds! Where did they come from?'
28 "'An enemy has done this!' the farmer
exclaimed. "'Should we pull out the weeds?'
they asked.
29 "'No,' he replied, 'you'll uproot the wheat if you
do.
30 Let both grow together until the harvest. Then I
will tell the harvesters to sort out the weeds, tie
them into bundles, and burn them, and to put
the wheat in the barn.' "

18 parable 비유 19 footpath 보행로, 길가 snatch away 잡아채다, 낚아채다 20 rocky 바위가 많은 immediately 곧바로, 즉시 21 fall away 넘어지다, 배반하다 as soon as ~ ~하자마자 persecute 핍박하다 22 be crowded out ~ 밀려나가다, 막히다 lure 유혹 wealth 재산, 재물 23 harvest 수확, 추수 24 seed 씨 plant 심다 25 weed 잡초, 가라지 wheat 밀 slip away 슬그머니 떠나다 27 be full of ~ ~으로 가득 차 있다 28 pull out 뽑다 29 uproot 뿌리째 뽑다 30 sort out 분류하다, 선별하다 bundle 묶음

• MEMO •

53

월 일

겨자씨 · 누룩 비유와 가라지 비유 설명

마태복음 13:31-43

새찬송 242장 | 통일 233장

• 먼저 묵상을 위한 기도를 드린 후, 성경 본문을 2번 이상 읽고 묵상하십시오.

본문요약 | 예수님은 천국에 대해 다시 겨자씨 비유로 말씀하신다. 겨자씨는 매우 작지만, 완전히 자라면 새들이 둥지를 틀 정도로 커진다. 또한 천국은 여자가 밀가루 서 말 속에 넣은 누룩과 같아서 반죽을 변화시킨다. 한편, 제자들이 가라지 비유 해석을 요청하자, 예수님은 마지막 때에 심판이 있고 악인과 의인은 다른 종말을 맞이할 것을 말씀하신다.

개역개정

31 또 비유를 들어 이르시되 천국은 마치 사
람이 자기 밭에 갖다 심은 겨자씨 한 알
같으니
32 이는 모든 씨보다 작은 것이로되 자란 후
에는 풀보다 커서 나무가 되매 공중의 새
들이 와서 그 가지에 깃들이느니라
33 또 비유로 말씀하시되 천국은 마치 여자가
가루 서 말 속에 갖다 넣어 전부 부풀게 한
누룩과 같으니라
34 예수께서 이 모든 것을 무리에게 비유로
말씀하시고 비유가 아니면 아무것도 말씀
하지 아니하셨으니
35 이는 선지자를 통하여 말씀하신 바
ㄱ내가 입을 열어 비유로 말하고 창세부
터 감추인 것들을 드러내리라
함을 이루려 하심이라
36 이에 예수께서 무리를 떠나사 집에 들어
가시니 제자들이 나아와 이르되 밭의 가
라지의 비유를 우리에게 설명하여 주소서
37 대답하여 이르시되 좋은 씨를 뿌리는 이
는 인자요
38 밭은 세상이요 좋은 씨는 [1]천국의 아들들
이요 가라지는 악한 자의 아들들이요
39 가라지를 뿌린 원수는 마귀요 추수 때는
세상 끝이요 추수꾼은 천사들이니
40 그런즉 가라지를 거두어 불에 사르는 것같
이 세상 끝에도 그러하리라
41 인자가 그 천사들을 보내리니 그들이 그
나라에서 모든 넘어지게 하는 것과 또 불
법을 행하는 자들을 거두어 내어
42 풀무 불에 던져 넣으리니 거기서 울며 이
를 갈게 되리라
43 그때에 의인들은 자기 아버지 나라에서
해와 같이 빛나리라 귀 있는 자는 들으라

1) 헬. 그 나라의 ㄱ. 시 78:2

1. 본문에 나타난 예수님은 어떤 분이십니까?

2. 오늘 하나님께서 나에게 주신 깨달음은 무엇입니까?

3. 말씀을 어떻게 내 삶에 구체적으로 적용해야 합니까?

절별 해설

31-32 천국은 마치 사람이 자기 밭에 갖다 심은 겨자씨 한 알 같으니 이는 모든 씨보다 작은 것이로되 자란 후에는 풀보다 커서 나무가 되매 겨자나무는 보통 1-3미터까지 자라는데, 그 씨가 매우 작은 것이 특징이다. 그래서 그 당시 일반적으로 가장 작은 것을 가리키는 격언으로 쓰였다고 한다. 예수님은 겨자씨와 나무의 대조를 통해 천국의 양적인 성장을 설명하신다. 이처럼 천국은 겨자씨 같은 생명력으로 성장하며, 예수님이 오심으로 이 땅에서 시작되었고 외적으로 확장되고 있다. 처음에는 미약하고 보잘것없어 보이는 천국일지라도 나중에는 처음과 비교할 수 없을 만큼 자라서 새들이 깃들이게 될 것이다.

33 천국은 마치 여자가 가루 서 말 속에 갖다 넣어 전부 부풀게 한 누룩과 같으니라 '말'에 해당하는 헬라어는 '사타'다. 이는 에바의 1/3에 해당하는 '스아'와 같은 양이다. 그러므로 '서 말'은 1에바를 가리키는 양으로, 약 21-22리터에 해당한다. 이는 결코 적지 않은 양으로, 아브라함이 세 천사를 맞았을 때 대접하려고 준비한 양과 같다. '누룩'은 빵이나 술을 만들 때 넣는 효소로 성질을 변화시킨다. 성경에서 누룩은 일반적으로 죄를 나타내는 부정적인 의미로 사용되었으나(눅 12:1; 고전 5:6), 본절에서는 천국의 영향력, 즉 놀라운 복음의 변화의 능력을 가리키는 소재로 쓰였다. 이 '누룩 비유'는 미미해 보이지만 조용하게 일어나고 있는 내적 변화를 가리킨다.

37-38 좋은 씨를 뿌리는 이는 인자요 예수님은 세상에 좋은 씨를 뿌리는 분이시다. 밭은 세상이고, 좋은 씨는 천국의 아들들이다. 씨 뿌리는 이가 없으면 싹이 나고 열매를 맺는 일이 불가능하다. 이것은 우리 신앙의 시작과 주도권이 누구에게 있는지를 보여주는 말씀이다.

39 가라지를 뿌린 원수는 마귀요 '원수'는 대적하는 자라는 뜻이며, '마귀'는 중상모략을 일삼는 비방하는 자라는 뜻을 가지고 있다. 마귀는 언제나 하나님과 신자들을 대적하며, 신자가 하나님을 온전히 믿지 못하게 신자의 마음에 하나님을 중상모략하는 존재다.

쉬운성경

31 예수님께서 또 다른 비유를 그들에게 말씀해 주셨습니다. "하늘 나라는 마치 겨자씨와 같다. 어떤 사람이 겨자씨를 가져다가 자기 밭에 심었다.

32 이 씨는 다른 어떤 씨보다도 작다. 그런데 이것이 완전히 자라면, 다른 어떤 풀보다도 더 큰 식물이 된다. 그러면 하늘의 새들이 와서, 그 가지에 둥지를 틀 수 있게 된다."

33 예수님께서 또 다른 비유를 그들에게 말씀해 주셨습니다. "하늘나라는 누룩에 빗댈 수 있다. 여자가 누룩을 가져다가 밀가루 세 포대*에 섞어 넣었더니, 반죽이 부풀어 올랐다."

34 예수님께서 이 모든 것들을 사람들에게 비유로 말씀해 주시고, 비유가 아니면 아무것도 말씀하지 않으셨습니다.

35 이것은 예언자가 말한 것을 이루려고 하신 것입니다.

"내가 입을 열어 비유를 말할 것이다. 이 세상이 세워질 때부터 지금까지 숨겨졌던 것을 말할 것이다."*

36 그때, 예수님께서 사람들에게서 떠나 집으로 들어가셨습니다. 제자들이 예수님께 와서 말했습니다. "밭에 난 가라지의 비유에 대해 저희들에게 설명해 주십시오."

37 예수님께서 대답해 주셨습니다. "밭에 좋은 씨를 뿌리는 이는 인자이다.

38 그리고 밭은 세상이다. 좋은 씨는 하늘나라의 모든 아들들이다. 가라지는 악한 자의 아들들이다.

40 가라지를 거두어 불에 사르는 것같이 세상 끝에도 그러하리라 세상 끝날이 되어야 곡식과 가라지를 구분하는 심판이 이루어진다. 그때까지 세상에는 선과 악이 공존하며, 세상 안에 있는 교회에서도 마찬가지다.

41 모든 넘어지게 하는 것과 또 불법을 행하는 자들을 거두어 내어 보통 천국을 죽음 이후나 종말에 의인들이 가는 곳으로만 생각하나(천국의 미래성), 예수님은 본문에서 분명히 천국에서 불법을 행하는 자들을 추려 내겠다고 하신다. 그럼으로써 천국이 지상에서의 삶과 연결되어 있음을 말씀하신다. 천국은 이미 시작되었고, 자라고 있으며, 오늘의 삶이 내세로 이어진다.

39 그리고 나쁜 씨를 심은 원수는 마귀이다. 추수 때는 세상의 마지막 날이다. 추수하는 일꾼들은 천사들이다.

40 가라지는 다 뽑혀서 불에 태워지는 것같이, 세상의 마지막 날에도 그렇게 될 것이다.

41 인자가 천사들을 보낼 것인데, 이들은 죄를 짓게 만드는 자들과 불법을 행하는 자들을 모두 하늘 나라에서 추려 내

42 불타는 아궁이에 던질 것이다. 사람들이 그곳에서 슬피 울고, 고통스럽게 이를 갈 것이다.

43 그때, 의인은 아버지의 나라에서 해처럼 빛날 것이다. 귀 있는 자는 들어라!"

*13:33 (그)'3사톤'으로 약 22ℓ에 해당된다.
*13:35 시 78:2에 기록되어 있다.

저자의 묵상

예수님은 천국에 대해 말씀하시면서 겨자씨와 누룩으로 비유하셨다. 겨자씨는 매우 작은 씨이지만, 결국에는 큰 나무가 된다. 이처럼 천국은 처음에는 미약해 보이나 결국에는 왕성한 나라가 될 것이다. 성도의 믿음과 신앙 역시 세상 사람들의 눈에는 미련하고 어리석어 보인다. 그러나 그것은 점점 자라서 세상을 뒤덮고 왕성한 나라가 되게 하는 힘이 될 것이다. 하나님 나라에 대한 소망이 약해질 때 지금은 자라는 과정 중에 있다는 것을 명심하자.

한편, 누룩의 비유는 천국의 영향력이 갖는 조용한 내적 변화를 설명한다. 천국과 복음은 화려해 보이지 않지만, 그래서 때로는 그 존재 가치가 없어 보이지만 조용히 세상을 변화시키고 있다. 우리 그리스도인의 삶은 이런 변화를 가져오는 삶이 되어야 한다. 요란하지는 않으나 주님의 말씀을 따라 오늘도 내 주변에 변화를 가져오는 삶을 살아가자.

무릎기도 천국은 인간의 눈으로 보면 보잘것없어 보이지만 결국에는 왕성한 나라가 된다는 말씀이 위로가 됩니다. 현재의 어려움을 이겨 내고 풍성하게 결실하는 신앙이 되게 하소서.

NLT - Matthew 13

31 Here is another illustration Jesus used: "The Kingdom of Heaven is like a mustard seed planted in a field.

32 It is the smallest of all seeds, but it becomes the largest of garden plants; it grows into a tree, and birds come and make nests in its branches."

33 Jesus also used this illustration: "The Kingdom of Heaven is like the yeast a woman used in making bread. Even though she put only a little yeast in three measures of flour, it permeated every part of the dough."

34 Jesus always used stories and illustrations like these when speaking to the crowds. In fact, he never spoke to them without using such parables.

35 This fulfilled what God had spoken through the prophet: "I will speak to you in parables. I will explain things hidden since the creation of the world.*"

36 Then, leaving the crowds outside, Jesus went into the house. His disciples said, "Please explain to us the story of the weeds in the field."

37 Jesus replied, "The Son of Man* is the farmer who plants the good seed.

38 The field is the world, and the good seed represents the people of the Kingdom. The weeds are the people who belong to the evil one.

39 The enemy who planted the weeds among the wheat is the devil. The harvest is the end of the world,* and the harvesters are the angels.

40 "Just as the weeds are sorted out and burned in the fire, so it will be at the end of the world.

41 The Son of Man will send his angels, and they will remove from his Kingdom everything that causes sin and all who do evil.

42 And the angels will throw them into the fiery furnace, where there will be weeping and gnashing of teeth.

43 Then the righteous will shine like the sun in their Father's Kingdom. Anyone with ears to hear should listen and understand!

*13:35 Some manuscripts do not include *of the world*. Ps 78:2.
*13:37 "Son of Man" is a title Jesus used for himself.
*13:39 Or *the age;* also in 13:40, 49.

31 illustration 예증, 예시 mustard 겨자 32 branch가지 33 yeast 누룩, 효모 even though ~ 비록 ~하지만 flour 밀가루 permeate 퍼지다 dough 밀가루 반죽 34 parable 비유 35 fulfill 성취하다 prophet 선지자, 예언자 creation 창조 36 disciple 사도, 제자 weed 잡초, 가라지 37 seed 씨 39 harvest 수확 40 sort out 가려내다, 선별하다 42 fiery 불타는 furnace 가마, 용광로 gnash 이를 갈다

• MEMO •

54

월 일

보화와 진주와 그물의 비유

마태복음 13:44-52

새찬송 208장 | 통일 246장

• 먼저 묵상을 위한 기도를 드린 후, 성경 본문을 2번 이상 읽고 묵상하십시오.

본문요약 | 예수님은 제자들에게 천국에 대한 몇 가지 비유를 더 말씀해 주신다. 천국은 밭에 감추인 보화와 같고 자기의 소유를 다 팔아 사는 값진 진주와 같다. 또한 천국은 각종 물고기를 모는 그물과 같아서 잡힌 고기들을 선별하듯이 의인과 악인들을 구별하는 심판의 과정이 있다.

개역개정

44 천국은 마치 밭에 감추인 보화와 같으니
사람이 이를 발견한 후 숨겨 두고 기뻐하
며 돌아가서 자기의 소유를 다 팔아 그 밭
을 사느니라
45 또 천국은 마치 좋은 진주를 구하는 장사
와 같으니
46 극히 값진 진주 하나를 발견하매 가서 자
기의 소유를 다 팔아 그 진주를 사느니라
47 또 천국은 마치 바다에 치고 각종 물고기
를 모는 그물과 같으니
48 그물에 가득하매 물가로 끌어내고 앉아서
좋은 것은 그릇에 담고 못된 것은 내버리
느니라
49 세상 끝에도 이러하리라 천사들이 와서 의
인 중에서 악인을 갈라내어
50 풀무 불에 던져 넣으리니 거기서 울며 이
를 갈리라
51 이 모든 것을 깨달았느냐 하시니 대답하
되 그러하오이다
52 예수께서 이르시되 그러므로 천국의 제자
된 서기관마다 마치 새것과 옛것을 그 곳
간에서 내오는 집주인과 같으니라

1. 본문에 나타난 예수님은 어떤 분이십니까?

2. 오늘 하나님께서 나에게 주신 깨달음은 무엇입니까?

3. 말씀을 어떻게 내 삶에 구체적으로 적용해야 합니까?

절별 해설

44 천국은 마치 밭에 감추인 보화와 같으니 천국에 관한 총 7개의 비유 중 5번째 비유다. 천국이 '밭에 감추인 보화'라고 언급함으로써, 어떤 사람에게는 그 가치가 드러나지 않으나 찾은 사람만이 매우 큰 기쁨을 얻음을 보여준다. 즉, 천국의 가치는 그것을 알아보는 사람에게는 큰 기쁨이 되지만, 그렇지 않은 많은 사람에게는 평범한 밭에 불과하다.

46 극히 값진 진주 하나를 발견하매 가서 자기의 소유를 다 팔아 그 진주를 사느니라 이는 진주 상인이 좋은 진주를 찾듯이, 천국도 그것의 가치를 추구하는 사람이 찾게 됨을 보여주는 비유다. 여기서 자기의 소유를 다 팔아 그 진주를 샀다는 것은 구원을 자신이 가진 것으로 살 수 있다는 뜻이 아니다. 구원은 은혜로 얻는 것이기 때문이다. 여기서는 그 가치를 알기에 이 세상의 어떤 것을 희생해서라도 얻고 지킨다는 뜻이다. 천국은 추구하는 자가 만난다.

47-48 천국은 마치 바다에 치고 각종 물고기를 모는 그물과 같으니 '바다'는 이 세상을, '각종 물고기'는 세상에 사는 다양한 부류의 인종과 개인들을 뜻한다. '그물'은 그들을 담는 교회를 의미한다. 이로 볼 때 '그물 비유'는 심판을 강조한다는 점에서 '곡식과 가라지 비유'와 유사하나, 심판에 더욱 초점이 맞춰져 있다는 점에서 다르다.

49 천사들이 와서 의인 중에서 악인을 갈라내어 천사가 의인과 악인을 선별해 내는 곳은 그물에서부터다. 즉, 마지막 심판 날 하나님은 교회 안에 섞여 있는 악인과 선인을 구별하실 것이다. 이는 교회를 바라보며 지나친 낙관주의를 버려야 하는 이유가 된다. 그러나 교회 전체를 부정하라는 뜻은 아니다.

52 천국의 제자 된 서기관마다 마치 새것과 옛것을 그 곳간에서 내오는 집주인과 같으니라 예수님은 제자들을 가리켜 '천국의 제자 된 서기관'이라고 부르신다. '새것과 옛것'은 율법과 복음(혹은 구약과 신약)을 가리키고, 제자들은 그것을 꺼내 오는 사람들이다. 즉, 율법과 복음을 전파하고 증거하는 사람들이다. 예수님의 진정한 제자는 말씀을 꺼내어 사람들에게 전하는 데까지 나아가는 사람이다.

쉬운성경

44 "하늘나라는 밭에 숨겨진 보물과 같다. 어떤 사람이 그 보물을 발견하고 다시 밭에 숨겼다. 그는 매우 기뻐하며 돌아가서 가진 것을 모두 팔아 그 밭을 샀다.

45 또한 하늘나라는 진주를 찾는 상인과 같다.

46 아주 값진 진주를 발견하자, 그 사람은 가서 가진 것을 모두 팔아 그 진주를 샀다."

47 "또한 하늘나라는 호수에 던져 온갖 종류의 고기를 잡은 그물과 같다.

48 그물이 가득 찼을 때, 어부들은 바닷가로 그물을 끌어당겼다. 그들은 앉아서 좋은 물고기는 바구니에 담고, 나쁜 것들은 던져 버렸다.

49 세상 끝날에도 이렇게 될 것이다. 천사가 와서 의인들 가운데서 악한 사람들을 구별하여 낼 것이다.

50 천사가 그들을 불타는 아궁이에 던질 것이다. 사람들이 그곳에서 슬피 울고, 고통스럽게 이를 갈 것이다."

51 "너희가 이 모든 것을 이해하겠느냐?" 제자들이 "예"라고 대답했습니다.

52 예수님께서 제자들에게 말씀하셨습니다. "그러므로 하늘나라의 제자가 된 율법학자는 창고에서 새것과 헌것을 꺼내 오는 집주인과 같다."

저자의 묵상

오늘 본문은 13장에 등장하는 천국에 관한 7가지 비유 중에 3가지 비유를 다루고 있다. 예수님은 먼저 '보화와 진주 비유'를 통하여 천국의 가치에 대해 말씀하신다. 천국의 가치는 그것을 알아본 사람만이 자신의 모든 것을 팔아서 살 만한 것이다. 세상 사람들은 믿음과 신앙을 무시할지 모르나 그것의 진정한 가치를 아는 자들은 세상에서 그 무엇을 희생해서라도 그것을 구한다. 그러므로 성도는 어떤 일이 있어도 세상 것과 천국의 진정한 가치를 바꾸지 말아야 한다.

한편, 예수님은 '그물 비유'를 통해 심판 때에 교회 안에 악인과 선인이 섞여 있을 것을 말씀하신다. 지상 교회는 악인이 섞여 있기에 불완전하며 부패할 수 있다. 그러나 그렇다고 해서 교회 전체를 부정하는 것은 옳지 않다. 교회는 성도가 끝까지 사랑하고 지켜야 할 대상이기 때문이다.

무릎 기도 | 교회를 사랑하기 원합니다. 세상 사람들이 교회를 비난해도 성도로서 교회의 존재 이유를 부정하지 않으며 세상 끝날까지 참된 교회의 일원으로 살아가게 하소서.

NLT - Matthew 13

44 "The Kingdom of Heaven is like a treasure that a man discovered hidden in a field. In his excitement, he hid it again and sold everything he owned to get enough money to buy the field.
45 "Again, the Kingdom of Heaven is like a merchant on the lookout for choice pearls.
46 When he discovered a pearl of great value, he sold everything he owned and bought it!
47 "Again, the Kingdom of Heaven is like a fishing net that was thrown into the water and caught fish of every kind.
48 When the net was full, they dragged it up onto the shore, sat down, and sorted the good fish into crates, but threw the bad ones away.
49 That is the way it will be at the end of the world. The angels will come and separate the wicked people from the righteous,
50 throwing the wicked into the fiery furnace, where there will be weeping and gnashing of teeth.
51 Do you understand all these things?" "Yes," they said, "we do."
52 Then he added, "Every teacher of religious law who becomes a disciple in the Kingdom of Heaven is like a homeowner who brings from his storeroom new gems of truth as well as old."

44 discover 발견하다 excitement 흥분, 소동 45 merchant 상인 47 throw into 던져 넣다 48 drag ~ up ~을 끄집어내다 49 separate 분리하다, 나뉘다 50 fiery 불타는 furnace 가마, 용광로 gnash 이를 갈다 52 religious 종교적인 disciple 사도, 제자 storeroom 저장실, 광 … as well as ~ ~뿐 아니라 …도

55

월 일

예수님을 불신하는 고향 사람들

마태복음 13:53-58

새찬송 523장 | 통일 262장

• 먼저 묵상을 위한 기도를 드린 후, 성경 본문을 2번 이상 읽고 묵상하십시오.

본문요약 | 예수님이 고향 나사렛의 회당에서 가르치셨으나 사람들은 예수님의 지혜와 능력의 원천을 의심하였다. 그들은 예수님을 목수의 아들이자 형제들과 누이들이 있는 한 개인으로 볼 뿐, 그분을 믿지 않았다. 이에 예수님은 선지자가 고향에서 존경받지 못한다고 하시며 많은 능력을 행하지 않으셨다.

개역개정

53 예수께서 이 모든 비유를 마치신 후에 그 곳을 떠나서
54 고향으로 돌아가사 그들의 회당에서 가르치시니 그들이 놀라 이르되 이 사람의 이 지혜와 이런 능력이 어디서 났느냐
55 이는 그 목수의 아들이 아니냐 그 어머니는 마리아, 그 형제들은 야고보, 요셉, 시몬, 유다라 하지 않느냐
56 그 누이들은 다 우리와 함께 있지 아니하냐 그런즉 이 사람의 이 모든 것이 어디서 났느냐 하고
57 [1]예수를 배척한지라 예수께서 그들에게 말씀하시되 선지자가 자기 고향과 자기 집 외에서는 존경을 받지 않음이 없느니라 하시고
58 그들이 믿지 않음으로 말미암아 거기서 많은 능력을 행하지 아니하시니라

1) 또는 예수로 말미암아 넘어진지라

1. 본문에 나타난 예수님은 어떤 분이십니까?

2. 오늘 하나님께서 나에게 주신 깨달음은 무엇입니까?

3. 말씀을 어떻게 내 삶에 구체적으로 적용해야 합니까?

54 고향으로 돌아가사 그들의 회당에서 가르치시니 예수님의 고향은 그분이 자라신 나사렛을 말한다(2:23). 당시 갈릴지 지역에 속한 나사렛은 내세울 만한 것이 없는 시골 마을로, 유대인들로부터 천대받는 장소였고 선지자가 날 수 없는 장소로 여겨졌다(요 1:46; 7:52). 한편, 회당은 유대 포로기를 거치며 세워져 하나님께 대한 유대인들의 신앙을 지켜주던 장소였다. 결혼한 유대인 10명 이상이 있으면 회당을 세울 수 있었다고 한다.

이 사람의 이 지혜와 이런 능력이 어디서 났느냐 고향 사람들은 예수님의 가르침에 놀라긴 했으나 신뢰하지는 않았다. 이들의 질문은 긍정적 호기심이라기보다는 예수님의 능력의 근원을 의심하는 태도였다. 그들은 예수님의 지혜와 능력을 듣고 보면서도 단지 자신들과 같이 천한 지역의 사람이라는 이유로 믿지 않는 태도를 보인 것이다.

55 이는 그 목수의 아들이 아니냐 당시 목수는 천한 직업 중에 하나였다. 그 때문에 사람들은 계속해서 예수님의 출신을 언급한다. 이는 그들이 예수님에 대한 권위를 인정하지 않음을 보여준다. 한편, 예수님의 형제들도 처음에는 예수님을 믿지 않았으나 후에 예수님을 믿는다. 야고보는 〈야고보서〉를 기록하고 예루살렘 교회의 지도자가 되었으며, 다른 동생들도 초대교회에 합류하였다(행 1:14).

56 그 누이들은 다 우리와 함께 있지 아니하냐 예수님의 누이들이 갈릴리 지역에서 결혼하여 그곳에 자리를 잡고 살아가고 있었다는 의미다.

57 선지자가 자기 고향과 자기 집 외에서는 존경을 받지 않음이 없느니라 예수님을 자신들과 동일하게 천한 신분으로 인식한 고향 사람들은 예수님의 지혜와 능력을 보면서도 그분을 믿지 않았다. 이는 자신의 경험과 인식의 한계를 벗어나지 못하는 인간의 어리석음을 보여준다. 이에 예수님은 당시에 사용되던 격언을 통해 선지자가 가까운 사람들에게는 존경받지 못함을 말씀하신다.

58 예수님이 고향에서 많은 능력을 베풀지 않으신 이유는 그들이 믿지 않았기 때문이다. 믿음이 없는 사람들에게는 능력을 많이 보여주어도 그들의 완악한 마음에 변화가 없을 것을 아셨기 때문이다. 기적이 사람을 바꿀 것 같아도 사실은 믿음이 인생을 바꾼다. 믿음이 있었다면 그들은 더 큰 예수님의 영광을 체험하며 삶의 변화를 경험했을 것이다. 그럼에도 예수님은 최소한의 능력을 행하심으로 불신하는 사람들에게도 자비를 행하셨다.

쉬운성경

53 예수님께서 이 비유들을 다 말씀하시고, 그곳을 떠나셨습니다.

54 예수님께서 고향에 가셔서 유대인의 회당에서 사람들을 가르치셨습니다. 사람들은 놀라서 말했습니다. "이 사람이 이러한 지혜와 기적을 베푸는 힘을 어디서 얻었을까?

55 이 사람은 목수의 아들이 아니냐? 그의 어머니는 마리아이고, 동생들은 야고보, 요셉, 시몬 그리고 유다가 아니냐?

56 그리고 그의 누이들도 우리와 함께 있지 않은가? 그런데 이 사람이 이런 모든 것들을 어디서 터득했을까?"

57 그들은 예수님을 믿으려고 하지 않았습니다. 예수님께서 그들에게 말씀하셨습니다. "예언자는 자기 고향이나 자기 집에서는 존경을 받지 못하나, 거기 외에는 어디서나 존경을 받는다."

58 사람들이 믿지 않았기 때문에, 예수님께서는 그곳에서 기적을 많이 베풀지 않으셨습니다.

저자의 묵상

예수님의 고향 사람들은 예수님이 놀라운 지혜와 기적을 보이셨음에도 예수님을 배척했다. 그들은 자신들이 알고 있었던 예수님의 출신을 따라 그분을 판단하고 평가했던 것이다. 이 사건은 인간이 가진 한계를 분명하게 보여준다. 인간은 누구나 자신의 경험에 비추어 사람을 이해하는 어쩔 수 없는 한계가 있다.

그러나 그리스도인이라면 이런 모습을 지양해야 한다. 교회에서도 인격과 은사를 따라 사람을 대해야 하며, 외적이고 인간적인 기준으로 사람을 평가해서는 안 된다. 직분자들에 대해서도 학력, 재력 등의 인간적인 기준으로 그들을 평가하고 존경하기보다는 그들을 세우신 하나님의 권위를 인정하며 그 사람을 존경해야 한다.

무릎 기도 | 그리스도 안에서 주님의 마음으로 지체를 바라보게 하소서. 인간적인 눈으로 판단하는 것이 아니라, 그 사람의 인격과 은사를 인정하고 대하기를 원합니다.

NLT - Matthew 13

53 When Jesus had finished telling these stories
and illustrations, he left that part of the country.
54 He returned to Nazareth, his hometown. When
he taught there in the synagogue, everyone
was amazed and said, "Where does he get this
wisdom and the power to do miracles?"
55 Then they scoffed, "He's just the carpenter's son,
and we know Mary, his mother, and his
brothers—James, Joseph,* Simon, and Judas.
56 All his sisters live right here among us. Where
did he learn all these things?"
57 And they were deeply offended and refused to
believe in him. Then Jesus told them, "A
prophet is honored everywhere except in his
own hometown and among his own family."
58 And so he did only a few miracles there because
of their unbelief.

*13:55 Other manuscripts read *Joses;* still others read *John*.

53 illustration 예증, 예시 54 hometown 고향 synagogue 회당 55 scoff 비웃다, 조롱하다 carpenter 목수
57 deeply 몹시, 깊이 offend 기분이 상하다 refuse to ~ ~을 거부하다 prophet 예언자, 선지자 58 unbelief 불신앙

56

월 일

어리석은 헤롯

마태복음 14:1-7

새찬송 279장 | 통일 337장

• 먼저 묵상을 위한 기도를 드린 후, 성경 본문을 2번 이상 읽고 묵상하십시오.

본문요약 | 예수님이 지혜의 말씀과 놀라운 능력을 베푼다는 소식을 들은 헤롯 왕은 이를 세례 요한이 살아 돌아온 것으로 생각한다. 헤롯은 자신의 죄를 지적하는 세례 요한을 자신의 생일에 죽인 일이 있었다.

개역개정

1 그때에 분봉 왕 헤롯이 예수의 소문을 듣고
2 그 신하들에게 이르되 이는 [1)]세례 요한이라 그가 죽은 자 가운데서 살아났으니 그러므로 이런 능력이 그 속에서 역사하는도다 하더라
3 전에 헤롯이 그 동생 빌립의 아내 헤로디아의 일로 요한을 잡아 결박하여 옥에 가두었으니
4 이는 요한이 헤롯에게 말하되 당신이 그 여자를 차지한 것이 옳지 않다 하였음이라
5 헤롯이 요한을 죽이려 하되 무리가 그를 선지자로 여기므로 그들을 두려워하더니
6 마침 헤롯의 생일이 되어 헤로디아의 딸이 연석 가운데서 춤을 추어 헤롯을 기쁘게 하니
7 헤롯이 맹세로 그에게 무엇이든지 달라는 대로 주겠다고 약속하거늘

1) 헬, 또는 침례

1. 오늘 하나님께서 나에게 주신 깨달음은 무엇입니까?

2. 말씀을 어떻게 내 삶에 구체적으로 적용해야 합니까?

절별 해설

1 분봉 왕 헤롯 헤롯 안디바를 가리킨다. 그에게는 '분봉 왕'이라는 타이틀이 붙는데, 이는 나라의 1/4을 다스리는 왕이란 뜻이다. 그는 예수님의 탄생 때에 사내아이들을 죽인 헤롯 대왕의 아들 중 한 명으로, 헤롯 대왕이 죽은 후 분할된 지역의 한 부분인 갈릴리와 베레아 지역을 통치했다.

2 이는 세례 요한이라 그가 죽은 자 가운데서 살아났으니 헤롯 안디바는 예수님의 사역에 대한 소식을 듣고 자신이 죽인 세례 요한이 살아 돌아온 것으로 확신했다. 예수님의 사역이 굉장한 영향력을 가지고 진행되었기 때문에 헤롯 왕은 세례 요한의 영이 환생했다고 생각한 것이다. 이를 통해 볼 때 헤롯에게는 의인인 세례 요한을 죽인 죄책감이 계속 따라다녔던 것 같다.

3 헤롯이 요한을 감옥에 가둔 이유는 자신이 헤로디아를 아내로 삼은 일을 요한이 강력하게 비판했기 때문이다. 헤로디아는 원래 헤롯의 이복동생인 빌립의 아내였다. 그런데 헤롯이 헤로디아와 결혼하기 위해 자신의 아내를 버렸을 뿐만 아니라 형제의 아내를 빼앗았던 것이다. 이것은 유대인의 율법에 엄히 금하는 죄였다(레 20:21). 결국 헤롯은 자신의 죄를 덮기 위해 이를 지적하는 의인 세례 요한마저 감옥에 가둔다. 죄는 또 다른 죄를 낳음을 볼 수 있다.

4 이는 요한이 헤롯에게 말하되 당신이 그 여자를 차지한 것이 옳지 않다 하였음이라 세례 요한은 헤롯의 죄를 분명히 지적하였다. 헤롯이 지위와 권력을 가진 왕임에도 아랑곳없이 요한은 그의 죄를 지적하는 것을 주저하지 않았다. 본문에 '말하되'라는 단어의 원문 시제는 미완료형으로, 계속해서 여러 차례 언급했음을 뜻한다. 말씀 앞에 모든 사람은 평등하며, 그리스도인은 죄와 싸우되 피 흘리기까지 해야 한다고 성경은 소개한다(히 12:4).

6 헤로디아의 딸 이름은 '살로메'로, 그녀는 빌립과 헤로디아 사이에서 낳은 딸이다. 당시 공주는 뭇남성들 앞에서 춤을 추지 않았다. 그것은 천한 여인들이나 하는 행동이었기 때문이다. 그러므로 이것은 철저하게 요한을 죽이려는 음모에서 시작된 일이었음을 알 수 있다.

쉬운성경

1 그때, 헤롯 왕이 예수님에 대한 소식을 들었습니다.

2 헤롯이 신하들에게 말했습니다. "이 사람은 세례자 요한이다. 그가 죽었다가 다시 살아난 것이 틀림없어. 그 사람에게서 기적이 나타나는 것도 바로 이 때문일 거야."

3 헤롯은 예전에 요한을 체포하여 결박하고, 감옥에 가둔 적이 있었습니다. 헤롯이 이렇게 한 것은 자기 동생 빌립의 아내였던 헤로디아 때문이었습니다.

4 요한이 헤롯에게 "당신이 헤로디아를 아내로 삼은 것은 잘못이오"라고 말했던 것입니다.

5 헤롯은 요한을 죽이려고 했지만, 사람들이 두려웠습니다. 이는 사람들이 요한을 예언자라고 생각하고 있었기 때문이었습니다.

6 그런데 헤롯의 생일에 헤로디아의 딸이 손님들 앞에서 춤을 추었습니다. 헤롯은 매우 기분이 좋았습니다.

7 그래서 헤롯은 딸이 요청하는 것은 무엇이든지 주겠다고 맹세하였습니다.

저자의 묵상

세례 요한은 예수님의 길을 예비하는 사역을 약 1년 정도 감당하다가 헤롯 안디바에 의해 죽임을 당한다. 그러나 의인을 죽인 죄로 인한 죄책감이 끝까지 헤롯을 괴롭히는 것을 본문에서 확인할 수 있다. 이처럼 죄는 달콤해 보이고 죄를 짓는 것이 쉬운 것 같지만, 한 번 발을 들여놓으면 그 책임과 영향이 끝까지 따라다닌다는 사실을 기억해야 한다. 죄는 그만큼 무서운 것이다.

또한 기억해야 할 것은 우리 믿는 성도는 주님의 은혜로 원죄의 책임은 벗었지만, 삶 속에서 계속되는 죄에 대해서는 책임을 질 수 밖에 없다는 것이다. 그러므로 성도는 죄를 멀리해야 한다. 죄의 영향력은 삶 속에서 성도를 무력하게 만들어 버린다. 죄를 이기기 위해 피 흘리기까지 싸워야 하며 기분에 따라 경솔하게 처신하는 것도 조심해야 한다.

무릎기도 | 죄의 영향력이 삶을 붕괴시키는 것을 봅니다. 공로 없이 구원해 주신 은혜를 기억하며 날마다 죄를 멀리하고 어리석은 약속은 피하며 주님의 말씀만을 따르게 하소서.

NLT - Matthew 14

1 When Herod Antipas, the ruler of Galilee,* heard about Jesus,
2 he said to his advisers, "This must be John the Baptist raised from the dead! That is why he can do such miracles."
3 For Herod had arrested and imprisoned John as a favor to his wife Herodias (the former wife of Herod's brother Philip).
4 John had been telling Herod, "It is against God's law for you to marry her."
5 Herod wanted to kill John, but he was afraid of a riot, because all the people believed John was a prophet.
6 But at a birthday party for Herod, Herodias's daughter performed a dance that greatly pleased him,
7 so he promised with a vow to give her anything she wanted.

*14:1 Greek *Herod the tetrarch.* Herod Antipas was a son of King Herod and was ruler over Galilee.

1 ruler 지배자, 통치자 hear about ~ ~에 관해 듣다 2 adviser 보좌관 raise from the dead 소생시키다 3 arrest 체포하다 imprison 투옥하다 5 be afraid of ~ ~를 두려워하다 riot 폭동 prophet 예언자 6 perform 행하다

57

월 일

세례 요한의 죽음

마태복음 14:8-14

새찬송 263장 | 통일 197장

• 먼저 묵상을 위한 기도를 드린 후, 성경 본문을 2번 이상 읽고 묵상하십시오.

본문요약 | 사전에 어머니와 모의를 한 헤로디아의 딸은 헤롯에게 소반 위에 세례 요한의 머리를 담아 달라고 말한다. 맹세를 한 헤롯은 어쩔 수 없이 이를 시행하고, 결국 요한은 죽임을 당한다. 한편, 예수님은 헤롯을 피하여 조용한 곳으로 가신다.

개역개정

8 그가 제 어머니의 시킴을 듣고 이르되 [1]세례 요한의 머리를 소반에 얹어 여기서 내게 주소서 하니

9 왕이 근심하나 자기가 맹세한 것과 그 함께 [2]앉은 사람들 때문에 주라 명하고

10 사람을 보내어 옥에서 요한의 목을 베어

11 그 머리를 소반에 얹어서 그 소녀에게 주니 그가 자기 어머니에게로 가져가니라

12 요한의 제자들이 와서 시체를 가져다가 장사하고 가서 예수께 아뢰니라

13 예수께서 들으시고 배를 타고 떠나사 따로 빈 들에 가시니 무리가 듣고 여러 고을로부터 걸어서 따라간지라

14 예수께서 나오사 큰 무리를 보시고 불쌍히 여기사 그중에 있는 병자를 고쳐 주시니라

1) 헬. 또는 침례 2) 8:11 난하주를 보라

1. 오늘 하나님께서 나에게 주신 깨달음은 무엇입니까?

2. 말씀을 어떻게 내 삶에 구체적으로 적용해야 합니까?

절별 해설

8 그가 제 어머니의 시킴을 듣고 헤로디아는 자신의 죄를 지적하는 눈엣가시 같은 세례 요한을 죽일 방도를 찾았던 것 같다. 마침 헤롯의 생일을 축하하는 자리가 열렸다. 이때 헤로디아는 자신의 딸을 사람들 앞에서 춤추게 하는 파격적인 일을 계획하여 헤롯의 기분을 좋게 한 후, 그 대가로 요한을 죽일 철저한 계획을 세웠다. 세상은 자신의 죄를 덮기 위하여 이처럼 철저하게 계획하여 의를 제거하려 함을 알 수 있다.

9 왕이 근심하나 헤롯이 망설인 이유는 개인적으로 요한에 대해 두려운 감정을 가지고 있었기 때문이다. 헤롯은 요한이 자신의 죄를 지적했지만 그를 거룩한 사람으로 여겼다. 또 헤로디아가 끊임없이 요한을 죽이라고 청했지만 그를 보호하였고, 요한의 말을 달갑게 듣기까지 하였다(막 6:19-20). 또한 당시 요한이 사람들에게 선지자로 여겨지고 있었기 때문에 그를 제거하는 일은 정치적으로도 쉽지 않았을 것이다. 그러나 헤롯의 망설임은 망령된 결정으로 끝을 맺는다.

11 자신의 악한 뜻을 이루기 위해 딸까지 동원하는 어리석은 헤로디아의 모습은 죄를 교육시키는 어리석은 인간의 모습을 보여준다.

12 요한의 제자들이 와서 시체를 가져다가 장사하고 가서 예수께 아뢰니라 다른 복음서와 달리 마태는 요한의 제자들이 이 사실을 예수님께 알린 것을 기록한다. 아마도 예수님의 길을 예비한 요한에 이어 그 주인공이 되시는 예수님께 다가올 고난에 대해 언급하고 싶었던 것 같다.

13 예수께서 들으시고 배를 타고 떠나사 따로 빈 들에 가시니 3-12절까지는 1-2절 말씀에 대한 부연 설명으로, 과거 일을 회상하는 장면이다. 그 때문에 본절에서 예수님이 들으신 소식은 요한의 죽음에 관한 것이 아니라(이것은 이미 과거의 일이다), 헤롯이 예수님을 요한이 살아온 것으로 여긴다는 소식을 말한다. 이에 예수님이 떠나신 이유는 헤롯이 두려워서가 아니라 자신에게 주어진 메시아의 사역을 계속 감당하시기 위해서였다.

쉬운성경

8 어머니로부터 지시를 받은 딸은 헤롯에게 말했습니다. "쟁반 위에 세례자 요한의 머리를 담아 주세요."

9 왕은 망설였지만 자기가 한 맹세 때문에, 그리고 함께 식사를 하던 손님들 때문에 요한의 머리를 주라고 명령을 내렸습니다.

10 그는 사람을 보내어, 감옥 안에 있는 요한의 머리를 베게 하였습니다.

11 요한의 머리가 쟁반에 담겨서 왕에게 왔고, 왕은 그것을 소녀에게 주었습니다. 소녀는 그것을 자기 어머니에게 가져다주었습니다.

12 요한의 제자들이 와서 시체를 거두어 장사를 지냈습니다. 그들은 예수님께 와서 이 소식을 전했습니다.

13 예수님께서 이 소식을 들으시고, 그곳을 떠나 배를 타고 혼자 조용한 곳으로 가셨습니다. 그러나 여러 마을에서 사람들이 이 사실을 전해 듣고, 걸어서 예수님을 따라왔습니다.

14 예수님께서 배에서 내려 많은 사람들이 모여 있는 것을 보셨습니다. 예수님께서는 그들을 불쌍히 여기시고 병든 사람들을 고쳐 주셨습니다.

저자의 묵상

세례 요한은 비참한 최후를 맞는다. 의로운 일을 하다가 헤로디아의 간계에 의해 죽임을 당한 것이다. 이처럼 본문은 의롭게 사는 것이 매우 어려운 일임을 우리에게 말해 준다. 의로운 일을 행할 때는 감당해야 할 대가가 있는데, 그렇다고 해서 성도가 의롭게 사는 것을 포기할 수는 없다. 하나님 백성의 삶과 행동의 기준은 성경말씀이기 때문이다. 이는 말씀에 위배되는 세상의 사상에 대해서는 항거해야 하는 것도 포함하는 삶의 기준이다.

그러므로 성도는 죄를 대수롭지 않게 여기면 안 된다. 죄는 작은 것부터 척결해야 한다. 또한 성도는 의롭게 살고 세상의 죄에 항거하기 위해서 분별력도 필요하다. 세상은 우리를 삼키려고 지금도 마치 헤로디아처럼 매우 교묘하게 덫을 놓고 있기 때문이다. 그러므로 이에 지지 않고 선으로 악을 이기기 위해서 분별력과 신중함을 달라고 기도해야 할 것이다.

무릎 기도 세례 요한의 의로운 죽음을 보면서 성도로 사는 일의 어려움을 깨닫습니다. 세상에서 때로 환난을 당하지만 믿음을 잃지 않고 주님의 자녀로서의 길로 계속 걷게 하소서.

NLT - Matthew 14

8 At her mother's urging, the girl said, "I want the head of John the Baptist on a tray!"
9 Then the king regretted what he had said; but because of the vow he had made in front of his guests, he issued the necessary orders.
10 So John was beheaded in the prison,
11 and his head was brought on a tray and given to the girl, who took it to her mother.
12 Later, John's disciples came for his body and buried it. Then they went and told Jesus what had happened.
13 As soon as Jesus heard the news, he left in a boat to a remote area to be alone. But the crowds heard where he was headed and followed on foot from many towns.
14 Jesus saw the huge crowd as he stepped from the boat, and he had compassion on them and healed their sick.

8 urge 촉구하다, 요구하다 John the Baptist 세례 요한 tray 쟁반 9 regret 후회하다, 뉘우치다 issue orders 명령을 내리다 10 behead 목을 베다, 참수하다 13 remote 외딴 be headed ~ ~로 향하다 14 huge 큰, 거대한 have compassion on ~ ~를 불쌍히 여기다

58

월 일

오천 명을 먹이심

마태복음 14:15-21

새찬송 94장 | 통일 102장

• 먼저 묵상을 위한 기도를 드린 후, 성경 본문을 2번 이상 읽고 묵상하십시오.

본문요약 | 예수님의 제자들은 모인 무리를 보며 식사 문제는 스스로 해결하게 하자고 한다. 그러나 예수님은 제자들에게 먹을 것을 주라고 하신다. 그들이 가진 것은 떡 다섯 개와 물고기 두 마리뿐이었으나, 주님은 기도하신 후 그것을 나누어 주심으로 여자와 어린이 외에 남자만 오천 명을 먹이신다.

개역개정

15 저녁이 되매 제자들이 나아와 이르되 이
곳은 빈 들이요 때도 이미 저물었으니 무
리를 보내어 마을에 들어가 먹을 것을 사
먹게 하소서
16 예수께서 이르시되 갈 것 없다 너희가 먹
을 것을 주라
17 제자들이 이르되 여기 우리에게 있는 것은
떡 다섯 개와 물고기 두 마리뿐이니이다
18 이르시되 그것을 내게 가져오라 하시고
19 무리를 명하여 잔디 위에 [1]앉히시고 떡 다
섯 개와 물고기 두 마리를 가지사 하늘을
우러러 축사하시고 떡을 떼어 제자들에게
주시매 제자들이 무리에게 주니
20 다 배불리 먹고 남은 조각을 열두 바구니
에 차게 거두었으며
21 먹은 사람은 여자와 어린이 외에 오천 명
이나 되었더라

1) 8:11 난하주를 보라

1. 본문에 나타난 예수님은 어떤 분이십니까?

2. 오늘 하나님께서 나에게 주신 깨달음은 무엇입니까?

3. 말씀을 어떻게 내 삶에 구체적으로 적용해야 합니까?

절별 해설

15 예수님 앞에는 많은 사람이 모였고 저녁이 되자 제자들은 군중들 각자가 식사 문제를 스스로 해결하게 하자고 한다. 〈요한복음〉에는 이 문제에 관하여 빌립과 예수님의 대화가 기록되었는데, 계산이 빨랐던 빌립에 의하면 조금씩 먹게 한다고 할지라도 모두를 먹이는 데는 이백 데나리온(1데나리온은 노동자 하루 일당)의 떡이 필요했다(요 6:5-7). 당시에 모인 군중은 남자만 오천 명으로, 어린아이와 여자를 합치면 약 이만 명가량 되었을 것이다.

16 **예수께서 이르시되 갈 것 없다 너희가 먹을 것을 주라** 예수님은 제자들에게 사람들의 식사 문제를 해결하라고 지시하신다. 제자들의 재정적 형편을 몰라서 이런 말씀을 하신 것이 아니다. 이는 영적으로 이해해야 한다. 이것은 단순히 육적인 음식만이 아닌, 교회가 세상을 영적으로도 먹여야 한다는 사실을 보여준다(참고. 요 6:35).

17 **떡 다섯 개와 물고기 두 마리** 여기서 '떡'은 당시 가난한 서민들이 먹던 보리떡을 가리킨다. 또 '물고기'라고 표현되었지만 작은 것이었다. 제자들은 이것을 자신들이 가진 전부라고 했지만, 사실은 한 아이가 가지고 있었던 음식이었다(요 6:9). 제자들은 먹을 것을 자신들더러 주라는 예수님 말씀에 놀란 나머지 자신들이 가진 것은 예수님의 요구에 비하면 터무니없다는 것을 강조하기 위해 이렇게 말한 것이다.

18 **그것을 내게 가져오라 하시고** 예수님은 제자들을 책망하거나 다른 말씀을 하지 않으시고, 그 부족한 것을 자신에게 가져오라고 하신다. 그것은 비록 보잘것없는 것이라도 예수님께 가져갈 때 엄청난 결과가 나타날 수 있음을 보여주시기 위해서였다.

19 예수님은 이어서 하나님께 감사 기도를 드리시고 제자들에게 떡과 물고기를 나누어 주게 하셨다. 턱없이 부족하다는 제자들의 입장과는 달리 예수님은 감사 기도를 드리셨다. 가진 것을 긍정하고 감사하는 자세야말로 예수님의 일이 이루어지는 길임을 알 수 있다.

20 떡 다섯 개와 물고기 두 마리로 많은 사람이 배불리 먹고 열두 바구니에 차게 남은 것은 예수님의 풍성하심을 표현한 것이다.

쉬운성경

15 저녁이 되자, 제자들이 예수님께 와서 말했습니다. "이곳은 외딴 곳이고, 시간도 너무 늦었습니다. 사람들을 이제 보내어, 마을에 가서 먹을 것을 각자 사도록 하는 것이 좋겠습니다."

16 예수님께서 제자들에게 대답하셨습니다. "갈 필요가 없다. 너희가 그들에게 먹을 것을 주어라."

17 제자들이 대답했습니다. "우리가 가진 것이라고는 빵 다섯 개와 생선 두 마리뿐입니다."

18 예수님께서 말씀하셨습니다. "그것들을 내게 가져오너라."

19 사람들을 풀밭에 앉게 하신 후, 예수님께서는 빵 다섯 개와 생선 두 마리를 손에 들고 하늘을 바라보며 감사 기도를 드리셨습니다. 그 다음에 제자들에게 그것들을 떼어 주셨고, 제자들은 그것을 사람들에게 나누어 주었습니다.

20 모든 사람들이 먹고 배가 불렀습니다. 먹고 남은 조각들을 거두었더니, 열두 바구니에 가득 찼습니다.

21 먹은 사람은 약 오천 명이나 되었는데, 이는 여자와 어린이가 포함되지 않은 숫자입니다.

저자의 묵상

본문은 우리가 흔히 '오병이어'라고 말하는 기적 사건이다. 예수님은 보잘것없는 떡 다섯 개와 물고기 두 마리로 남자만 오천 명을 먹이셨다. 이 사건을 통해 예수님은 제자들에게 세상을 먹일 책임이 있음을 강조하여 가르치셨다. 이처럼 교회는 세상을 먹여야 한다. 육적으로도 섬겨야 하지만 특히 영적으로 세상을 먹여야 할 책임이 교회에 있다. 우리가 가진 것으로는 그 일을 할 수 없을 것 같지만, 예수님은 제자들이 가진 것으로 쓰셨음을 기억하라. 주님께 헌신하면 작은 것이라도 크게 쓰임 받을 수 있다. 성도는 비록 자신이 가진 재능이나 물질이 보잘것없어도 그것을 주님께 가지고 나갈 때 쓰임 받는다.

한편, 예수님은 턱없이 부족한 것으로 사람들을 충분하게 다 먹이시고 열두 바구니를 남기셨다. 인간적인 생각으로는 정말 안 될 것 같은 일도 주님은 언제나 넉넉하고 풍성하게 채우시는 분임을 기억하라.

무릎 기도 | 주님, 제 생각과 계산으로만 주의 일을 하지 않게 도와주소서. 무엇이든 주님께 가지고 나갈 때 제게 없는 능력을 체험하게 하소서.

NLT - Matthew 14

15 That evening the disciples came to him and said, "This is a remote place, and it's already getting late. Send the crowds away so they can go to the villages and buy food for themselves."
16 But Jesus said, "That isn't necessary—you feed them."
17 "But we have only five loaves of bread and two fish!" they answered.
18 "Bring them here," he said.
19 Then he told the people to sit down on the grass. Jesus took the five loaves and two fish, looked up toward heaven, and blessed them. Then, breaking the loaves into pieces, he gave the bread to the disciples, who distributed it to the people.
20 They all ate as much as they wanted, and afterward, the disciples picked up twelve baskets of leftovers.
21 About 5,000 men were fed that day, in addition to all the women and children!

15 remote 외딴 get late (시간이) 늦어지다 17 loaf 빵 한 덩이 19 grass 잔디, 풀 break ~ into pieces ~을 조각내다 distribute 분배하다, 배당하다 20 pick up 줍다, 모으다 leftover (식사 후에) 남은 음식 21 feed 먹이다, 공급하다 in addition to ~ ~이외에도

59

월 일

바다 위를 걸어오신 예수님

마태복음 14:22-27

새찬송 28장 | 통일 28장

• 먼저 묵상을 위한 기도를 드린 후, 성경 본문을 2번 이상 읽고 묵상하십시오.

본문요약 | 오병이어 사건 이후 즉시 예수님은 군중을 해산하고 제자들을 바다 건너편으로 보내신다. 예수님은 홀로 산으로 기도하러 올라가셨고, 제자들은 갑자기 몰아치는 바람과 파도로 큰 어려움을 겪는다. 새벽에 예수님은 바다 위로 걸어서 제자들에게 오신다.

개역개정

22 예수께서 즉시 제자들을 재촉하사 자기가 무리를 보내는 동안에 배를 타고 앞서 건너편으로 가게 하시고

23 무리를 보내신 후에 기도하러 따로 산에 올라가시니라 저물매 거기 혼자 계시더니

24 배가 이미 [1]육지에서 수 리나 떠나서 바람이 거스르므로 물결로 말미암아 고난을 당하더라

25 밤 사경에 예수께서 바다 위로 걸어서 제자들에게 오시니

26 제자들이 그가 바다 위로 걸어오심을 보고 놀라 유령이라 하며 무서워하여 소리 지르거늘

27 예수께서 즉시 이르시되 안심하라 나니 두려워하지 말라

1) 어떤 사본에, 바다 가운데 있어

1. 본문에 나타난 예수님은 어떤 분이십니까?

2. 오늘 하나님께서 나에게 주신 깨달음은 무엇입니까?

3. 말씀을 어떻게 내 삶에 구체적으로 적용해야 합니까?

절별 해설

22 즉시 예수님은 오병이어 사건을 일으키신 후, 즉시 제자들을 배에 태워 갈릴리 바다 건너편으로 보내시고 수많은 군중을 해산시키셨다. 이는 사람들이 예수님의 신묘한 기적을 보고 예수님을 왕으로 삼으려 했기 때문이다(요 6:15). 원래 가난한 백성은 자신들의 먹을 것을 해결하는 사람을 왕으로 삼으려 하는 경향이 있다. 그 때문에 예수님은 부족한 제자들이 이에 휩쓸리지 않게 그들을 즉시 바다 건너편으로 보내시고 친히 군중을 해산시키신 것이다. 군중과 제자들을 동시에 배려하시는 예수님의 모습을 볼 수 있다.

23 저물매 거기 혼자 계시더니 예수님은 종종 홀로 기도하는 시간을 가지셨다(눅 6:12; 9:28). 이를 통해 아버지 하나님과 교제하며 중요한 문제를 아뢰고 메시아로서의 사역을 다짐하셨을 것이다. 기도를 통한 하나님과의 교제가 얼마나 성도에게 중요한지를 깨닫게 하는 대목이다. 예수님은 또한 사람들의 인기에 영합하지 않으시고 최고의 순간에 하나님과 기도로 교제하셨음을 알 수 있다.

24 바람이 거스르므로 물결로 말미암아 고난을 당하더라 갈릴리 바다는 원래 갑작스런 돌풍이 부는 곳으로 유명했다. 높은 산 위에서 불어오는 바람이 갑자기 바다 위에 풍랑을 일으키곤 하였다. 제자들은 예수님과 떨어져 있는 상황에서 풍랑을 만났기에 그 충격이 더욱 컸을 것이다. 어려움을 당할 때 주님과도 멀어져 있는 것처럼 느껴질 때가 있으나 사실은 그렇지 않다(26절).

25 예수님이 바다 위로 걸어서 제자들에게 오신 것은 그만큼 상황이 급박했음을 보여주는 부분이다. 예수님은 제자들의 어려움을 아시고 바로 대처하신 것이다. 이처럼 예수님은 인생의 어려운 상황을 모르지 않으신다. 필요하면 자연의 법칙을 거슬러서라도 우리를 도우시는 분이다.

26 제자들이 그가 바다 위로 걸어오심을 보고 놀라 유령이라 하며 무서워하여 소리 지르거늘 물 위로 걸어오시는 예수님을 보고 제자들은 유령이라고 외쳤다. 극심한 어려움에 처하면 예수님조차도 분간하지 못하는 인간의 연약함을 보여준다. 한편, 예수님이 물 위를 걸으신 것은 자연법칙을 완전히 거스르는 행위로, 예수님이 자연을 지으신 창조주임을 보여주는 사건이다. 이미 앞에서도 예수님은 바람과 바다를 꾸짖음으로 자신이 창조주임을 드러내셨다(8:23-27). 예수님은 거듭 반복해서 확실한 신지식을 제자들에게 주셨다.

쉬운성경

22 그 즉시, 예수님께서는 제자들을 배에 타게 하시고, 호수 건너편으로 먼저 가 있으라고 하셨습니다. 그 동안에 예수님께서는 사람들을 되돌려 보내셨습니다.

23 사람들을 보내신 후, 예수님께서는 기도하러 홀로 산 위에 올라가셨습니다. 그리고 저녁 때까지 그곳에 혼자 계셨습니다.

24 배는 이미 육지에서 멀리 떨어져 있을 때였습니다. 제자들은 큰 파도와 거친 바람으로 어려움을 겪게 되었습니다.

25 새벽 3시에서 6시 사이에 예수님께서 호수 위를 걸어서 제자들에게 오셨습니다.

26 제자들은 예수님께서 호수 위를 걸어오시는 것을 보고 겁에 질렸습니다. 그들은 "유령이다!"라고 소리쳤습니다. 너무 무서워서 비명을 지른 것입니다.

27 예수님께서 얼른 그들에게 말씀하셨습니다. "안심해라! 나다! 두려워하지 마라."

저자의 묵상

예수님이 오병이어의 기적을 일으키시자 놀란 백성은 예수님을 왕으로 삼으려 했다. 그러나 오히려 예수님은 그들을 떠나시고 홀로 하나님과 깊이 교제하셨다. 인성을 입으신 예수님도 삶 가운데 가장 성공적인 순간에 찾아올 수 있는 유혹과 어려움을 방지하고자 제자들을 무리와 격리시키시며 자신도 홀로 하나님을 향하여 나아가셨던 것이다. 이처럼 성공의 순간을 포함하여 어떤 순간에도 성도가 자신을 지킬 수 있는 방법은 하나님과 조용한 교제의 시간을 갖는 것이다.

또한 예수님은 제자들의 어려움을 아시고 급히 물 위를 걸어오셨다. 성도가 위급함을 느끼는 만큼 주님도 우리의 형편을 다 알고 계시며, 필요하면 자연의 법칙을 거슬러서라도 우리를 도우시는 것을 본다. 그러므로 어떤 순간에도 당신이 혼자라는 생각은 하지 말라. 환난의 시간에 더 적극적으로 주님을 찾는 삶을 살아야 한다.

무릎 기도 | 삶 가운데 주님의 도우시는 손길에 감사드립니다. 저의 모든 형편을 아시고 적절히 도와주시는 주님을 의지하며 날마다 하나님께로 더 나아가는 삶을 살게 하소서.

NLT - Matthew 14

22 Immediately after this, Jesus insisted that his disciples get back into the boat and cross to the other side of the lake, while he sent the people home.

23 After sending them home, he went up into the hills by himself to pray. Night fell while he was there alone.

24 Meanwhile, the disciples were in trouble far away from land, for a strong wind had risen, and they were fighting heavy waves.

25 About three o'clock in the morning* Jesus came toward them, walking on the water.

26 When the disciples saw him walking on the water, they were terrified. In their fear, they cried out, "It's a ghost!"

27 But Jesus spoke to them at once. "Don't be afraid," he said. "Take courage. I am here!*"

*14:25 Greek *In the fourth watch of the night.*
*14:27 Or *The 'I AM' is here;* Greek reads *I am.* See Exod 3:14.

22 immediately 즉시 insist 강요하다 get into ~ ~에 타다 23 by oneself 홀로, 혼자서 24 meanwhile 한편 be in trouble 곤경에 처하다 far away from ~ ~에서 멀리 떨어진 25 toward 향해서, …쪽으로 26 terrified 무서워하는 27 at once 즉시 take courage 용기를 내다

60

월 일

물 위를 걸은 베드로

마태복음 14:28-36

새찬송 532장 | 통일 323장

• 먼저 묵상을 위한 기도를 드린 후, 성경 본문을 2번 이상 읽고 묵상하십시오.

본문요약 | 베드로는 예수님께 자신도 물 위를 걷게 해 달라고 요청한다. 이에 예수님은 걸어오라고 말씀하셨고, 베드로는 물 위를 걷다가 바람을 보고 의심하여 물에 빠진다. 제자들은 예수님을 하나님의 아들로 인정하며 경배했다. 모두가 바다 건너편에 이르자 사람들은 예수님의 옷자락이라도 만지려 한다.

개역개정

28 베드로가 대답하여 이르되 주여 만일 주
님이시거든 나를 명하사 물 위로 오라 하
소서 하니
29 오라 하시니 베드로가 배에서 내려 [1]물 위
로 걸어서 예수께로 가되
30 바람을 보고 무서워 빠져 가는지라 소리
질러 이르되 주여 나를 구원하소서 하니
31 예수께서 즉시 손을 내밀어 그를 붙잡으시
며 이르시되 믿음이 작은 자여 왜 의심하
였느냐 하시고
32 배에 함께 오르매 바람이 그치는지라
33 배에 있는 사람들이 예수께 절하며 이르되
진실로 하나님의 아들이로소이다 하더라
34 그들이 건너가 게네사렛 땅에 이르니
35 그곳 사람들이 예수이신 줄을 알고 그 근
방에 두루 통지하여 모든 병든 자를 예수
께 데리고 와서
36 다만 예수의 옷자락에라도 손을 대게 하
시기를 간구하니 손을 대는 자는 다 나음
을 얻으니라

1) 어떤 사본에, 예수께 가려고 물 위로 걸어가다가

1. 오늘 하나님께서 나에게 주신 깨달음은 무엇입니까?

2. 말씀을 어떻게 내 삶에 구체적으로 적용해야 합니까?

절별 해설

28 주여 만일 주님이시거든 나를 명하사 물 위로 오라 하소서 베드로는 단순한 호기심에서 물 위를 걷겠다고 요청한 것이 아니다. 이것은 예수님을 믿는 믿음에서 시작한 요청이다. 베드로는 행동이 앞서는 믿음의 소유자였기에 본문이 보여주듯이 실패도 많이 경험한 사람이다. 그러나 베드로는 부족한 믿음이어서 실패하지만 그것을 통해서 믿음이 자라가고 더 크신 주님을 만나게 된 장점도 가진 사람이다.

30 바람을 보고 무서워 빠져 가는지라 소리 질러 이르되 주여 나를 구원하소서 인간은 이처럼 환경에 민감한 존재다. 믿음으로 요청하고 시작한 일이지만 베드로는 눈에 보이는 어려움 때문에 겁을 냈고 의심했다(31절).

31 믿음이 작은 자여 왜 의심하였느냐 이는 베드로가 물에 빠졌던 이유에 관한 설명이다. 베드로는 예수님을 보고 담대히 물 위를 걷기 시작했으나, 곧 거센 바람을 보자 겁을 먹고 의심하여 물에 빠진 것이다. 특히 예수님은 믿음이 작은 것을 언급하셨다. 베드로가 믿음이 아예 없는 것은 아니었지만 온전히 예수님을 신뢰하지 못한 것이 문제였다. 본절을 통해 위기에 처하면 믿음을 다 잊어버리는 인간의 연약한 속성 또한 볼 수 있다.

32 예수님이 배에 오르시자 바람이 잔잔해졌다. 인생도 마찬가지다. 아무리 풍랑이 일고 문제가 심각한 삶을 살아도 예수님이 함께하시면 평안함을 누릴 수 있다.

33 진실로 하나님의 아들이로소이다 이 일로 제자들은 예수님이 하나님의 아들이심을 고백한다. 예수님이 제자들에게 이 사건을 경험하게 하신 이유를 알 수 있는 부분이다.

36 다만 예수의 옷자락에라도 손을 대게 하시기를 간구하니 절박한 상황에 빠진 사람들이 지푸라기라도 붙잡으려 하는 심정을 읽어낼 수 있다. 예수님은 그들의 병을 고쳐 주심으로 풍성한 사랑을 증명하셨다.

쉬운성경

28 베드로가 예수님께 말했습니다. "주여, 정말 주님이시라면 저에게 물 위로 걸어오라고 하소서."

29 예수님께서 말씀하셨습니다. "오너라." 베드로는 배에서 내려 물 위를 걸어 예수님께로 향했습니다.

30 그런데 베드로는 거센 바람을 보자, 겁이 났습니다. 물에 빠지기 시작하자, 소리를 질렀습니다. "주님, 살려 주십시오!"

31 예수님께서는 즉시 손을 내밀어 베드로를 잡아 주시며 말씀하셨습니다. "믿음이 적은 사람아, 왜 의심하느냐?"

32 베드로와 예수님이 배 안에 오르자, 바람이 잔잔해졌습니다.

33 배 안에 있던 사람들이 예수님께 경배하며 말했습니다. "주님은 분명히 하나님의 아들이십니다!"

34 예수님과 제자들은 호수를 건너 게네사렛이라는 곳에 이르렀습니다.

35 그곳 사람들이 예수님을 알아보았습니다. 그들은 근처에 있는 모든 지역으로 사람들을 보내어, 환자들을 예수님께 모두 데리고 왔습니다.

36 이들은 예수님의 옷깃에라도 손을 대게 해 달라고 매달렸고, 손을 댄 사람들은 모두 병이 나았습니다.

저자의 묵상

베드로는 믿음을 가지고 과감히 풍랑이 이는 물 위를 걷는 일에 도전했지만, 곧 의심하여 물에 빠졌다. 오늘 우리의 모습도 베드로와 같을 때가 많다. 믿음으로 시작은 했지만 막상 어려움을 만나면 먼저 주님의 도우심을 의심하곤 하기 때문이다. 그것은 인간이 참으로 연약하고 환경에 영향을 받는 존재이기 때문이다. 그러나 어려움에 처했을 때 문제가 아니라 주님을 바라보아야 해결된다는 사실을 기억해야 한다. 이러한 방향으로 우리의 신앙 훈련을 쌓아가야 한다. 물론 이는 하루아침에 되지 않는다. 그러나 매일 작은 일부터 주님과 조금씩 동행하다 보면 큰일이 생겼을 때에도 흔들리지 않고 주님을 의지할 수 있다. 베드로의 모습처럼 믿음이 작은 것은 문제가 된다. 그러므로 온전히 주님을 신뢰하는 신앙을 가질 수 있게 도우심을 구하자.

무릎기도 주님을 전적으로 신뢰하는 신앙으로 자라가기 원합니다. 날마다 주님과 말씀을 묵상하는 생활을 함으로써 당신을 더욱 깊이 알아가게 하소서

NLT - Matthew 14

28 Then Peter called to him, "Lord, if it's really you, tell me to come to you, walking on the water."

29 "Yes, come," Jesus said. So Peter went over the side of the boat and walked on the water toward Jesus.

30 But when he saw the strong* wind and the waves, he was terrified and began to sink. "Save me, Lord!" he shouted.

31 Jesus immediately reached out and grabbed him. "You have so little faith," Jesus said. "Why did you doubt me?"

32 When they climbed back into the boat, the wind stopped.

33 Then the disciples worshiped him. "You really are the Son of God!" they exclaimed.

34 After they had crossed the lake, they landed at Gennesaret.

35 When the people recognized Jesus, the news of his arrival spread quickly throughout the whole area, and soon people were bringing all their sick to be healed.

36 They begged him to let the sick touch at least the fringe of his robe, and all who touched him were healed.

*14:30 Some manuscripts do not include *strong*.

29 go over ~ ~를 건너다, 넘다 30 terrified 겁먹은 sink 가라앉다 31 reach out 뻗다, 내밀다 grab 붙잡다 doubt 의심하다 32 climb into ~ ~에 올라가다 35 recognize 알아보다 bring … to ~ ~를 …로 데리고 오다 36 beg 간청하다, 간구하다 at least 적어도, 최소한 fringe (옷자락의) 장식 robe 겉옷

권별주삶

아가페 주삶 GBS

- 1주(1회–5회) _ 마태복음 1:18–25
  예수–우리와 함께 계시는 하나님
- 2주(6회–10회) _ 마태복음 4:1–11
  시험을 이기신 예수님
- 3주(11회–15회) _ 마태복음 5:21–26
  예수님의 가르침
- 4주(16회–20회) _ 마태복음 5:38–48
  원수를 사랑하라
- 5주(21회–25회) _ 마태복음 6:25–34
  먼저 하나님 나라와 의를 구하라
- 6주(26회–30회) _ 마태복음 8:5–13
  하나님이 원하시는 믿음
- 7주(31회–35회) _ 마태복음 9:18–26
  참된 믿음과 구원
- 8주(36회–40회) _ 마태복음 10:26–33
  하나님을 인정하라
- 9주(41회–45회) _ 마태복음 12:1–8
  안식일의 진정한 주인이신 예수님
- 10주(46회–50회) _ 마태복음 12:46–50
  예수님의 영적 가족
- 11주(51회–55회) _ 마태복음 13:24–30
  가라지 비유에 나타난 예수님의 마음
- 12주(56회–60회) _ 마태복음 14:1–12
  세례 요한의 죽음

* GBS 해설서는 뒷면에 있습니다

주간 그룹성경공부 • GBS

1주차 (1회~5회)

예수 – 우리와 함께 계시는 하나님

마태복음 1:18–25 | 새찬송 620장

주간 말씀묵상 나눔

1 지난 한 주 동안 말씀묵상하면서 깨달은 말씀을 그룹원들과 함께 나누어 봅시다.

2 깨달은 것을 실천함으로 삶의 변화를 가져온 것이 있다면 서로 나누어 봅시다.

• 오늘의 성경공부 목표

예수님이 구약의 예언대로 우리의 구원을 위해 오신 메시아이심을 다시 한 번 되새기고, 매 순간 예수님과 동행하는 임마누엘의 축복을 사모합시다.

18 예수 그리스도의 나심은 이러하니라 그
의 어머니 마리아가 요셉과 약혼하고 동
거하기 전에 성령으로 잉태된 것이 나타
났더니
19 그의 남편 요셉은 의로운 사람이라 그를
드러내지 아니하고 가만히 끊고자 하여
20 이 일을 생각할 때에 주의 사자가 현몽하
여 이르되 다윗의 자손 요셉아 네 아내 마
리아 데려오기를 무서워하지 말라 그에게
잉태된 자는 성령으로 된 것이라
21 아들을 낳으리니 이름을 예수라 하라 이
는 그가 자기 백성을 그들의 죄에서 구원
할 자이심이라 하니라
22 이 모든 일이 된 것은 주께서 선지자로
하신 말씀을 이루려 하심이니 이르시되
23 보라 처녀가 잉태하여 아들을 낳을 것
이요 그의 이름은 임마누엘이라 하리라
하셨으니 이를 번역한즉 하나님이 우리와
함께 계시다 함이라
24 요셉이 잠에서 깨어 일어나 주의 사자의
분부대로 행하여 그의 아내를 데려왔으나
25 아들을 낳기까지 동침하지 아니하더니 낳
으매 이름을 예수라 하니라

• **함께 읽어보기**

사람들은 인생을 살아가면서 많은 꿈과 계획을 세우고 그것을 이루려고 노력합니다. 그러나 그리스도인에게 가장 중요한 것은 하나님과 함께 동행하는 삶입니다. 예수님은 구약의 예언대로 우리의 구원을 위해 오신 메시아이실 뿐만 아니라, '임마누엘', 즉 우리와 함께 계시는 하나님이십니다. 그러므로 날마다 임마누엘의 축복을 누리며, 그분의 인도하심을 따라 복 있는 자의 삶을 살도록 기도하며 나아갑시다.

도입 질문

3 만약 당신이 요셉과 같은 상황에 처한다면 어떨 것 같습니까?

함께 나누기

4 요셉과 마리아는 어떤 관계였습니까? 그리고 그것이 갖는 의미는 무엇입니까? 18절

5 마리아는 언제 그리고 어떻게 임신을 하게 되었습니까? 18절

6 꿈에 주의 천사가 나타나 요셉에게 크게 세 가지 사실을 이야기해 주었습니다. 그 내용은 각각 무엇입니까? 20–21절

(1) 20절 중반절:

(2) 20절 하반절:

(3) 21절:

7 만약 주의 천사가 당신에게도 나타난다면 어떤 말을 듣고 싶습니까?

8 마리아에게서 태어날 아기에게 두 개의 이름이 주어졌습니다. 각각의 이름과 의미는 무엇입니까? 21, 23절

(1) 21절:

(2) 23절:

9 예수님의 탄생은 구약의 예언이 이루어진 사건이었습니다. 본문은 누구의 예언이 이루어졌다고 말씀합니까? 또 그 의미는 무엇입니까? 22–23절

10 예수님은 임마누엘, 즉 우리와 함께 계시는 하나님이십니다. 솔직하게 당신은 그 이름의 진정한 의미를 언제 느꼈습니까? 다음 보기 가운데서 찾아보고, 그 경험을 함께 나누어 봅시다. 만약 마지막 보기를 선택한 분이 있다면 그분을 위해 다 함께 기도해 줍시다.

□ 몇 년 전에 □ 청소년기 혹은 청년기에 □ 아주 최근에 □ 현재 예수님이 누구신지 조금씩 알아가고 있는 중입니다 □ 아직 그 의미를 느끼는 단계까지 이르지 못했습니다.

주간 그룹성경공부 • GBS

2주차 (6회~10회)

시험을 이기신 예수님

마태복음 4:1–11 | 새찬송 342장 • 통일 395장

주간 말씀묵상 나눔

1 지난 한 주 동안 말씀묵상하면서 깨달은 말씀을 그룹원들과 함께 나누어 봅시다.

2 깨달은 것을 실천함으로 삶의 변화를 가져온 것이 있다면 서로 나누어 봅시다.

• 오늘의 성경공부 목표

예수님이 말씀으로 마귀의 시험을 이기신 것처럼, 우리도 말씀의 전신갑주를 입고 세상의 유혹과 시험을 이기고 승리하는 삶을 삽시다.

1 그때에 예수께서 성령에게 이끌리어 마귀에게 시험을 받으러 광야로 가사
2 사십 일을 밤낮으로 금식하신 후에 주리신지라
3 시험하는 자가 예수께 나아와서 이르되 네가 만일 하나님의 아들이어든 명하여 이 돌들로 떡덩이가 되게 하라
4 예수께서 대답하여 이르시되 기록되었으되
사람이 떡으로만 살 것이 아니요 하나님의 입으로부터 나오는 모든 말씀으로 살 것이라
하였느니라 하시니
5 이에 마귀가 예수를 거룩한 성으로 데려다가 성전 꼭대기에 세우고
6 이르되 네가 만일 하나님의 아들이어든 뛰어내리라 기록되었으되
그가 너를 위하여 그의 사자들을 명하시리니 그들이 손으로 너를 받들어 발이 돌에 부딪치지 않게 하리로다
하였느니라
7 예수께서 이르시되 또 기록되었으되 주 너의 하나님을 시험하지 말라 하였느니라 하시니
8 마귀가 또 그를 데리고 지극히 높은 산으로 가서 천하 만국과 그 영광을 보여
9 이르되 만일 내게 엎드려 경배하면 이 모든 것을 네게 주리라
10 이에 예수께서 말씀하시되 사탄아 물러가라 기록되었으되 주 너의 하나님께 경배하고 다만 그를 섬기라 하였느니라
11 이에 마귀는 예수를 떠나고 천사들이 나아와서 수종드니라

• **함께 읽어보기**

세례를 받으신 예수님은 사역을 시작하기 전 광야에서 40일 동안 금식하시며 영적인 준비 기간을 가지셨습니다. 이때 마귀가 세 가지 시험으로 예수님을 유혹했으나 예수님은 성령에 충만하사 하나님의 말씀으로 마귀를 물리치셨고, 이로써 자신이 메시아이심을 분명하게 보여주셨습니다. 마귀는 오늘도 작은 예수라고 일컬어지는 그리스도인들에게 유사한 시험으로 도전해 옵니다. 우리도 예수님을 본받아 시험을 이김으로 진정한 그리스도인임을 보여주어야 합니다.

도입 질문

3 이제까지 살아오면서 가장 큰 기쁨과 승리를 맛본 시험은 무엇입니까? 반대로 가장 큰 슬픔을 가져다준 시험은 무엇입니까? 이렇게 희비가 엇갈리게 된 원인은 어디에 있다고 생각합니까?

함께 나누기

4 예수님은 세례를 받으신 후 누구에게 이끌려 어디로 가셨으며, 누구에게 시험을 받으셨습니까? 1절

5 마귀의 첫 번째 시험은 무엇이며, 예수님은 그 시험을 어떻게 이기셨습니까? 3–4절

(1) 첫 번째 시험:

(2) 승리의 비결:

6 두 번째 시험에서 마귀는 어디에서 무엇을 근거로 예수님을 시험합니까? 5-6절

(1) 시험 장소:

(2) 시험 근거:

7 첫 번째와 두 번째 시험을 통해서 마귀는 공통적으로 예수님께 무엇을 증명해 보이라고 요구합니까? 이것이 왜 잘못된 요구인지 마태복음 27장 40절과 비교해서 살펴보십시오.

8 세 번째 시험에서 마귀가 예수님을 높은 산으로 데려가 보여준 것은 무엇입니까? 또 어떤 유혹을 하였습니까? 8-9절

(1) 보여준 것:

(2) 세 번째 유혹:

9 만약 마귀가 당신을 유혹하려 한다면, 당신의 삶 가운데 어느 분야를 목표로 삼을 것 같습니까? 특별히 그 분야가 취약한 이유는 무엇인지 생각해 봅시다.

☐ 육체적인 분야 ☐ 재정적인 분야 ☐ 성취나 성공에 대한 열망 ☐ 내 자신의 정체성
☐ 인간관계 분야 ☐ 기타 ____________________

10 유혹이 다가왔을 때 예수님은 성령에 충만하사 하나님의 말씀으로 승리하셨습니다. 당신의 경우 유혹을 극복하는 데 특별히 도움이 되었던 것은 무엇입니까? 서로의 경험을 나누며 유혹을 이기고 승리하는 비결을 찾아봅시다. 또 현재 시험 중에 있는 분들을 위해 함께 기도해 줍시다.

예수님의 가르침

마태복음 5:21-26 | 새찬송 449장 • 통일 377장

주간 말씀묵상 나눔

1 지난 한 주 동안 말씀묵상하면서 깨달은 말씀을 그룹원들과 함께 나누어 봅시다.

2 깨달은 것을 실천함으로 삶의 변화를 가져온 것이 있다면 서로 나누어 봅시다.

• 오늘의 성경공부 목표

본문을 통해 구약에서 말하는 율법의 내용을 익히고, 더불어 예수님이 각 항목에 대하여 어떻게 풀어 주시는지를 살펴봅니다. 그리고 성도의 삶에서 어떻게 적용되어야 하는지를 알아봅니다.

21 옛 사람에게 말한 바 살인하지 말라 누구
든지 살인하면 심판을 받게 되리라 하였
다는 것을 너희가 들었으나
22 나는 너희에게 이르노니 형제에게 노하
는 자마다 심판을 받게 되고 형제를 대하
여 라가라 하는 자는 공회에 잡혀가게 되
고 미련한 놈이라 하는 자는 지옥 불에 들
어가게 되리라
23 그러므로 예물을 제단에 드리려다가 거기
서 네 형제에게 원망 들을 만한 일이 있는
것이 생각나거든
24 예물을 제단 앞에 두고 먼저 가서 형제
와 화목하고 그 후에 와서 예물을 드리라
25 너를 고발하는 자와 함께 길에 있을 때에
급히 사화하라 그 고발하는 자가 너를 재
판관에게 내어 주고 재판관이 옥리에게
내어 주어 옥에 가둘까 염려하라
26 진실로 네게 이르노니 네가 한 푼이라도
남김이 없이 다 갚기 전에는 결코 거기서
나오지 못하리라

• **함께 읽어보기**

우리 사회에서 분노 조절에 실패하는 사람들이 늘어나는 이유에 대하여 분노를 통해 일이 해결되는 경험이 늘어나기 때문이라고 지적한 글이 있습니다. 무조건 목소리 큰 사람이 이긴다는 소리도 있습니다. 정말 분노가 일을 해결하는 유일한 길일까요? 예수님이라면 어떻게 하셨을까요? 성도라면 어떻게 살아가야 하는지 생각해 보아야 합니다.

도입 질문

3 만약 당신이 운전하는 도중에 누군가 갑자기 끼어들었다고 가정해 봅시다. 당신은 어떻게 반응하겠습니까?

함께 나누기

4 구약의 율법에서 살인하게 되면 어떻게 됩니까? 또 이에 대해 예수님은 무엇을 가르치셨습니까? 21-22절

5 제단에 예물을 드리려는 성도가 반드시 실천해야 하는 것은 무엇입니까? 23-24절

6 혹 누군가와 심하게 다투거나 관계가 불편한 상황에서 예배에 참석한 적이 있습니까? 그때의 마음은 어떠했습니까?

7 예수님이 예로 드신 '너'와 '고발하는 자' 사이에는 어떤 문제가 있었습니까? 25절

8 예수님은 '너'와 '고발하는 자' 사이에서 어떤 해결책을 제시하셨습니까? 25절

9 화해에 실패하게 되면 결국 어떻게 됩니까? 26절

10 당신이 극적으로 관계를 회복했던 경험이 있다면, 그때 관계 회복을 위해 필요했던 것은 무엇이었는지 나누어 봅시다.

주간 그룹성경공부 • GBS

4주차 (16회~20회)

원수를 사랑하라

마태복음 5:38-48 | 새찬송 299장 • 통일 418장

주간 말씀묵상 나눔

1 지난 한 주 동안 말씀묵상하면서 깨달은 말씀을 그룹원들과 함께 나누어 봅시다.

2 깨달은 것을 실천함으로 삶의 변화를 가져온 것이 있다면 서로 나누어 봅시다.

• 오늘의 성경공부 목표

하나님의 온전하심이 무엇인지를 살펴보고, 성도가 세상에서 더 나은 삶을 살아야 함을 배우도록 합니다.

38 또 눈은 눈으로, 이는 이로 갚으라 하였
다는 것을 너희가 들었으나
39 나는 너희에게 이르노니 악한 자를 대적
하지 말라 누구든지 네 오른편 뺨을 치거
든 왼편도 돌려대며
40 또 너를 고발하여 속옷을 가지고자 하는
자에게 겉옷까지도 가지게 하며
41 또 누구든지 너로 억지로 오 리를 가게 하
거든 그 사람과 십 리를 동행하고
42 네게 구하는 자에게 주며 네게 꾸고자 하
는 자에게 거절하지 말라
43 또 네 이웃을 사랑하고 네 원수를 미워하
라 하였다는 것을 너희가 들었으나
44 나는 너희에게 이르노니 너희 원수를 사
랑하며 너희를 박해하는 자를 위하여 기
도하라
45 이같이 한즉 하늘에 계신 너희 아버지의
아들이 되리니 이는 하나님이 그 해를 악
인과 선인에게 비추시며 비를 의로운 자
와 불의한 자에게 내려주심이라
46 너희가 너희를 사랑하는 자를 사랑하면
무슨 상이 있으리요 세리도 이같이 아니
하느냐
47 또 너희가 너희 형제에게만 문안하면 남
보다 더하는 것이 무엇이냐 이방인들도
이같이 아니하느냐
48 그러므로 하늘에 계신 너희 아버지의 온
전하심과 같이 너희도 온전하라

• **함께 읽어보기**

본문은 하나님의 온전하심이 무엇인지를 말씀하고 있습니다. 예수님은 남이 나에게 하는 대로 그대로 갚지 말고 더 넉넉하게 하라는 취지의 말씀을 주십니다. 바로 그것이 악인과 선인에게 해와 비를 동일하게 주시는 하나님의 온전하신 마음입니다. 성도로 이 세상을 산다는 것은 세상 사람들보다 더 나은 무언가를 행한다는 뜻입니다. 오늘 공부를 통해 넉넉한 성도의 마음을 가지기를 바랍니다.

도입 질문

3 최근에 다른 사람의 잘못을 용서하거나 실수 혹은 부족함에 대해 관대하게 행동했던 경험을 나누어 보십시오. 그것이 어떻게 가능했습니까?

함께 나누기

4 예수님 당시 율법에 의하면 나에게 잘못한 사람에게 어떻게 하도록 되어 있었습니까?
38절, 참고. 레 24:20

5 예수님께서 새롭게 말씀하시는 내용은 무엇입니까? 39–42절

6 예수님은 율법을 부정하신 것이 아닙니다. 완전하게 말씀하신 것입니다. 예수님은 세상에서 성도가 손해를 감당하는 것을 통해 우리가 하나님의 자녀인 것을 드러내라고 하십니다. 최근에 당신이 예수님과 하나님 나라를 위해 자발적으로 손해를 감당한 것은 무엇입니까?

7 예수님 당시 사람들이 율법에 입각하여 이웃과 원수에 대해 가지고 있었던 생각은 무엇입니까? 43절, 참고. 레 19:18; 시 139:22

8 이것에 대해 예수님이 주시는 새로운 명령은 무엇입니까? 44절

9 사랑받을 만한 자를 사랑하고 미워할 자를 미워하는 것은 세리와 이방인의 생활방식입니다. 46–47절 왜 성도는 이것보다 더 해야 한다고 생각합니까?

10 당신이 믿음을 가진 사람으로서 세상에서 더 나은 모습을 보이는 부분에는 어떤 것들이 있는지 나누어 보십시오.

주간 그룹성경공부 • GBS

5주차 (21회~25회)

먼저 하나님 나라와 의를 구하라

마태복음 6:25–34 | 새찬송 588장 • 통일 307장

주간 말씀묵상 나눔

1 지난 한 주 동안 말씀묵상하면서 깨달은 말씀을 그룹원들과 함께 나누어 봅시다.

2 깨달은 것을 실천함으로 삶의 변화를 가져온 것이 있다면 서로 나누어 봅시다.

• 오늘의 성경공부 목표

하나님이 누구보다 우리를 사랑하신다는 사실을 깨닫고, 내일에 대한 걱정과 염려를 그분께 맡깁시다. 그리고 무엇보다 하나님 나라와 의를 추구하는 삶을 삽시다.

25 그러므로 내가 너희에게 이르노니 목숨을 위하여 무엇을 먹을까 무엇을 마실까 몸을 위하여 무엇을 입을까 염려하지 말라 목숨이 음식보다 중하지 아니하며 몸이 의복보다 중하지 아니하냐

26 공중의 새를 보라 심지도 않고 거두지도 않고 창고에 모아들이지도 아니하되 너희 하늘 아버지께서 기르시나니 너희는 이것들보다 귀하지 아니하냐

27 너희 중에 누가 염려함으로 그 키를 한 자라도 더할 수 있겠느냐

28 또 너희가 어찌 의복을 위하여 염려하느냐 들의 백합화가 어떻게 자라는가 생각하여 보라 수고도 아니하고 길쌈도 아니하느니라

29 그러나 내가 너희에게 말하노니 솔로몬의 모든 영광으로도 입은 것이 이 꽃 하나만 같지 못하였느니라

30 오늘 있다가 내일 아궁이에 던져지는 들풀도 하나님이 이렇게 입히시거든 하물며 너희일까 보냐 믿음이 작은 자들아

31 그러므로 염려하여 이르기를 무엇을 먹을까 무엇을 마실까 무엇을 입을까 하지 말라

32 이는 다 이방인들이 구하는 것이라 너희 하늘 아버지께서 이 모든 것이 너희에게 있어야 할 줄을 아시느니라

33 그런즉 너희는 먼저 그의 나라와 그의 의를 구하라 그리하면 이 모든 것을 너희에게 더하시리라

34 그러므로 내일 일을 위하여 염려하지 말라 내일 일은 내일이 염려할 것이요 한 날의 괴로움은 그날로 족하니라

• **함께 읽어보기**

존 버니언의 〈천로역정〉에 보면 주인공 크리스천과 친구 소망은 길을 잘못 들어 의심의 성에 들어갔다가 절망거인에게 붙잡힙니다. 그리고 지하 감옥에서 죽고 싶은 마음이 들만큼 괴롭힘을 당합니다. 그때 두 사람은 날이 새도록 기도하다가 크리스천이 약속의 열쇠를 기억해 내고 그 열쇠로 의심의 성의 모든 문을 열고 무사히 탈출합니다. 사람은 시간이 지날수록 처음에 가졌던 마음과 결심이 약해지고 절망하고 자포자기하게 됩니다. 다시 한 번 하나님의 약속을 의지하고 의심과 절망의 성에서 탈출하는 시간을 가져봅시다.

도입 질문

3 지금 당신에게 가장 큰 힘이 되는 것은 무엇입니까? 배우자, 가족, 친구 같은 사람들입니까? 유산, 통장, 사업, 직장, 연금 같은 물질입니까? 아니면 교회, 성경말씀, 기도생활 같은 신앙입니까? 자신이 현재 가장 크게 의지하고 힘을 얻는 대상과 그 이유를 서로 나누어 봅시다.

함께 나누기

4 대부분의 사람들이 실제 삶에서 가장 크게 걱정하는 것을 요약하면 세 가지로 표현할 수 있습니다. 그것은 무엇입니까? 25절

5 무엇을 먹을까 그리고 무엇을 입을까 염려하지 말아야 할 이유를 설명하기 위해 예수님은 두 가지를 예로 드십니다. 무엇과 무엇입니까? 26, 28–30절

6 본문에서 예수님은 걱정과 염려를 하지 말아야 할 이유를 몇 가지 말씀하고 계십니다. 다음 구절에서 그 이유를 찾아보십시오. 26-27, 30, 32절

(1) 26, 30절:

(2) 27절:

(3) 32절:

7 의식주를 비롯한 삶의 전부를 하나님이 책임지신다면, 미래와 노후를 대비하기 위한 저축이나 연금, 보험 같은 것에 대해 그리스도인은 어떤 태도를 취해야 합니까? 지금 당신은 어떻게 하고 있습니까? 서로 나누어 봅시다.

8 예수님은 그리스도인들에게 무엇을 먼저 구하라고 말씀하십니까? 그리고 그렇게 할 때 주어지는 것은 무엇입니까? 33절

9 하늘 아버지께서 필요한 모든 것을 더하여 주실 줄 믿는 그리스도인들은 미래에 대하여 어떤 태도를 취해야 합니까? 34절

10 예수님은 먼저 하나님 나라와 그의 의를 구하라고 말씀하십니다. 이것을 위해 이번 주에 당신이 할 수 있는 일을 세 가지만 적어 보고 서로 나누어 봅시다.

주간 그룹성경공부 • GBS

6주차 (26회~30회)

하나님이 원하시는 믿음

마태복음 8:5–13 | 새찬송 212장 • 통일 347장

주간 말씀묵상 나눔

1 지난 한 주 동안 말씀묵상하면서 깨달은 말씀을 그룹원들과 함께 나누어 봅시다.

2 깨달은 것을 실천함으로 삶의 변화를 가져온 것이 있다면 서로 나누어 봅시다.

• 오늘의 성경공부 목표

백부장의 믿음을 통해 하나님이 원하시는 믿음이 무엇인지를 살펴봅니다.

5 예수께서 가버나움에 들어가시니 한 백부장이 나아와 간구하여
6 이르되 주여 내 하인이 중풍병으로 집에 누워 몹시 괴로워하나이다
7 이르시되 내가 가서 고쳐 주리라
8 백부장이 대답하여 이르되 주여 내 집에 들어오심을 나는 감당하지 못하겠사오니 다만 말씀으로만 하옵소서 그러면 내 하인이 낫겠사옵나이다
9 나도 남의 수하에 있는 사람이요 내 아래에도 군사가 있으니 이더러 가라 하면 가고 저더러 오라 하면 오고 내 종더러 이것을 하라 하면 하나이다
10 예수께서 들으시고 놀랍게 여겨 따르는 자들에게 이르시되 내가 진실로 너희에게 이르노니 이스라엘 중 아무에게서도 이만한 믿음을 보지 못하였노라
11 또 너희에게 이르노니 동서로부터 많은 사람이 이르러 아브라함과 이삭과 야곱과 함께 천국에 앉으려니와
12 그 나라의 본 자손들은 바깥 어두운 데 쫓겨나 거기서 울며 이를 갈게 되리라
13 예수께서 백부장에게 이르시되 가라 네 믿은 대로 될지어다 하시니 그 즉시 하인이 나으니라

• **함께 읽어보기**

하나님을 믿는 믿음에도 단계가 있습니다. 아직 여러모로 더 자라야 하는 미숙한 믿음이 있는가 하면 예수님께 칭찬받는 성숙한 믿음도 있습니다. 본문에서 예수님은 이방인이었던 백부장의 믿음을 이스라엘 사람들 중에서도 찾아보기 힘든 믿음이라고 칭찬하십니다. 이방인에게 이러한 칭찬은 매우 이례적입니다. 그의 어떤 면이 예수님의 마음에 드셨을까요? 오늘 공부를 통해 그것을 알아보고 우리 믿음에 적용해 보도록 합니다.

도입 질문

3 당신은 평소에 어떤 사람을 보면 믿음이 좋다고 생각하였습니까?

함께 나누기

4 백부장이 예수님께 요청한 것은 무엇이며 예수님의 반응은 어떠하셨습니까? 6–7절

5 예수님의 반응에 대해 백부장이 보인 반응은 무엇입니까? 8절

6 다른 복음서를 보면 백부장은 이때 예수님을 직접 만나 이런 말씀을 드린 것이 아닙니다. 대신 사람을 보내 말씀드렸습니다(눅 7:3). 백부장은 왜 예수님께 직접 나오지도 못하고 이런 요청을 드렸을까요? **참고. 9절**

7 우리가 예배를 드리거나 기도할 때 어떤 마음 상태로 주님께 나아가야 할까요? 나누어 봅시다.

8 예수님은 백부장의 믿음을 무엇이라 칭찬하셨습니까? **10절**

9 예수님의 말씀으로 미루어 보건대 당시 하나님을 믿는다고 여겼던 이스라엘 사람들의 신앙의 모습이 어떠했다고 생각됩니까?

10 교회가 빠르게 세속화되어 가고 있다고들 합니다. 우리의 믿음 생활에서 주님을 높이기 위해 가장 많이 고쳐야 할 부분과 실천해야 할 부분은 무엇이라고 생각합니까?

주간 그룹성경공부 • GBS

7주차 (31회~35회)

참된 믿음과 구원

마태복음 9:18-26 | 새찬송 508장 • 통일 270장

주간 말씀묵상 나눔

1 지난 한 주 동안 말씀묵상하면서 깨달은 말씀을 그룹원들과 함께 나누어 봅시다.

2 깨달은 것을 실천함으로 삶의 변화를 가져온 것이 있다면 서로 나누어 봅시다.

• 오늘의 성경공부 목표

예수님에 대한 참된 믿음이 진정한 구원을 가져온다는 사실을 깨닫고, 예수님의 옷자락을 만졌던 여자의 심정으로 그분을 전적으로 신뢰하는 믿음을 배웁시다.

18 예수께서 이 말씀을 하실 때에 한 관리가
와서 절하며 이르되 내 딸이 방금 죽었사
오나 오셔서 그 몸에 손을 얹어 주소서 그
러면 살아나겠나이다 하니
19 예수께서 일어나 따라가시매 제자들도 가
더니
20 열두 해 동안이나 혈루증으로 앓는 여자
가 예수의 뒤로 와서 그 겉옷 가를 만지니
21 이는 제 마음에 그 겉옷만 만져도 구원을
받겠다 함이라
22 예수께서 돌이켜 그를 보시며 이르시되
딸아 안심하라 네 믿음이 너를 구원하였
다 하시니 여자가 그 즉시 구원을 받으
니라
23 예수께서 그 관리의 집에 가사 피리 부는
자들과 떠드는 무리를 보시고
24 이르시되 물러가라 이 소녀가 죽은 것이
아니라 잔다 하시니 그들이 비웃더라
25 무리를 내보낸 후에 예수께서 들어가사
소녀의 손을 잡으시매 일어나는지라
26 그 소문이 그 온 땅에 퍼지더라

• 함께 읽어보기

요즘 들어 '간절함'이 화두로 등장하고 있습니다. '간절함의 크기가 인생을 좌우한다', '간절함이 열정을 이긴다', 최고의 스펙은 간절함이다' 등과 같은 말을 각종 미디어에서 접할 수 있습니다. 오늘 본문에 등장하는 두 개의 사건은 예수님에 대한 전적인 신뢰와 믿음뿐만 아니라 간절함이 얼마나 중요한가를 실감나게 보여줍니다. 공부도 직장도 사업도 그리고 우리가 하는 모든 일도 주님의 옷자락을 만지려는 간절한 심정으로 감당할 때, 불치병이 낫고 죽은 소녀가 다시 살아나듯 놀라운 기적의 역사가 일어날 것입니다.

도입 질문

3 당신이 이제까지 살면서 가장 간절하게 원했던 것은 무엇입니까? 또 원했던 것을 얻었을 때 어떤 기분이 들었습니까? 자신의 경험을 함께 나누어 봅시다.

함께 나누기

4 예수님을 찾아온 사람은 누구였습니까? 그리고 그는 예수님께 어떤 태도를 취하였습니까? 18절

5 관리가 예수님께 무엇을 요구하였습니까? 그리고 거기에 대한 예수님의 반응은 어떠하셨습니까? 18-19절

(1) 관리의 요구:

(2) 예수님의 반응:

6 관리의 집으로 가는 길에 예수님 뒤로 와서 그 겉옷 가를 만진 사람은 누구이며, 어떤 상태였습니까? 또 어떤 생각을 하며 만졌습니까? 20–21절

7 한 관리와 혈루증을 앓는 여자에게서 공통적으로 찾아볼 수 있는 것은 예수님에 대한 믿음과 간절함입니다. 당신은 예수님의 권능을 얼마나 믿고 있고 또 얼마나 간절히 의지하고 있습니까?

8 겉옷 가를 만진 여자에게 예수님은 무엇이라고 말씀하셨습니까? 그리고 그 결과는 어떻게 되었습니까? 22절

9 한 관리의 집에 이르렀을 때 예수님에 대한 사람들의 반응은 어떠했습니까? 24절

10 한 관리나 혈루증 여자처럼 지금 당신에게 예수님의 도우심이 가장 절실한 부분은 무엇입니까? 그 부분들을 세 가지씩 생각해 보고 그것을 기도의 형식으로 만들어 봅시다. 그리고 함께 기도해 줍시다.

주간 그룹성경공부 • GBS

8주차 (36회~40회)

하나님을 인정하라

마태복음 10:26–33 | 새찬송 359장 • 통일 401장

주간 말씀묵상 나눔

1 지난 한 주 동안 말씀묵상하면서 깨달은 말씀을 그룹원들과 함께 나누어 봅시다.

2 깨달은 것을 실천함으로 삶의 변화를 가져온 것이 있다면 서로 나누어 봅시다.

• 오늘의 성경공부 목표

하나님이 주신 사명을 감당할 때 사람이나 환경을 두려워하지 말고, 어떤 상황에서도 하나님이 우리를 사랑하신다는 사실을 믿고 그분을 당당히 인정하며 나아갑시다.

26 그런즉 그들을 두려워하지 말라 감추인 것이 드러나지 않을 것이 없고 숨은 것이 알려지지 않을 것이 없느니라
27 내가 너희에게 어두운 데서 이르는 것을 광명한 데서 말하며 너희가 귓속말로 듣는 것을 집 위에서 전파하라
28 몸은 죽여도 영혼은 능히 죽이지 못하는 자들을 두려워하지 말고 오직 몸과 영혼을 능히 지옥에 멸하실 수 있는 이를 두려워하라
29 참새 두 마리가 한 앗사리온에 팔리지 않느냐 그러나 너희 아버지께서 허락하지 아니하시면 그 하나도 땅에 떨어지지 아니하리라
30 너희에게는 머리털까지 다 세신 바 되었나니
31 두려워하지 말라 너희는 많은 참새보다 귀하니라
32 누구든지 사람 앞에서 나를 시인하면 나도 하늘에 계신 내 아버지 앞에서 그를 시인할 것이요
33 누구든지 사람 앞에서 나를 부인하면 나도 하늘에 계신 내 아버지 앞에서 그를 부인하리라

• 함께 읽어보기

사람들은 종종 자신의 가치가 얼마나 귀한지 잊어버리고 살 때가 많습니다. 심지어 자신의 생명을 하찮게 여겨 인생을 탕진하거나 죽음의 상황으로 몰아가는 경우도 있습니다. 하나님이 이 땅에 태어나게 하신 이상, 하찮은 목숨은 하나도 없습니다. 하나님은 그분의 뜻을 이루시기 위해 오늘 우리를 이 땅에 두시고 축복의 통로로 사용하십니다. 참새 한 마리의 생명조차 주관하시며, 우리의 머리카락 숫자까지도 세시는 그 하나님이 지금 당신을 지켜보고 계십니다. 사람이나 환경, 사탄을 두려워하지 말고 당당하게 하나님을 인정하며 믿음의 길로 나아갑시다.

도입 질문

3 당신이나 당신의 가족이 심각한 위험에 처했던 경험이 있습니까? 그때 당신을 두렵게 한 것은 무엇입니까? 위험과 두려움을 만났을 때 어떻게 극복할 수 있는지 서로의 경험과 방법을 나누어 봅시다.

함께 나누기

4 예수님은 거듭거듭 사람을 두려워하지 말라고 말씀하십니다. 그 이유는 무엇입니까? 26, 28절

(1) 26절:

(2) 28절:

5 예수님은 제자들이 정말로 두려워할 대상이 누구라고 말씀하십니까? 28절

6 예수님은 복음 전파를 위해 제자들에게 어떤 태도를 취하라고 요구하셨습니까? 27절

7 당신의 가족이나 가까운 친구 혹은 동료나 이웃 가운데 당신의 복음 전파를 거절하고 괴로움을 주는 대상이 있습니까? 그런 사람들에 대한 당신의 태도는 지금까지 어떠했습니까? 그리고 앞으로 어떻게 할지 자신의 각오와 다짐을 서로 나누어 봅시다.

8 하나님이 이 세상 피조물에 대해 세심한 관심을 기울이고 계신다는 사실을 보여주기 위해 예수님은 무엇을 예로 들고 계십니까? 29–30절

(1) 29절:

(2) 30절:

9 예수님은 제자들에게 사람들 앞에서 자신을 어떻게 하라고 요구하십니까? 그리고 그 결과는 어떻게 된다고 말씀하십니까? 32–33절

10 예수님을 시인한다는 것은 구체적으로 무엇을 의미합니까? 또 반대로 예수님을 부인하는 것은 어떤 것입니까? 예수님을 시인하는 것과 부인하는 것의 실제적인 사례들을 적어 봅시다. 그리고 이번 주에 누구에게 예수님의 존재를 전해 줄지 그 이름을 적어 봅시다.

예수님을 시인하는 것의 구체적인 사례	예수님을 부인하는 것의 구체적인 사례
1.	1.
2.	2.
3.	3.

이번 주에 예수님을 전해 줄 대상: ______________________________

안식일의 진정한 주인이신 예수님

마태복음 12:1-8 | 새찬송 88장 • 통일 88장

주간 말씀묵상 나눔

1 지난 한 주 동안 말씀묵상하면서 깨달은 말씀을 그룹원들과 함께 나누어 봅시다.

2 깨달은 것을 실천함으로 삶의 변화를 가져온 것이 있다면 서로 나누어 봅시다.

• 오늘의 성경공부 목표

안식일의 진정한 의미를 이해하고, 안식일의 주인이신 예수님의 뜻과 그분의 삶을 본받아 진정한 안식의 축복을 누립시다.

1 그때에 예수께서 안식일에 밀밭 사이로 가실새 제자들이 시장하여 이삭을 잘라 먹으니
2 바리새인들이 보고 예수께 말하되 보시오 당신의 제자들이 안식일에 하지 못할 일을 하나이다
3 예수께서 이르시되 다윗이 자기와 그 함께한 자들이 시장할 때에 한 일을 읽지 못하였느냐
4 그가 하나님의 전에 들어가서 제사장 외에는 자기나 그 함께한 자들이 먹어서는 안 되는 진설병을 먹지 아니하였느냐
5 또 안식일에 제사장들이 성전 안에서 안식을 범하여도 죄가 없음을 너희가 율법에서 읽지 못하였느냐
6 내가 너희에게 이르노니 성전보다 더 큰 이가 여기 있느니라
7 나는 자비를 원하고 제사를 원하지 아니하노라 하신 뜻을 너희가 알았더라면 무죄한 자를 정죄하지 아니하였으리라
8 인자는 안식일의 주인이니라 하시니라

• **함께 읽어보기**

주5일제 근무가 시행되면서 직장인들의 생활패턴이 크게 바뀌고 있습니다. '불금'(불타는 금요일)이라는 유행어가 생겨났는가 하면, 주말을 이용하여 캠핑·여행·가족 나들이 등을 즐기는 사람들이 많아졌습니다. 반면에 저소득층 사람들은 상대적 박탈감과 경제적 어려움에 시달리는 양극화 양상이 나타나고 있습니다. 그러나 무엇보다 심각한 것은 그리스도인들이 주일성수를 어기는 것을 점점 쉽게 생각한다는 사실입니다. 그러므로 우리는 안식일의 의미를 새롭게 조명하고 진정한 안식일의 축복을 누리며, 하나님의 뜻을 펼쳐가야 합니다.

도입 질문

3 주일이 되면 가장 좋은 것은 무엇입니까? 또 가장 싫은 것은 무엇입니까? 주5일제가 되면서 달라진 주일의 모습을 함께 이야기해 봅시다.

함께 나누기

4 예수님의 제자들은 너무 배가 고파서 밀밭 사이를 걸어가다 이삭을 잘라 먹었습니다. 왜 이것이 문제가 되었습니까? 1–2절

5 바리새인들의 문제 제기에 예수님은 누구의 경우를 예로 드셨습니까? 3–4절

6 예수님은 바리새인들의 주장에 대해 두 번째로 제사장들의 경우를 예로 들어 반박하셨습니다. 그 내용은 무엇입니까? **5절**

7 바리새인들은 안식일을 율법주의 관점에서 접근한 반면, 예수님은 안식일의 본래 목적과 의도라는 관점에서 접근하셨습니다. 현재 당신의 주일성수 태도는 어떻습니까? 주일성수에 대한 서로의 생각과 실제적인 경험들을 나누어 봅시다.

8 예수님이 바리새인들의 문제 제기를 반박하기 위해서 세 번째로 인용하신 말씀은 무엇입니까? **7절**

9 안식일 문제와 관련해서 오늘 본문 가운데 예수님의 주목할 만한 두 가지 선언이 등장합니
다. 무엇과 무엇입니까? **6, 8절**

(1) 6절:

(2) 8절:

10 하나님의 궁극적인 의도와 목적에 따라 안식일을 지키기 위해서는 바리새인들처럼 문자적으로 지키는 것이 아니라, 안식일의 주인이신 예수님을 메시아로 영접하고 그분의 안식, 즉 구원을 받아들이며 찬양해야 합니다. 그러기 위하여 이번 주일에 당신에게서 제일 먼저 변화되어야 할 부분은 무엇입니까?

주간 그룹성경공부 • GBS

10주차 (46회~50회)

예수님의 영적 가족

마태복음 12:46-50 | 새찬송 219장 • 통일 279장

주간 말씀묵상 나눔

1 지난 한 주 동안 말씀묵상하면서 깨달은 말씀을 그룹원들과 함께 나누어 봅시다.

2 깨달은 것을 실천함으로 삶의 변화를 가져온 것이 있다면 서로 나누어 봅시다.

• 오늘의 성경공부 목표

예수님의 영적 가족이 된다는 의미를 생각해 봅니다.

46 예수께서 무리에게 말씀하실 때에 그의
어머니와 동생들이 예수께 말하려고 밖
에 섰더니
47 한 사람이 예수께 여짜오되 보소서 당신
의 어머니와 동생들이 당신께 말하려고
밖에 서 있나이다 하니
48 말하던 사람에게 대답하여 이르시되 누
가 내 어머니이며 내 동생들이냐 하시고
49 손을 내밀어 제자들을 가리켜 이르시되
나의 어머니와 나의 동생들을 보라
50 누구든지 하늘에 계신 내 아버지의 뜻대
로 하는 자가 내 형제요 자매요 어머니이
니라 하시더라

• **함께 읽어보기**

하나님은 에덴동산에 가족을 만드셨습니다. 아담과 하와는 인류 최초의 부부이자 가족입니다. 하나님은 인간이 독처하는 것이 좋지 않다고 하셨습니다. 여기서 가족이 출발합니다. 인간이 경험하는 최초의 공동체는 가족이며, 사람들은 이 안에서 인생에 필요한 거의 모든 것을 배웁니다. 혼자가 아닌 가족이 모여 있을 때 함께하며 배우는 것입니다. 교회는 또 하나의 가족입니다. 하나님을 아버지로 모시고 우리 모두가 형제자매인 공동체입니다. 오늘 말씀을 통해 예수님의 영적 가족이 된다는 것의 의미를 생각해 봅니다.

도입 질문

3 살아오면서 가족의 필요성을 가장 강하게 느꼈던 사건이나 일은 무엇입니까?

함께 나누기

4 예수님이 무리에게 말씀하실 때에 누가 예수님을 찾아왔습니까? 46–47절

5 그들은 왜 예수님을 찾아왔습니까? 막 3:20–22

6 그런 그들을 대하는 예수님의 마음은 어떠셨을 것이라고 생각됩니까?

7 예수님은 가장 가까운 가족들에 의해서도 오해를 받으셨습니다. 당신도 가족에게 오해를 받았던 경험이 있습니까? 그때 어떤 느낌이었습니까?

8 가족들이 왔다는 소식을 듣고 예수님이 보이신 반응은 무엇입니까? 48-49절

9 예수님의 진정한 영적 가족이 되는 조건은 무엇입니까? 50절

10 당신이 예수님의 진정한 영적 가족이라면 예수님은 당신을 어떻게 대우하실 것이라 생각됩니까? 어떤 점이 기대되는 점입니까?

주간 그룹성경공부 • GBS

11주차 (51회~55회)

가라지 비유에 나타난 예수님의 마음

마태복음 13:24-30 | 새찬송 589장 통일 308장

주간 말씀묵상 나눔

1 지난 한 주 동안 말씀묵상하면서 깨달은 말씀을 그룹원들과 함께 나누어 봅시다.

2 깨달은 것을 실천함으로 삶의 변화를 가져온 것이 있다면 서로 나누어 봅시다.

• 오늘의 성경공부 목표

가라지를 뽑고자 하는 종들의 마음과, 곡식도 함께 뽑힐까 염려하여 추수 때까지 그대로 두라는 예수님의 마음을 비교하면서 그분의 마음을 본받는 자리로 나아갑시다.

24 예수께서 그들 앞에 또 비유를 들어 이르시되 천국은 좋은 씨를 제 밭에 뿌린 사람과 같으니
25 사람들이 잘 때에 그 원수가 와서 곡식 가운데 가라지를 덧뿌리고 갔더니
26 싹이 나고 결실할 때에 가라지도 보이거늘
27 집주인의 종들이 와서 말하되 주여 밭에 좋은 씨를 뿌리지 아니하였나이까 그런데 가라지가 어디서 생겼나이까
28 주인이 이르되 원수가 이렇게 하였구나 종들이 말하되 그러면 우리가 가서 이것을 뽑기를 원하시나이까
29 주인이 이르되 가만두라 가라지를 뽑다가 곡식까지 뽑을까 염려하노라
30 둘 다 추수 때까지 함께 자라게 두라 추수 때에 내가 추수꾼들에게 말하기를 가라지는 먼저 거두어 불사르게 단으로 묶고 곡식은 모아 내 곳간에 넣으라 하리라

• **함께 읽어보기**

봄이 되면 가장 분주한 분들이 바로 농부입니다. 논과 밭을 개간하고 씨를 뿌리는 그 모습은 부지런함을 넘어 거룩한 사명감마저 느끼게 해 줍니다. 그들의 땀과 눈물 속에는 미래에 대한 소망이 담겨 있습니다. 또 각종 자연재해나 재난을 극복하고 추수의 결실을 볼 때의 그 마음은 무엇과도 비교할 수 없는 큰 기쁨입니다. 우리 모두 예수님의 마음을 본받아 영적인 농부의 마음으로 올 한 해를 위해 소망의 씨를 뿌립시다.

도입 질문

3 당신이 농부라고 가정할 때, 올해 어떤 작물(농산물, 과일, 채소 등)을 가장 키우고 싶습니까? 그리고 그 이유는 무엇입니까?

함께 나누기

4 예수님은 가라지 비유에서 천국의 모습을 무엇에 비유하고 계십니까? 24절

5 사람들이 잠들었을 때 원수가 한 일은 무엇입니까? 25절

6 이 비유에 나오는 등장인물들과 등장 요소들은 실제로 각각 누구와 무엇을 가리킵니까? 24–30절; 참고 37–39절

(1) 좋은 씨를 뿌린 사람 :
(2) 밭 :
(3) 좋은 씨 :
(4) 가라지 :
(5) 원수 :
(6) 추수꾼 :

7 가라지를 발견한 종들이 주인에게 무엇을 제안합니까? 그리고 그 제안에 주인은 무엇이라고 대답합니까? 28–30절

(1) 종들의 제안 :

(2) 주인의 대답 :

8 주인의 대답은 사실 상식을 벗어난 것입니다. 이 대답에 당신은 어떤 생각이 듭니까? 당신은 종들처럼 수확량, 즉 성과나 성취에 더 관심이 많습니까, 아니면 곡식, 즉 영혼 하나 하나에 더 관심을 둡니까? 또한 당신의 교회나 공동체는 어떻습니까?

9 예수님은 추수 때 곡식과 가라지의 운명이 어떻게 될 것이라고 말씀하십니까? 30절

10 이 비유에서 보듯이, 세상에는 하나님 나라 백성과 악한 자의 자녀들이 공존하고 있습니다. 게다가 잘 구분하기 어려운 모습으로 살고 있습니다. 예수님은 이 비유를 통해 우리에게 어떤 삶의 태도를 교훈하고 계십니까? 각자 깨달은 바를 나누어 봅시다.

주간 그룹성경공부 • GBS

12주차 (56회~60회)

세례 요한의 죽음

마태복음 14:1-12 | 새찬송 586장 • 통일 521장

주간 말씀묵상 나눔

1 지난 한 주 동안 말씀묵상하면서 깨달은 말씀을 그룹원들과 함께 나누어 봅시다.

2 깨달은 것을 실천함으로 삶의 변화를 가져온 것이 있다면 서로 나누어 봅시다.

• 오늘의 성경공부 목표

세례 요한의 죽음은 예수님의 죽음을 미리 예고하는 의미를 내포하고 있습니다. 이러한 요한의 죽음을 보면서 지금도 복음을 위해 순교하거나 고난당하는 주의 종들을 위해 기도해야 함을 배웁니다.

1 그때에 분봉 왕 헤롯이 예수의 소문을 듣고

2 그 신하들에게 이르되 이는 세례 요한이라 그가 죽은 자 가운데서 살아났으니 그러므로 이런 능력이 그 속에서 역사하는도다 하더라

3 전에 헤롯이 그 동생 빌립의 아내 헤로디아의 일로 요한을 잡아 결박하여 옥에 가두었으니

4 이는 요한이 헤롯에게 말하되 당신이 그 여자를 차지한 것이 옳지 않다 하였음이라

5 헤롯이 요한을 죽이려 하되 무리가 그를 선지자로 여기므로 그들을 두려워하더니

6 마침 헤롯의 생일이 되어 헤로디아의 딸이 연석 가운데서 춤을 추어 헤롯을 기쁘게 하니

7 헤롯이 맹세로 그에게 무엇이든지 달라는 대로 주겠다고 약속하거늘

8 그가 제 어머니의 시킴을 듣고 이르되 세례 요한의 머리를 소반에 얹어 여기서 내게 주소서 하니

9 왕이 근심하나 자기가 맹세한 것과 그 함께 앉은 사람들 때문에 주라 명하고

10 사람을 보내어 옥에서 요한의 목을 베어

11 그 머리를 소반에 얹어서 그 소녀에게 주니 그가 자기 어머니에게로 가져가니라

12 요한의 제자들이 와서 시체를 가져다가 장사하고 가서 예수께 아뢰니라

• **함께 읽어보기**

초대교회 교부이자 순교자였던 터툴리안은 순교자의 피가 교회의 씨앗이라고 했습니다. 한국교회 부흥의 초석에도 토마스 선교사를 비롯한 많은 신앙 선배들의 순교와 희생이 깔려 있습니다. 본문에서 보듯이 세례 요한의 죽음은 매우 억울한 일입니다. 그런데 그 죽음은 장차 일어날 예수님의 죽음을 미리 보는 듯합니다. 요한을 죽일 의사가 없으면서도 주변의 압력에 의해 결국 요한을 참수한 헤롯의 모습은 예수님을 처형한 빌라도의 모습과 유사합니다. 예수님의 뒤를 따르는 그리스도인들에게도 때로는 억울한 일이 닥칠 수 있습니다. 그러나 그 속에서 하나님의 뜻을 찾으며 기꺼이 고난도 감당하는 진정한 그리스도인이 되어야 합니다.

도입 질문

3 이제까지 살아오면서 가장 억울했던 일은 무엇입니까? 그 일에 어떻게 대처했습니까? 만약 지금이라면 어떻게 하겠습니까? 억울함에 대처하는 그리스도인의 자세에 대해 생각해 봅시다.

함께 나누기

4 분봉 왕 헤롯은 예수님에 대한 소식을 듣고 예수님을 누구로 생각했습니까? 1–2절

5 헤롯이 세례 요한을 체포하여 감옥에 가둔 이유는 무엇입니까? 3–4절

6 헤롯이 세례 요한을 죽이고 싶었지만 그러지 못했던 이유는 무엇입니까? 5절

7 헤롯이 정말로 두려워한 것은 무엇이었을까요? 예수님의 명성, 요한의 유령, 백성의 반응, 자기 아내, 아니면 자신의 죄책감일까요? 혹 헤롯처럼 지금 두려워하는 것이 있다면, 그것은 무엇이며 그 이유는 무엇인지 나누어 봅시다.

8 헤롯의 생일잔치에서 춤을 춘 헤로디아의 딸이 헤롯에게 요청한 것은 무엇입니까? 6–8절

9 헤로디아의 딸이 예상 밖의 요구를 한 것은 다른 사람의 사주가 있었기 때문입니다. 누가 무엇 때문에 그런 사주를 했습니까? 8, 11절

10 세례 요한은 세상적으로 보면 매우 비참한 최후를 맞았습니다. 오늘날도 하나님의 선택을 받아 그분의 나라와 의와 복음을 위해 수고한 이들이 그와 같은 어려움과 죽임을 당하는 것을 보며 당신은 어떤 생각이 듭니까? 또 그리스도인들은 어떤 생각을 가져야 합니까?

권별주삶

아가페 주삶 GBS 해설서

- 1주(1회–5회) _ 마태복음 1:18–25
  예수–우리와 함께 계시는 하나님
- 2주(6회–10회) _ 마태복음 4:1–11
  시험을 이기신 예수님
- 3주(11회–15회) _ 마태복음 5:21–26
  예수님의 가르침
- 4주(16회–20회) _ 마태복음 5:38–48
  원수를 사랑하라
- 5주(21회–25회) _ 마태복음 6:25–34
  먼저 하나님 나라와 의를 구하라
- 6주(26회–30회) _ 마태복음 8:5–13
  하나님이 원하시는 믿음
- 7주(31회–35회) _ 마태복음 9:18–26
  참된 믿음과 구원
- 8주(36회–40회) _ 마태복음 10:26–33
  하나님을 인정하라
- 9주(41회–45회) _ 마태복음 12:1–8
  안식일의 진정한 주인이신 예수님
- 10주(46회–50회) _ 마태복음 12:46–50
  예수님의 영적 가족
- 11주(51회–55회) _ 마태복음 13:24–30
  가라지 비유에 나타난 예수님의 마음
- 12주(56회–60회) _ 마태복음 14:1–12
  세례 요한의 죽음

3 가이드》 예수님의 탄생에 얽힌 요셉과 마리아의 이야기는 그 어느 사건보다도 감격적이고 인상적입니다. 이 이야기를 통해 요셉과 마리아의 성품을 알 수 있을 뿐만 아니라, 그들에게 임하신 하나님의 놀라운 역사를 보게 됩니다. '만약 이런 일이 나에게 일어난다면 나는 어떠했을까?'를 생각하며 본문을 살펴보면 더욱 실감 나게 다가올 것입니다.

4 답》 약혼하고 동거하기 전 상태이며, 이는 사실상의 결혼 관계를 의미함

해설》 유대인에게 약혼은 오늘날의 약혼보다 법적 구속력이 훨씬 강했습니다. 그래서 요셉과 마리아는 서로를 '남편'과 '아내'로 불렀습니다. 약혼기간은 보통 1년으로 이 기간 동안 여자는 순결을 지켜야 하고, 부정을 행하면 돌에 맞아 죽는 벌을 받았습니다(신 22:13–24). 요셉이 마리아의 임신 사실을 알고 조용히 파혼하려고 한 이유가 이것 때문입니다.

5 답》 약혼하고 동거하기 전에, 성령으로 잉태

해설》 의로운 사람이었던 요셉은 조용히 파혼하려 했으나 꿈을 통해 하나님의 지시를 받게 됩니다. 그가 직면한 가장 큰 문제는 두려움이었습니다. 하나님은 그것을 아시고 두려움으로부터 그를 벗어나게 하시며 이 모든 일이 하나님의 놀라운 계획임을 알려 주십니다. 지금도 하나님은 우리의 고민과 필요를 아시고 우리를 도우시는 분입니다.

6 답》 (1) 네 아내 마리아 데려오기를 무서워하지 말라 (2) 그에게 잉태된 자는 성령으로 된 것이라
(3) 아들을 낳으리니 이름을 예수라 하라

7 가이드》 요셉과 마리아에게 나타나 위로와 비전을 주셨던 하나님은 오늘 우리에게도 동일하게 역사하기를 원하십니다. 당신의 염려와 걱정 그리고 미래를 하나님께 맡기십시오. 그분은 우리를 가장 신한 길로 인도해 주실 것입니다. 또한 이 사실을 다른 사람에게도 담대히 전하십시오. 하나님은 지금도 하나님의 사람을 통해 하나님의 일을 하고 계십니다.

8 답》 (1) 예수 —자기 백성을 그들의 죄에서 구원할 자 (2) 임마누엘 — 하나님이 우리와 함께 계시다

해설》 이름은 곧 탄생의 목적과 사명을 상징합니다. 예수님의 이름은 더욱 그러했습니다. 그 이름대로 예수님은 우리를 죄에서 구원해 주셨을 뿐만 아니라 항상 우리와 함께 계십니다.

9 답》 선지자로 하신 말씀을 이루려 하셨으며, 선지자는 이사야임. 이것은 인류의 구원자로 오실 메시아에 대한 예언이 이루어진 것을 의미함

해설》 본래 이 예언은 북이스라엘과 아람의 동맹군이 남유다를 침공했을 때, 유다 왕 아하스가 앗수르에 도움을 구하는 과정에서 이사야 선지자가 책망하며 전한 징조의 말씀 가운데 등장합니다. 당시에도 꼭 필요한 예언이었을 뿐만 아니라 인류 전체에게도 너무나 소중한 예언이었습니다. 이 예언대로 진정한 인류의 구원자인 메시아로 예수 그리스도가 오셨습니다.

10 가이드》 누구나 온전한 그리스도인이 되기를 원하지만, 하루아침에 되는 것은 아닙니다. 이것은 시간의 문제가 아니라 예수님과의 관계를 통해서만 해결되기 때문입니다. 예수님은 임마누엘의 하나님이시기에, 그분의 이름을 부르는 모든 이들과 함께하십니다.

*서로의 기도 제목을 나누면서 뒤에 있는 기도 노트를 활용하십시오(p.247~251)

3 가이드》 요즘은 유치원도 추첨으로 당락이 결정될 만큼 세상의 모든 일이 시험의 연속이라고 해도 과언은 아닙니다. 시험을 피할 수 있다면 좋겠지만, 더 좋은 길은 시험을 이기는 것입니다. 심리학자들은 작은 승리의 경험들이 치유에 있어서 중요하다고 말합니다. 승리와 실패의 경험들을 서로 나누며, 나아가 최고의 승리자이신 예수님의 비결을 배워 봅시다.

4 답》 성령에게 이끌리어 마귀에게 시험을 받으러 광야로 가심

해설》 '마귀'(헬. 디아볼로스)는 시험하는 자요, 대적하는 자, 속이는 자입니다. 하지만 예수님은 40일을 금식하시고 그 어느 때보다도 성령충만한 상태에서 시험을 이기셨습니다. 예수님을 시험했던 마귀는 지금도 그리스도인들을 시험하기에 늘 시험을 이길 수 있게 성령충만해야 할 것입니다.

5 답》 ⑴ 네가 만일 하나님의 아들이어든 명하여 이 돌들로 떡덩이가 되게 하라 ⑵ '사람이 떡으로만 살 것이 아니요 하나님의 입으로부터 나오는 모든 말씀으로 살 것이라'(신 8:3)는 말씀으로 유혹을 물리치심

해설》 첫 번째 시험은 굶주리신 예수님의 육체적 약점을 파고든 것입니다. 마귀는 누구보다도 우리의 약점을 잘 알고 있다는 사실을 명심하십시오. 하지만 예수님은 신명기 8장 3절의 말씀으로 마귀를 물리치셨습니다. 떡으로 육신의 배고픔은 채울지 몰라도 영적인 굶주림을 채울 수는 없습니다. 오직 하나님 말씀만이 진정으로 우리의 영혼을 만족시켜 줍니다.

6 답》 ⑴ 성전 꼭대기 ⑵ 성경말씀(시편 91:11-12, "그가 너를 위하여 그의 사자들을 명령하사…그들이 손으로 너를 붙들어 발이 돌에 부딪치지 않게 하리로다")

해설》 마귀의 시험은 장소를 가리지 않았습니다. 그뿐만 아니라 시편 91편 11-12절을 인용하여 시험했습니다. 이처럼 마귀도 누구보다 성경을 잘 알며 그것을 이용해 교묘하게 우리를 시험합니다. 오늘날 이단이 그렇습니다. 그러나 예수님의 말씀처럼 성경말씀은 시험의 대상이 아니라 믿음의 대상입니다.

7 답》 예수님이 하나님의 아들이심을 증명해 보이라고 요구함

해설》 마귀의 시험은 예수님에게 하나님이 주신 사명과 어긋나는 방법으로 하나님의 아들 됨을 증명해 보이라는 유혹이었습니다. 이 유혹은 마지막 십자가에서도 계속되었습니다(마 27:40). 예수님이 무능해서 못하신 것이 아니라 안 하신 것입니다. 즉, 잘못된 일에 자신의 능력을 사용하지 않으셨습니다. 이것이 우리에게 중요한 교훈이 됩니다.

8 답》 ⑴ 천하 만국과 그 영광 ⑵ 만일 내게 엎드려 경배하면 이 모든 것을 네게 주리라

해설》 마귀의 마지막 시험은 세상의 모든 영광을 줄 테니 자신에게 경배하라는 것이었습니다. 파우스트처럼 영혼을 팔아서라도 부귀와 영화를 누리고 싶어 하는 이들이 많습니다. 물질을 최고의 가치로 여기는 것이야말로 또 다른 우상숭배이며, 결국 마귀를 숭배하는 것이 됩니다. '돈을 사랑함이 일만 악의 뿌리가 되나니 이것을 탐내는 자들은 미혹을 받아 믿음에서 떠나 많은 근심으로써 자기를 찔렀도다'(딤전 6:10)라는 말씀을 기억합시다.

9 가이드》 사람마다 특별히 취약한 부분이 있습니다. 육체적인 면에 약한 사람이 있는가 하면 돈 문제에 약한 사람이 있고, 성공에 대한 욕망이 남다르거나 자신의 정체성과 같은 철학적인 고민을 하는 사람도 있습니다. 마귀는 누구보다 우리의 약점을 잘 압니다. 그러므로 자신의 연약함을 솔직히 인정하고 성령의 도우심을 구하기 바랍니다.

10 가이드》 유혹을 다루는 방법은 사람마다 다를 수 있습니다. 그리스도인들이 주로 강조하는 방법들을 살펴보면, 성경말씀 묵상, 기도, 정면 돌파, 다른 사람과 유혹에 대해 털어놓고 도움을 구하기, 멀리 도망가기 등 다양합니다. 당신이 가장 선호하고 또 승리의 확률이 높은 방법이 있다면 다른 분들과 나누십시오.

3 가이드》 갑작스런 끼어들기는 운전자를 매우 당혹스럽게 만드는 요인입니다. 게다가 안전과 생명을 위협하는 매우 위험한 운전습관이기도 합니다. 그러니 당하는 입장에서 놀라기도 하고, 억울하기도 하고, 해 줄 말도 많을 수 있습니다. 그러나 감정과 생각을 어떤 식으로 전해야 가장 성도다운 모습인지 생각해 보십시오.

4 답》 심판을 받게 됨, 형제에게 노하는 자는 심판을 받게 되고, 라가라고 하면 공회에 잡혀가고, 미련한 놈이라 하면 지옥 불에 들어가게 된다고 가르치셨음

해설》 출애굽기 21장에서 살인에 관한 율법을 보면, 의도적인 살인은 반드시 죽음이란 형벌을 피할 수 없습니다. 그러나 예수님은 타인을 존중하지 않는 행위(분노, 모욕적 언어 등)에 대하여도 매우 엄격하게 처벌할 수 있음을 알려 주셨습니다. 물리적인 살인 행위뿐만 아니라 인격적 살인도 심각하게 간주하고 계신 점을 기억해야 합니다.

5 답》 형제에게 원망 들은 일이 있다면 먼저 관계를 회복해야 함

해설》 제단에 예물을 드리는 것은 매우 귀한 태도입니다. 그러나 하나님이 우선적으로 다루시는 것은 제단의 예물이 아니었습니다. 성도가 주변과 맺는 관계입니다. 주변과의 관계가 무너진 이들에게 예물이 아니라 먼저 관계의 회복을 가르치신다는 것을 기억해야 합니다.

6 가이드》 예배 인도자가 갑자기 교회를 오던 중에 누군가와 심하게 다투었다며 예배 인도를 잠시 멈춘 것을 본 적이 있습니다. 누군가와 관계가 어려운 채로 설교를 해야 하는 목회자의 경우도 보통 어려운 일이 아닙니다. 관계가 무너진 상태로는 하나님과의 참된 교제가 어렵다는 것을 현장에서 많이 느낄 수 있습니다.

7 답》 재정 문제가 있었을 것으로 보임

해설》 너를 고발하려는 자와 함께 있을 때 급히 화해하지 않으면 한 푼이라도 다 갚기 전에는 옥에서 나올 수 없다는 설명을 고려할 때, 예수님은 재정 문제로 틀어진 관계를 예로 드신 것으로 보입니다.

8 답》 급히 사화할 것을 말씀하심

해설》 '급히 사화하라'는 표현을 〈쉬운성경〉에서는 '빨리 화해하여라'로 옮겼습니다. 앞서 살폈지만, 두 사람은 채권-채무 관계로 보입니다. 말 한마디에 천 냥 빚도 갚는다는 속담도 있듯이 재정 문제처럼 사람들이 예민한 것이 없습니다. 그만큼 관계 회복이 갖는 힘이 크다고 할 수 있습니다.

9 답》 마지막 한 푼까지 다 갚기 전에는 그 감옥에서 나오지 못하게 됨

해설》 재판관에게 넘겨지고 옥리에게 넘겨져서 옥에 갇혀 모든 빚을 청산할 때까지 나올 수 없는 상황 등은 오해를 풀거나 신뢰를 심어주는 등 관계 회복의 과정을 거쳤다면 피할 수 있었던 일들입니다. 관계 회복은 기회를 선사하지만, 관계의 실패는 많은 고난을 야기하게 됨을 기억해야 합니다.

10 가이드》 아내와의 갈등, 주변 이웃과의 다툼 등 다양한 관계의 크고 작은 갈등을 해결하기 위해서는 늘 용기가 필요하고 입장을 바꾸어 생각하는 것도 중요합니다. 먼저 손을 내미는 것도 매우 절실합니다. 우리는 성도입니다. 앞으로 이렇게 살아야 하지 않을까요?

*서로의 기도 제목을 나누면서 뒤에 있는 기도 노트를 활용하십시오(p.247~251)

3 가이드》 다른 사람의 잘못이나 실수를 관대하게 대했을 때의 마음가짐을 나누어 봅니다. 보통 나에게 여유가 없을 때 더 용납이 안 되는 경향이 있습니다.

4 답》 눈은 눈으로, 이는 이로 갚는다

해설》 구약 율법이 규정하는 타인에 대한 보복법입니다. 이 법의 원래 취지는 받은 만큼 꼭 되돌려 주라는 의미보다는 더 갚지 말고 받은 만큼만 갚으라는 공정성에 있습니다. 부당하게 남을 더 해하지 못하도록 한 것입니다.

5 답》 악한 자를 대적하지 말고 오른편 뺨을 치면 왼편도 돌려대고, 속옷을 가지고자 하면 겉옷도 주며, 오 리를 가게 하면 십 리를 가고, 구하는 자에게 주고 꾸고자 하는 자에게 거절하지 말라

해설》 받은 만큼 되돌려 주는 것이 아니라 더 관대하라는 취지의 말씀입니다.

6 가이드》 남이 나에게 한 대로 똑같이 하는 것을 통해서는 하나님 나라와 하나님의 사랑을 드러낼 수 없습니다. 주님을 위해 더 관대하게 처신했던 경험들을 나누며 그것이 가져다 준 유익도 함께 나눕니다.

7 답》 이웃은 사랑하고 원수는 미워한다

해설》 이스라엘은 특별히 이웃의 범주를 자신의 민족에 한정함으로써 민족주의적인 성향을 띠었으며, 원수의 범위도 유대민족을 제외한 이방민족 전반으로 설정했습니다.

8 답》 원수를 사랑하며 박해하는 자를 위해 기도하라

해설》 예수님은 산상수훈을 통해 천국 백성의 윤리 수준을 말씀하시면서 이런 말씀을 하고 계십니다. 천국 백성은 과거보다 더 나은 윤리 의식을 가지는 것이 마땅합니다.

9 가이드》 세리와 이방인은 당시 하나님을 모르는 세상 사람들을 대표합니다. 성도는 하나님의 자녀이므로 세상 사람들보다 더 나은 윤리 의식을 가지고 있어야 합니다.

10 가이드》 당신이 신앙인이기에 세상 사람들보다 더 나은 모습을 보이는 부분들을 생각해 보는 문제입니다. 성도는 세상 사람들보다 넉넉한 부분을 반드시 가지고 있어야 합니다. 왜냐하면 성도는 하나님의 사랑을 입은 사람들이기 때문입니다.

3 가이드》 과거 어느 때보다 여기저기서 살기 어렵다는 말들이 많이 들려옵니다. 이럴 때 힘이 되어줄 사람이 있다면, 혹은 아무리 써도 마르지 않는 풍족한 물질이 있다면 하는 생각을 하게 됩니다. 당신은 이와 관련해서 어떤 생각을 하고 있습니까? 그리고 예수님은 오늘 본문을 통해 뭐라고 말씀하십니까? 진정한 신뢰의 대상이 누구인지 혹은 무엇인지 찾아보기 바랍니다.

4 답》 목숨을 위하여 무엇을 먹을까, 무엇을 마실까, 몸을 위하여 무엇을 입을까

해설》 인간의 걱정은 한마디로 의식주에 대한 것입니다. 이것은 곧 물질과 소유에 대한 걱정입니다. 이런 걱정이 지나치면 목숨과 몸을 상하게 할 뿐만 아니라 하나님과 멀어질 수 있습니다. 예수님은 무엇이 더 중요한가를 인식하라고 깨우쳐 주십니다.

5 답》 공중의 새와 들의 백합화

해설》 하나님은 새와 백합화, 이 둘을 먹이고 입히십니다. 그렇다면 그보다 훨씬 귀한 인간은 당연히 하나님이 책임지고 먹이고 입히실 것입니다. 그런 의미에서 염려는 하나님에 대한 불신앙입니다.

6 답》 (1) 인간을 더 귀하게 여기시기 때문에 (2) 염려함으로 그 키를 한 자라도 더할 수 없기 때문에 (3) 이런 걱정은 이방인들이 구하는 것이기 때문에

해설》 하나님은 피조물 가운데 오직 인간만을 하나님의 형상으로 창조하셨기에 그 무엇보다 귀하게 여기십니다. 게다가 사람이 걱정한다고 해서 자신의 수명이 더 늘어나지도 않을 뿐더러 오히려 줄어들 수 있습니다. 무엇보다 하나님은 우리의 필요를 아시고 채워 주시는 분이기에 염려는 하나님을 모르는 이방인, 즉 불신자의 몫입니다.

7 가이드》 그리스도인들 사이에서도 불교처럼 무소유를 주장하는 사람이 있는가 하면, 열심히 노력하여 깨끗한 부자가 되자고 하는 사람도 있습니다. 예수님은 그리스도인의 정체성을 '청지기'로 정의하시면서, 게으른 종이 되지 말고 착하고 충성된 종이 되라고 강조하십니다. 청지기는 물질을 관리하는 사람이지 물질의 노예가 아님을 기억해야 합니다.

8 답》 먼저 그(하나님)의 나라와 그의 의를 구하라 그리하면 이 모든 것을 너희에게 더하시리라

해설》 그리스도인은 하나님이 자신의 필요를 충분히 채워 주실 것을 확신하면서 먼저 하나님 나라와 그분의 의를 추구해야만 합니다. 즉, 하나님 나라의 가치를 중심으로 생각하며 살아야 합니다. 그러면 의식주를 비롯한 필요한 모든 것은 덤으로 주어질 것입니다.

9 답》 내일 일을 위하여 염려하지 말라

해설》 하나님은 우리가 한 번에 한 걸음씩 나아가기를 바라실 뿐 그 이상을 바라지 않으십니다. 오늘 최선을 다하고 내일을 염려하지 않는 것이 하나님의 뜻입니다. 만약 내일 또 다른 걱정이나 고통이 다가온다면, 하나님은 또 내일에 필요한 새로운 은혜도 주실 것입니다.

10 가이드》 천국 시민권을 가진 그리스도인은 하나님 나라의 관점에 따라 살아야 합니다. 즉, 하나님께서 말씀하신 가치를 추구하며 그분께 충성을 다해야 합니다. 그런 가치를 추구하는 그리스도인은 오늘뿐 아니라 내일의 염려와 걱정까지도 하나님께 맡기며 살아갑니다. 그리고 하나님은 그들의 삶을 책임져 주십니다.

*서로의 기도 제목을 나누면서 뒤에 있는 기도 노트를 활용하십시오(p.247~251)

3 가이드》 우리는 누군가를 평가할 때 흔히 '저 사람은 믿음이 좋아'라고 말하기도 합니다. 그럴 때 무엇이 기준이 되어서 그런 평가를 하는지 살펴보시기 바랍니다.

4 답》 하인의 중풍병을 고쳐 달라고 했으며 예수님께서는 가서 고쳐 주겠다고 하심

5 답》 예수님이 집에 들어오시는 것을 감당할 수 없으니 다만 말씀만으로 고쳐 달라고 요청함

해설》 '다만 말씀으로만 하옵소서'라는 말 속에 백부장의 믿음이 들어 있습니다. 그는 예수님이 직접 오시지 않아도 이 모든 일을 행하시는 분이심을 알고 있었습니다.

6 가이드》 마치 군대에 상하관계가 있듯이 백부장은 자신과 예수님의 위치를 잘 알고 있었습니다. 그러기에 낮은 위치에 있는 그가 예수님을 직접 뵐 수도 없으며 오라 가라 할 수도 없음을 깨달았던 것입니다. 그는 예수님을 직접 보는 것조차 어려워하고 있었습니다. 참으로 이방인으로서는 위대한 믿음이라 하겠습니다.

7 가이드》 백부장의 자세를 통해 우리의 모습을 생각해 보았으면 합니다. 우리가 너무 쉽게 예배를 생각하고 주님을 생각하는 경향은 없는지 살펴봅시다. 자유롭게 예배드리고 주님을 섬기면서도 그분을 향한 거룩한 마음이 우리에게 늘 있어야 합니다.

8 답》 이스라엘 중 아무에게서도 이만한 믿음을 보지 못했다고 하심

해설》 이것은 엄청난 칭찬입니다. 이방인인 백부장이 이런 믿음을 가졌던 것이 신기한 것은 정작 유대인들은 예수님을 몰라보고 배척했다는 사실에서 더욱 비교가 됩니다.

9 가이드》 정작 하나님을 안다고 했던 유대인들은 메시아이신 예수님을 몰라보고 배척했습니다.

10 가이드》 이제는 신앙생활에도 편리주의가 판을 치고 있습니다. 주일을 철저히 성수하고 경건한 마음으로 예배를 준비하여 드렸던 한국 초대교회의 전통이 편리주의로 바뀌어 가고 있습니다. 예배에서 거룩과 경건이 사라지고 있습니다. 편리주의를 추구하는 세상에서 경건을 위해 불편함(?)으로 남겨 두어야 할 부분은 없는지 생각해 봅니다.

3 가이드》 2002년 월드컵이 기억납니까? 이 월드컵에서 우리나라는 4강의 기적을 이루었고, 온 국민의 열기와 환호는 말로 다 표현할 수 없을 정도였습니다. 그리고 그때 유행했던 말이 'Dreams come true!'(꿈은 이루어진다)였습니다. 누구에게나 꿈은 있고, 그 꿈이 이루어졌을 때의 감격은 말로 다 표현할 수 없을 것입니다.

4 답》 한 관리, 예수님께 절함

해설》 여기서 말하는 '관리'를 〈누가복음〉에서는 '회당장'으로 언급하고 있습니다(눅 8:41). 회당장은 당시 유대 공동체의 장로들 가운데서 선출되어 회당에서 진행되는 예배의식이나 설교, 성경봉독 등을 책임지고 배정하며 회당의 질서와 토의를 주재하였던 지도자였습니다(막 5:22; 행 13:15). 그런 중요한 인물이 예수님을 찾아와 절하였다는 사실에서 그의 믿음과 간절함을 엿볼 수 있습니다.

5 답》 (1) 관리는 방금 죽은 자신의 딸의 몸에 손을 얹어 달라고 요구했고, 그러면 다시 살아날 것이라고 말함
(2) 죽은 자를 살려 달라는 기적을 요구할 때 즉시 일어나 관리를 따라가심

해설》 관리의 요구는 그의 믿음을 반영한 것으로 당시로서는 파격적이었습니다. 그런 기적을 요구하는 관리의 믿음에 예수님은 주저 없이 곧바로 반응하셨습니다. 이를 통해 예수님의 권능을 알 수 있습니다. 진정한 믿음은 예수님의 반응으로 이어집니다.

6 답》 열두 해 동안이나 혈루증으로 앓는 여자, '그 겉옷만 만져도 구원을 받겠다'라고 생각하며 만짐

해설》 '혈루증'은 여성이 월경 외에 다른 이상 원인으로 계속 출혈하는 질환을 가리킵니다. 이런 질병을 12년 동안 앓았다면 그녀의 상태가 얼마나 심각했는지 짐작할 수 있습니다. 율법에 따르면 이런 사람은 부정하기 때문에 사람과 접촉할 수 없습니다(레 15:25-27). 그래서 여자는 몰래 뒤로 와서 예수님의 옷자락을 만진 것입니다. 중요한 것은 옷자락만 만져도 치유를 받으리라는 그 여자의 믿음이었습니다.

7 가이드》 진정한 믿음은 간절함과 밀접하게 연결되어 있습니다. 믿는다고 하면서도 간절함이 없다면 그 믿음을 의심해 보아야 합니다. 왜냐하면 예수님에 대한 믿음은 그분을 가장 귀히 여기는 태도이기 때문입니다. 지금 당신의 신앙생활이 어떤 상태인지 점검해 보시기 바랍니다. 냉랭한 상태입니까, 미지근한 상태입니까, 아니면 한 관리와 혈루증 여자처럼 간절합니까?

8 답》 '딸아 안심하라 네 믿음이 너를 구원하였다'라고 말씀하셨으며, 그 즉시 그 여자의 병이 나음

해설》 여자의 믿음은 실로 놀라운 것이었습니다. 많은 사람들이 예수님 주변에서 밀치고 있었지만 예수님은 여자의 손길을 정확히 아셨고 그녀에게 위로와 구원의 말씀을 주셨습니다. 오늘날 의약과 의술이 발달했지만, 여전히 믿음은 중요합니다. 믿음은 하나님의 능력을 가져오는 통로가 되기 때문입니다.

9 답》 예수님을 비웃음

해설》 관리의 집은 이미 장례 분위기로 가득했습니다. 피리 부는 사람들과 떠드는 사람들은 장례의 슬픔을 위로하기 위해 동원된 직업인들이었습니다. 그들은 죽은 자가 다시 살아나는 일을 본 적이 없기에 예수님의 말씀을 비웃었습니다. 자신이 경험하지 못했다고 해서 불신하거나 비웃는 태도야말로 믿음의 능력을 가로막는 걸림돌이 됩니다.

10 가이드》 누구에게나 절실한 문제가 있지만, 그것을 제대로 표현하지 못한 채 머릿속으로만 생각할 때가 많습니다. 지금 당신의 절실한 문제를 기도 제목으로 만들어 예수님께 기도하기 바랍니다. 그분은 당신의 믿음을 보시고 능히 그 일들을 이루어 주실 것입니다. 세상이 바뀌고 과학과 의학이 발달해도 결국 문제를 해결하고 치유해 주시는 분은 하나님이십니다.

*서로의 기도 제목을 나누면서 뒤에 있는 기도 노트를 활용하십시오(p.247~251)

3 가이드》 살다 보면 예상치 못한 위험이나 위기를 만나기도 하고, 심지어 생의 갈림길에 서는 경우도 있습니다. 또 사랑하는 사람을 떠나보내는 슬픔을 겪기도 합니다. 이런 위험과 위기의 상황은 우리를 두렵게 하고, 때로는 신앙의 위기가 되기도 합니다. 이런 위험과 두려움을 만났던 순간과 그것을 어떻게 극복했는지 서로 나눔으로써 앞으로 닥칠 불확실한 미래를 향해 담대히 나아가는 힘을 얻기 바랍니다.

4 답》 (1) 감추인 것이 드러나지 않을 것이 없고 숨은 것이 알려지지 않을 것이 없기 때문에
(2) 몸은 죽여도 영혼은 능히 죽이지 못하기 때문에

해설》 복음 선포를 위해 파송 받은 제자들을 두렵게 하는 존재는 바로 사람들이었습니다. 특히 핍박하며 괴롭히는 사람들이야말로 두려움의 대상이 됩니다. 하지만 예수님은 하나님 앞에서는 모든 진실이 다 드러날 것이며, 또한 순교자에게는 영생의 복을 주실 것이기에 더 이상 두려워할 이유가 없다고 말씀하십니다.

5 답》 오직 몸과 영혼을 능히 지옥에 멸하실 수 있는 분

해설》 예수님은 여기서 육체만의 죽음과 육체와 영혼의 죽음을 대조적으로 말씀하십니다. 세상을 두려워하여 하나님께 불순종하고 배교하는 자들의 결말은 육체와 영혼이 함께 지옥에서 멸망하는 것입니다. 그러므로 정말로 두려워할 대상은 이런 권세를 가지신 하나님이십니다.

6 답》 어두운 데서 이르는 것을 광명한 데서 말하며 너희가 귓속말로 듣는 것을 집 위에서 전파하라

해설》 예수님은 제자들에게 자신이 가르치고 전한 복음을 공개적으로 사람들에게 전파하라고 말씀하십니다. 즉, 거절과 박해, 심지어 죽음으로 위협해 올 사람들에 대해 두려워하지 말고, 더욱 적극적으로 또 공개적으로 복음을 선포해야 한다고 말씀하셨습니다.

7 가이드》 예수님 시대나 오늘날이나 복음에 대해 거부감을 나타내고 심지어 박해하는 사람들이 있습니다. 특히 가장 가까운 가족이나 친척, 친구나 동료 등이 그런 태도를 취할 때 우리는 위축되어 소극적인 모습을 보이기 쉽습니다. 그러나 오늘 예수님의 말씀은 우리에게 힘을 줍니다. 그 말씀에 의지하여 앞으로 적극적, 공개적으로 복음을 선포하여 그들의 영혼을 구원하는 역사를 일으킵시다.

8 답》 (1) 참새의 운명 (2) 사람의 머리털 수

해설》 당시 참새 두 마리의 가격인 한 앗사리온은 노동자의 하루 품삯인 1데나리온의 1/16에 해당하는 소액이었습니다. 이런 작은 금액에 거래되는 참새의 운명도 하나님의 관심 대상이었습니다. 또한 사람의 머리털 수는 본인도 정확히 알 수 없는 것입니다. 하지만 하나님은 그 수를 세고 계십니다. 즉, 이는 하나님이 나보다 나를 더 잘 아시는 분이라는 뜻입니다.

9 답》 사람들 앞에서 예수님을 시인하라고 요구하셨으며, 예수님도 자신을 시인한 사람을 하나님 앞에서 시인할 것이라고 하심

해설》 사람에게 박해당하는 것보다 더 심각한 운명은 하나님 앞에서 예수님에 의해 거절당하는 것입니다. 그러므로 예수님의 제자는 대중 앞에서 예수님을 인정함으로써 어떤 어려움을 당할지라도 그것을 최우선 순위에 두어야 합니다.

10 가이드》 예수님을 시인하는 가장 쉬운 길은 대중 앞에서 자신이 그리스도인임을 분명히 밝히고, 먹든지 마시든지 무엇을 하든지 그분께 영광을 돌리는 것입니다. 반면에 박해를 피하는 가장 대표적인 방법은 불신자처럼 행동하는 것입니다. 우리는 매일 갈림길에 서게 됩니다. 그리스도인임을 밝힐 것인가 아니면 불신자처럼 행동할 것인가는 당신의 선택에 달려 있습니다. 그리고 그 결과도 당신의 몫임을 기억하십시오.

3 가이드》 과거에는 교회가 주일성수를 강조했습니다. 그래서 주일의 좋은 점들이 부각되기보다는 주일이 제7의 노동일처럼 그리스도인들에게 부담으로 느껴지기도 했습니다. 그러나 주5일제가 되면서 주일의 풍속도도 많이 달라지고 있습니다. 이럴 때일수록 주일(안식일)의 진정한 의미를 재조명하여 올바른 주일성수로 나아가는 기회로 삼아야 할 것입니다.

4 답》 안식일에 하지 못할 일을 했기 때문

해설》 제자들의 행동은 당시 유대문화에서 율법으로 보장된 행동이었습니다. 즉, 가난한 자들이 시장기를 해소하기 위해 낫을 대지 않고 손으로 밀을 비벼 먹는 것은 허용되었습니다(신 23:24-25). 문제는 그 일이 안식일에 행해졌다는 것입니다. 바리새인들은 장로들의 유전을 근거로 이 행위를 일종의 탈곡 행위, 즉 추수로 간주하고 안식일 규례를 위반한 것으로 보았습니다.

5 답》 다윗

해설》 예수님은 사무엘상 21장 1-6절에 나오는 사건을 배경으로 다윗의 경우를 예로 들어 말씀하십니다. 사울을 피해 도망하던 다윗과 그의 부하들은 제사장만 먹을 수 있는 진설병을 먹었습니다. 다윗과 그의 부하들도 그러했다면, 그보다 더 권위가 있는 예수님과 그분의 제자들도 당연히 그럴 수 있다는 것이 예수님의 주장이었습니다.

6 답》 안식일에 제사장들이 성전 안에서 안식을 범하여도 죄가 없다는 것

해설》 제사장들은 안식일에 제사를 드리고 떡을 교체하는 등 여러 가지 일을 했습니다(레 24:8; 민 28:9-10). 이것도 당시 바리새인들의 유전에 의하면 명백히 노동에 해당하지만 죄로 여기지 않았습니다. 왜냐하면 하나님을 섬기는 일이었기 때문입니다.

7 가이드》 본래 바리새인들의 안식일 규례는 안식일의 진정한 의미를 지키고 보존하기 위해 만들어졌으나, 세월이 흐르면서 의미는 퇴색하고 형식만 남게 되었습니다. 마찬가지로 한국 교회가 자랑할 만한 신앙 전통인 주일성수도 오늘날 형식주의로 치우친 감이 없지 않습니다. 안식일을 기념하여 그날을 거룩하게 지키라고 말씀하신 하나님의 본뜻을 살리는 주일성수가 되어야 할 것입니다.

8 답》 나는 자비를 원하고 제사를 원하지 아니하노라

해설》 이 말씀은 호세아 6장 6절을 인용한 말씀입니다. 이 말씀은 하나님이 율법 준수를 요구하는 분이 아니라 자비로운 분이시라는 점을 강조하면서, 안식일에 대한 하나님의 본래 의도가 무엇인지를 보여줍니다. 즉, 안식일은 사람을 위해 제정되었으며, 짐으로 주어진 것이 아니라 하나님의 자비의 표현으로 주어졌습니다. 그리고 이런 자비는 예수님을 통해 성취되었습니다.

9 답》 (1) 성전보다 더 큰 이가 여기 있느니라 (2) 인자는 안식일의 주인이니라

해설》 첫 번째 선언은, 하나님 임재의 중심지로서 제사장이 안식일을 범해도 죄가 되지 않는 '성전'의 역할을 예수님이 성취하셨음을 의미합니다. 두 번째 선언은, 안식일을 통해 인류가 고대했던 영원한 안식, 즉 구원이 예수님을 통해 성취되었음을 의미합니다. 이것은 율법의 완성자로 오신 예수님의 모습을 보여주는 또 하나의 예가 됩니다.

10 가이드》 예수님은 규율의 준수 여부보다 사람을 사랑하고 자비를 베푸는 것을 귀히 여기셨습니다. 안식일은 아무것도 하지 않는 날이 아니라 하나님께 영광을 돌리며 선한 일을 하는 날입니다. 오늘 우리가 지키는 주일은 세상적인 일은 멈추되 하나님의 일은 더욱 열심히 감당하는 날이 되어야 할 것입니다.

*서로의 기도 제목을 나누면서 뒤에 있는 기도 노트를 활용하십시오(p.247~251)

3 가이드》 가족은 언제나 중요하다고 느낍니다만, 특별히 어려운 일을 당했을 때나 도움이 필요할 때 남이 아닌 가족이 귀하다는 사실을 새삼 깨닫게 됩니다.

4 답》 어머니와 동생들

5 답》 예수님이 귀신 들려 기적을 행하며, 식사할 겨를도 없이 지낸다는 소문을 듣고 붙들러 옴

해설》 예수님이 행하시는 일에 당시 종교지도자들이 낸 거짓 소문을 듣고 이를 말리려고 찾아온 것입니다.

6 가이드》 가족이라 할지라도 내 마음을 전부 알아주는 것은 아닙니다. 육신의 몸을 입고 오셨기에 육신의 가족을 가졌던 예수님은 이것을 누구보다도 더 느끼셨을 것입니다.

7 가이드》 특별히 신앙생활을 하면서 가족과 친지들에게 오해를 받았던 경험을 나누어 보십시오.

8 답》 누가 내 어머니며 동생이냐고 반문하시며 제자들이야말로 진정한 어머니요 동생이라고 하심

해설》 이것은 예수님의 가족을 무시하신다는 의미가 아닙니다. 다만 하나님을 중심으로 맺어진 영적 가족관계를 말씀하고 계시는 것입니다.

9 답》 하늘에 계신 아버지의 뜻대로 하는 자

10 가이드》 우리가 하나님의 자녀이며 예수님의 영적 가족이 될 때 예수님은 우리를 가족처럼 대해 주실 것입니다. 우리의 육적인 필요를 채우시는 것은 물론이고 영적인 부분까지 채우시고 도와주실 것입니다. 구체적으로 당신에게 어떤 부분을 채워 주실지 나누어 보십시오.

3 가이드》 농부의 '일 년 농사가 잘됐다!' 혹은 반대로 '일 년 농사가 망했다!'라는 말들을 들을 때, 그 심정은 겪어본 사람만이 제대로 느낄 수 있습니다. 예수님은 영혼을 구원하는 일을 농사에 비유하셨습니다. 이삭 하나도 상하지 않게 하려고 가라지 뽑는 일을 잠시 보류하신 예수님의 마음을 묵상해 봅시다. 그리고 당신이 그처럼 소중하게 여겨야 할 영혼이 누구인지 생각해 봅시다.

4 답》 좋은 씨를 제 밭에 뿌린 사람

해설》 예수님이 보시는 천국은 지금 당장 세상을 뒤집고 변혁을 일으키는 나라가 아니라, 마치 농사처럼 씨를 뿌리고 난 뒤 오랫동안 인내한 후에 결실하는 모습과 유사합니다. 그래서 예수님은 농사에 관한 비유를 13장에서 여러 번 말씀하십니다(1-9, 31-32절).

5 답》 곡식 가운데 가라지를 덧뿌림

해설》 예수님 당시에 이런 일들이 종종 있었고, 여기에 대한 법적인 처벌도 있었다고 합니다. 영적으로 보면, 여기서 원수는 천국을 반대하는 사탄을 가리킵니다. 사탄은 지금도 끊임없이 성도가 영적으로 잠자고 있을 때(평안할 때 혹은 방심하고 있을 때) 유혹과 죄악의 씨를 뿌리고 갑니다. 하나님 자녀들 사이사이에 악한 자들을 함께 두어 시험과 고난을 일으킵니다.

6 답》 (1) 인자 (2) 세상 (3) 천국의 아들들 (4) 악한 자의 아들들 (5) 마귀 (6) 천사들

7 답》 (1) 우리가 가서 이것을 뽑기를 원하시나이까 (2) 가만두라 가라지를 뽑다가 곡식까지 뽑을까 염려하노라 둘 다 추수 때까지 함께 자라게 두라

해설》 종들과 주인의 생각이 크게 다르다는 사실을 발견합니다. 종들은 가라지가 많아지자 곡식의 수확량이 줄어들 것을 염려하여 가라지를 뽑자고 제안합니다. 그러나 주인은 가라지를 뽑다가 곡식이 함께 뽑힐 위험이 있기 때문에 그냥 두라고 대답합니다. 이는 주인이 곡식의 전체적인 수확량보다 곡식 하나하나의 안전에 더 깊은 관심을 두었기 때문입니다.

8 가이드》 세상은 물론이고 교회조차도 한 영혼에 대한 관심보다는 교회의 전체적인 성장에 더 많은 관심을 두는 경향이 있습니다. 그 과정에서 상처 입은 영혼들이 생겨나는 것은 불가피한 일이라는 식으로 치부하고 넘어가기도 합니다. 그러나 천국의 주인이신 예수님은 한 영혼의 안전에 깊은 관심을 가지고 계십니다. 그러므로 예수님의 제자인 그리스도인들은 예수님처럼 한 영혼을 사랑하는 마음을 회복해야 합니다.

9 답》 가라지는 먼저 거두어 불사르게 단으로 묶고 곡식은 모아 내 곳간에 넣으라

해설》 가라지를 추수 때까지 가만두라는 것은 그때 주님이 최후 심판을 하시겠다는 말씀입니다. 가라지로 비유된 악한 자들은 반드시 심판받을 것입니다. 반면에 곡식으로 비유된 하나님 자녀들은 천국 곳간에 들어갈 것입니다. 그러므로 우리는 누가 곡식이고 가라지인지 임의로 판단하는 데 관심을 두지 말아야 합니다. 혹 가라지처럼 보이는 영혼이 곡식일 수도 있기 때문입니다. 오히려 다른 영혼에게 상처 주지 않게 주의해야 합니다.

10 가이드》 이 비유는 현존하는 가라지, 즉 악한 자들에 대해 하나님 자녀들이 성급하게 대들거나 뽑아 버리려고 할 것이 아니라, 심판의 날까지 인내하며 기다릴 것을 교훈합니다. 또한 가라지를 뽑으려 하다가 곡식이 손상되는 일이 일어나지 않도록 곡식 하나하나, 즉 한 영혼 한 영혼의 안전과 건강에 깊은 관심을 가져야 할 것을 교훈합니다. 따라서 자신의 세상적인 상식과 지혜로 섣부른 판단을 하지 않게 주의하면서 예수님의 마음을 본받도록 힘써야 할 것입니다.

*서로의 기도 제목을 나누면서 뒤에 있는 기도 노트를 활용하십시오(p.247~251)

3 가이드》 흔히들 '억울하면 출세하라'고 말합니다. 출세해서 억울함을 풀라는 뜻이겠지요. 그렇다면 그리스도인은 억울한 일을 당할 때 어떠해야 합니까? 세례 요한, 나아가 예수님까지 그분들의 죽음은 너무나 억울하지만 그 속에는 하나님의 뜻이 있었습니다. 각자가 당하는 억울한 경험을 나누어 보고 그 속에서 발견한 의미를 공유해 봅시다.

4 답》 죽은 자 가운데서 살아난 세례 요한

해설》 본문의 헤롯은 헤롯 대왕(2:1)의 아들로 갈릴리 지역을 관할하던 분봉 왕 헤롯 안디바입니다. 그는 예수님의 사역이 굉장한 영향력을 발휘한다는 소식을 듣고 자신이 죽인 세례 요한이 살아 돌아온 것으로 확신했습니다. 세례 요한의 환생에 대한 헤롯의 미신적인 생각은 요한을 부당하게 죽인 자신의 죄에 대한 죄책감에서 기인했다고 볼 수 있습니다.

5 답》 헤롯이 헤로디아를 아내로 삼은 것이 옳지 않다고 세례 요한이 지적했기 때문

해설》 헤롯은 첫째 부인(나바테아 왕 아레타스 4세의 딸)과 이혼한 뒤, 자신의 이복형 아리스토불루스의 딸이자 다른 이복동생 헤롯 보에투스(빌립)의 아내인 헤로디아(즉, 조카이자 제수)와 결혼하였습니다. 요한은 그 결혼의 부당성을 반복적으로 지적하였고, 이로 인해 자신의 위신이 손상을 입을까 두려워한 헤롯은 요한을 옥에 가두었습니다.

6 답》 무리가 그(세례 요한)를 선지자로 여기므로 그들을 두려워하였기 때문

해설》 헤롯은 크게 두 가지 이유에서 요한을 죽이고 싶어 했습니다. 하나는 자신을 비난하는 도덕적인 이유 때문이고, 다른 하나는 백성에 대한 요한의 영향력이 점점 커지는 정치적인 이유 때문이었습니다. 그러나 백성이 요한을 선지자로 여기고 있었기 때문에 그를 죽일 경우 폭동이나 큰 혼란이 야기될지도 모른다는 두려움이 있었을 것입니다.

7 가이드》 두려움을 극복하는 가장 첫 단계는 바로 두려움의 실체와 직면하는 일이라고 합니다. 헤롯은 요한을 통해, 그리고 예수님을 통해 자신의 두려움의 실체를 보게 되었습니다. 오늘 나를 두렵게 하는 대상을 올바로 직시할 때 두려움을 극복하는 길이 열립니다. 그리고 무엇보다 예수님이 우리의 도움이 되십니다. 죽음을 이기신 그분이 돕지 못할 일은 없습니다.

8 답》 세례 요한의 머리를 소반에 얹어 여기서 내게 주소서

해설》 헤롯의 생일잔치에서 춤을 춘 헤로디아의 딸은 아마도 살로메였을 것입니다. 그녀의 춤(6절)과 그것에 대한 헤롯의 무절제한 맹세(7절) 그리고 그녀의 예상 밖의 요구(8절)는 당시 헤롯 왕궁의 방종한 분위기를 잘 묘사해 줍니다. 경솔한 맹세가 얼마나 무서운 결과를 낳는지 여실히 보여줍니다.

9 답》 딸의 어머니인 헤로디아

해설》 헤로디아는 눈엣가시와 같이 자신의 죄를 지적하는 세례 요한을 죽일 방도를 다방면으로 찾았습니다. 그리고 헤롯의 생일잔치에서 자기 딸을 춤추게 한 뒤 요한의 목을 요구함으로써 마침내 소원을 이룹니다. 마귀는 악인을 동원하여 주의 종과 의인을 괴롭히거나 죽이려고 호시탐탐 기회를 노립니다. 그러므로 성도는 늘 깨어 있는 삶을 살아야 합니다.

10 가이드》 실제로 세례 요한의 죽음은 세상적으로 보면 비참한 최후를 맞이한 것처럼 보입니다. 게다가 '주의 길을 예비하던 그를 하나님이 왜 보호해 주지 않으셨을까?'라는 의문이 들기도 합니다. 우리는 의인에게 닥치는 이런 결과를 보면서 고민하게 되지만, 그 모든 일 가운데 하나님의 더 크신 계획이 있음을 믿어야 합니다. 그래서 예수님은 기꺼이 십자가의 길을 가셨고, 오늘 우리에게도 자기 십자가를 지고 따르라고 말씀하십니다.

기도 노트 *Prayer Note*

- 하나님께서 기도에 응답하셨으면 'Yes', 거절하셨으면 'No', 보류 중이시면 'Wait'에 체크해 보세요!
  시간이 흐른 뒤, 하나님의 세심한 인도하심을 느낄 수 있습니다.

날짜 Date	기도 대상 Who	기도 제목 Title	응답 여부		
			Yes	No	Wait

Prayer Note

날짜 Date	기도 대상 Who	기도 제목 Title	응답 여부		
			Yes	No	Wait

Prayer Note

날짜 Date	기도 대상 Who	기도 제목 Title	응답 여부		
			Yes	No	Wait

Prayer Note

날짜 Date	기도 대상 Who	기도 제목 Title	응답 여부 Yes	 No	 Wait

Prayer Note

날짜 Date	기도 대상 Who	기도 제목 Title	응답 여부		
			Yes	No	Wait

권별주삶

아가페 주삶

마태복음 상 개정판

2015년 12월 15일 1판 1쇄 발행
2018년 6월 30일 개정판 1쇄 발행

지은이 오대환

펴낸이 정형철
펴낸곳 ㈜아가페출판사
등록 제21-754호
등록일 1995년 4월 12일
편집장 이수진
편집 강수진, 홍주미
디자인 박지영, 정육남

주소 (06698) 서울시 서초구 효령로8길 5 (방배동)
전화 584-4835(본사)
팩스 586-3078(본사)
홈페이지 www.iagape.co.kr

ISBN 978-89-537-1939-2 (04230)
ISBN 978-89-537-1938-5 (개정판 세트) 04230
ISBN 978-89-537-1934-7 (세트) 04230

이 도서의 국립중앙도서관 출판시도서목록(CIP)은
서지정보유통지원시스템 홈페이지(http://seoji.nl.go.kr)와
국가자료공동목록시스템(http://nl.go.kr/kolisnet)에서 이용하실 수 있습니다.
(CIP제어번호: CIP2018014287)

아가페 출판사